새로운 개정 교육과정 반영

BEST 유형 + BEST 기출 총망라

내신 UP

중학 수학 **2·1**

구성과 특징
Structures&Features

Part I

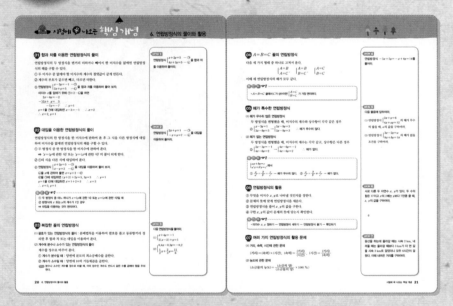

> 시험에 꼭 나오는 핵심 개념

각 단원에서 꼭 알아야 할 핵심 개념을 꼼꼼하게
정리하였고, 포인트 개념을 두어 중요한 개념을
한눈에 확인할 수 있도록 하였습니다.

> 예제

각 개념의 정의와 공식을 단순히 적용하여
학습한 개념을 바로 확인할 수 있는 기초 문제로
구성하였습니다.

Part II

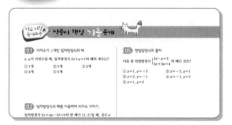

| 싹쓸이 핵심 기출문제 |

전국 1,000여 개 중학교의 5년간 기출문제를 분석하여 출제율이 높은 핵심
문제를 엄선하여 시험 직전에 최종 확인할 수 있도록 하였습니다.

| 싹쓸이 핵심 예상문제 |

싹쓸이 핵심 기출문제의 유형에 대하여 '숫자를 바꾼 문제', '표현을 바꾼 문
제'로 구성하여 유형을 확실히 익힐 수 있도록 하였습니다.

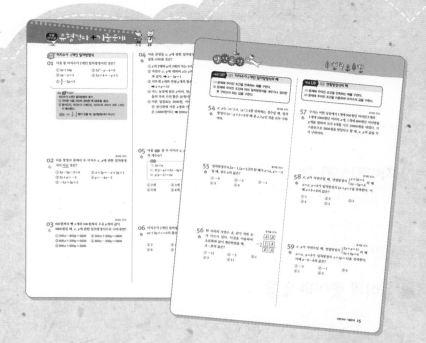

유형격파 + 기출문제

2015 개정 교육과정의 새 교과서와 전국
1,000여 개 중학교의 5년간 기출문제를 분석하여
시험에 꼭 나오는 대표유형과 그 유사문제를
난이도, 출제율과 함께 실었습니다.

내신 UP POINT

문제 해결을 위한 도움말을 제공하였습니다.

발전 유형

까다로운 기출문제를 유형별로 분석하여
발전 개념과 함께 구성하였습니다.

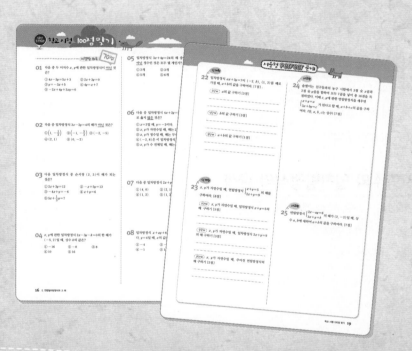

학교시험 100점 맞기

전국 1,000여 개 중학교의 5년간 기출 사이클
분석을 바탕으로 기말고사 적중률 100%에
도전하는 문제들을 수록하였습니다.

서술형 PERFECT 문제

실제 학교 시험과 유사한 서술형 문제로 단계형,
사고력 문제를 실었습니다.

| 실전 모의고사 |

실제 시험과 같이 구성한 실전 모의고사를 총 4회 실어 시험에 대한 자신감을
기를 수 있도록 하였습니다.

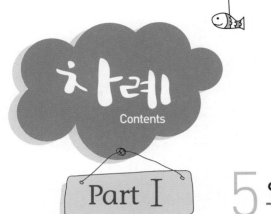

차례
Contents

Part I

Part II

내신 UP 중학 수학

Part I

시험에 꼭 나오는 핵심 개념

유형격파 + 기출문제

학교시험 100점 맞기

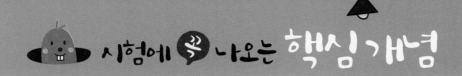
01 미지수가 2개인 일차방정식

(1) 미지수가 2개인 일차방정식 : 미지수가 2개이고, 그 차수가 모두 1인 방정식

(2) 두 미지수 x, y에 관한 일차방정식은

$$ax+by+c=0 \ (단, \ a, \ b, \ c는 \ 상수, \ a \neq 0, \ b \neq 0)$$

의 꼴로 나타내어진다.

포인트 개념

미지수가 2개인 일차방정식이 아닌 경우

➡ $2xy=1$ (×), $y=\dfrac{1}{x}$ (×), $x+3y$ (×)

> **예제 1**
>
> 다음 등식이 미지수가 2개인 일차방정식이 되기 위한 상수 a, b의 조건을 각각 구하여라.
>
> $$ax-y+1=3x+by-2$$

02 미지수가 2개인 일차방정식의 해

(1) 미지수가 2개인 일차방정식의 해 : 두 미지수 x, y에 관한 일차방정식을 참이 되게 하는 x, y의 값 또는 그 순서쌍 (x, y)

　예 $x+y=6$에 $x=1$, $y=5$를 대입하면 $1+5=6$이므로
　　$(1, 5)$는 $x+y=6$의 해이다.
　　$x+y=6$에 $x=2$, $y=3$을 대입하면 $2+3 \neq 6$이므로
　　$(2, 3)$은 $x+y=6$의 해가 아니다.

(2) 일차방정식을 푼다. : 일차방정식의 해를 모두 구하는 것

포인트 개념

미지수가 2개인 일차방정식의 해는 여러 개일 수도 있다.

> **예제 2**
>
> x, y가 자연수일 때, 일차방정식 $2x+y=8$의 해를 구하여라.

03 미지수가 2개인 연립일차방정식

(1) 미지수가 2개인 연립일차방정식

미지수가 2개인 두 일차방정식을 한 쌍으로 묶어 놓은 것

　예 $\begin{cases} 2x+y=5 \\ 3x-2y=7 \end{cases}$

(2) 연립방정식의 해

두 일차방정식을 동시에 만족시키는 x, y의 값 또는 그 순서쌍 (x, y)

　예 연립방정식 $\begin{cases} x+y=5 \ \cdots \ ㉠ \\ x+2y=7 \ \cdots \ ㉡ \end{cases}$에 $x=3$, $y=2$를 대입하면

　　㉠에서 $3+2=5$
　　㉡에서 $3+2 \times 2=7$
　　따라서 $x=3$, $y=2$는 이 연립방정식의 해이다.

(3) 연립방정식을 푼다. : 연립방정식의 해를 구하는 것

포인트 개념

(연립방정식의 해)=(두 일차방정식의 공통인 해)

> **예제 3**
>
> x, y가 자연수일 때, 연립방정식 $\begin{cases} x+y=4 \\ 4x+y=10 \end{cases}$ 의 해를 구하여라.

출제율 90%

대표유형 **미지수가 2개인 일차방정식**

01 다음 중 미지수가 2개인 일차방정식인 것은?

① $3x+10y$

② $3x^2-y-4=0$

③ $xy-x=3$

④ $3x+4=-y+5$

⑤ $\dfrac{4}{x}-2y=5$

내신 UP POINT

미지수가 2개인 일차방정식 찾기

① 주어진 식을 간단히 정리한 후 (동류항 계산)

② 등식인지, 미지수가 2개인지, 미지수의 차수가 모두 1차인지 확인한다.

주의 xy, $\dfrac{1}{x}$, $\dfrac{1}{y}$항이 있을 때, 일차방정식이 아니다.

출제율 95%

02 다음 방정식 중에서 두 미지수 x, y에 관한 일차방정식이 <u>아닌</u> 것은?

① $3x-5y-2=0$

② $x+2y=-x+2y+1$

③ $2x+y=-5$

④ $y=-4x-3$

⑤ $-5x=3y+2$

출제율 90%

03 600원짜리 빵 x개와 500원짜리 우유 y개의 값이 5600원일 때, x, y에 관한 일차방정식으로 나타내면?

① $500x-600y=5600$

② $500x+600y=5600$

③ $600x+500y=5600$

④ $600x-500y=5600$

⑤ $600x+600y=5600$

출제율 90%

04 다음 문장을 x, y에 관한 일차방정식으로 나타낼 때, 잘못 나타낸 것은?

① x의 2배와 y의 3배의 차는 5이다. ➡ $2x-3y=5$

② 자연수 x, y에 대하여 x는 y의 5배에서 1을 뺀 것과 같다. ➡ $x-5y=1$

③ 지우개 x개와 연필 y개의 합은 10개이다.
➡ $x+y=10$

④ 어느 농장에 닭은 x마리, 염소는 y마리가 있고, 이들의 다리 수의 합은 18개이다. ➡ $2x+4y=18$

⑤ 어른 입장료는 2000원, 어린이 입장료는 1000원인 전시회에 어른 x명과 어린이 y의 입장료의 합은 13000원이다. ➡ $2000x+1000y=13000$

출제율 95%

05 다음 **보기** 중 두 미지수 x, y에 관한 일차방정식인 것의 개수는?

보기

ㄱ. $3x=y$

ㄴ. $3y-2x=5$

ㄷ. $3(x-y)=2x-3y+4$

ㄹ. $-x(x-y)=5$

ㅁ. $y(y-3)=2x$

ㅂ. $-2x+y=3x-6$

① 2개

② 3개

③ 4개

④ 5개

⑤ 6개

출제율 90%

06 미지수가 2개인 일차방정식 $-5x+2y=3$을 $ax+by+c=0$의 꼴로 고칠 때, $a+b+c$의 값은?
(단, $a>0$)

① 2

② 4

③ 6

④ 8

⑤ 10

출제율 90%

10 다음 일차방정식 중에서 해가 $(-2, 4)$가 아닌 것은?

① $x-y=-6$ ② $2x+3y=10$

③ $y=-x+2$ ④ $-5x-y=6$

⑤ $2x+4y=12$

대표유형 미지수가 2개인 일차방정식의 해

07 다음 중 일차방정식 $-5x+2y=1$의 해가 <u>아닌</u> 것은?

① $(-1, -2)$ ② $\left(\dfrac{1}{5}, 1\right)$ ③ $\left(\dfrac{3}{5}, -4\right)$

④ $(1, 3)$ ⑤ $\left(2, \dfrac{11}{2}\right)$

내신 UP POINT
일차방정식 $ax+by+c=0$의 해 (x, y)는 $ax+by+c=0$에 대입하면 등식이 성립한다.

출제율 90%

11 다음 중 일차방정식 $-3x+y=6$의 해가 <u>아닌</u> 것은?

① $(-3, -3)$ ② $(-2, 0)$ ③ $(-1, 3)$

④ $(1, 6)$ ⑤ $(2, 12)$

출제율 95%

08 다음 일차방정식 중 순서쌍 $(1, 3)$이 해가 되는 것은?

① $2x-3y=10$ ② $-x+5y=14$

③ $-4x+y=-5$ ④ $x+2y=4$

⑤ $5x+\dfrac{1}{3}y=7$

출제율 90%

12 다음 중 일차방정식 $3x+2y=20$의 해인 것을 모두 고르면? (정답 2개)

① $(-2, 10)$ ② $\left(-\dfrac{2}{3}, 11\right)$ ③ $(1, 8)$

④ $\left(7, -\dfrac{1}{2}\right)$ ⑤ $(6, 2)$

출제율 95%

09 다음 중 일차방정식 $x-4y=-6$의 해인 것은?

① $(1, -2)$ ② $(2, 2)$ ③ $(3, 6)$

④ $(4, 3)$ ⑤ $(5, 14)$

출제율 90%

13 x, y가 자연수일 때, 일차방정식 $x+2y=9$에 대하여 다음 표를 완성하고, 해를 구하여라.

x					
y	1	2	3	4	5

14 x, y가 자연수일 때, 방정식 $3x+y=9$의 해의 개수는?

중

① 4개 　　　　 ② 3개 　　　　 ③ 2개

④ 1개 　　　　 ⑤ 없다.

15 x, y가 10 이하의 자연수일 때, 일차방정식

중 $-3x+2y=6$의 해의 개수는?

① 1개 　　　　 ② 2개 　　　　 ③ 3개

④ 4개 　　　　 ⑤ 5개

16 일차방정식 $2x+y=10$의 해 중에서 x, y가 음이 <u>아닌</u>

중 정수인 것은 모두 몇 개인가?

① 2개 　　　　 ② 3개 　　　　 ③ 4개

④ 5개 　　　　 ⑤ 6개

17 다음 중 일차방정식 $x+3y=7$의 해에 대한 설명으로

중 옳지 <u>않은</u> 것은?

① $x=1$일 때, $y=2$이다.

② x, y가 자연수일 때, 해는 3개이다.

③ x, y가 정수일 때, 해는 무수히 많다.

④ $(-2, 3)$은 일차방정식의 해이다.

⑤ x, y가 수 전체일 때, 해는 무수히 많다.

대표
유형 **일차방정식의 해가 주어질 때** 　　　유형격파+기출문제

18 일차방정식 $-3x+ay=-2$의 한 해가 $(2, 1)$일

때, 상수 a의 값은?

① -4 　　　　 ② -2 　　　　 ③ 1

④ 2 　　　　 ⑤ 4

19 x, y에 관한 일차방정식 $-x+2y=5$의 한 해가

하 $(3, a)$일 때, 상수 a의 값은?

① 2 　　　　 ② 4 　　　　 ③ 6

④ 8 　　　　 ⑤ 10

20 일차방정식 $ax-y=4$의 한 해가 $x=2$, $y=2$라 한

중 다. $y=5$일 때, x의 값은?

① -3 　　　　 ② -2 　　　　 ③ -1

④ 2 　　　　 ⑤ 3

21 일차방정식 $ax+2y=15$의 해가 $(-3, 12)$, $(3, b)$일

중 때, b의 값은? (단, a, b는 상수)

① -1 　　　　 ② 1 　　　　 ③ 3

④ 5 　　　　 ⑤ 7

출제율 90%

22 순서쌍 $(2, a)$, $(b, -4)$가 일차방정식 $2x-3y=10$
의 해일 때, ab의 값을 구하여라.

출제율 85%

23 일차방정식 $-x+3y=-9$의 해는 $(a, -4)$, $(3, b)$
이다. 이때 $bx+ay=4$에서 $x=1$일 때, y의 값은?

① -3　　　② -2　　　③ -1
④ 1　　　⑤ 2

출제율 85%

24 일차방정식 $2x+3y-23=0$의 한 해가 $(k, 2k-3)$
일 때, 상수 k의 값은?

① -3　　　② -1　　　③ 0
④ 2　　　⑤ 4

출제율 85%

25 일차방정식 $4x-3y=-12$의 한 해가 $(a-3, 2+a)$
일 때, 상수 a의 값은?

① 2　　　② 4　　　③ 6
④ 8　　　⑤ 10

출제율 85%

26 $(a, 3a)$, (a, b)가 일차방정식 $3x-2y=6$의 해일 때,
상수 a, b에 대하여 $a+b$의 값은?

① -8　　　② -7　　　③ -6
④ -5　　　⑤ -4

대표유형 연립방정식 세우기

27 300원짜리 사탕과 500원짜리 초콜릿을 섞어서 9개
를 사고 3300원을 냈다. 사탕의 개수를 x개, 초콜
릿의 개수를 y개라 할 때, 연립방정식을 세우면?

① $\begin{cases} x+y=9 \\ 300x+500y=3300 \end{cases}$　　② $\begin{cases} x+y=9 \\ 500x+300y=3300 \end{cases}$

③ $\begin{cases} x+y=9 \\ 300x+200y=3300 \end{cases}$　　④ $\begin{cases} x-y=9 \\ 300x+500y=3300 \end{cases}$

⑤ $\begin{cases} x-y=9 \\ 500x+300y=3300 \end{cases}$

출제율 90%

28 개와 닭을 모두 합하여 10마리가 있고, 이들의 다리
수의 합은 26개이다. 이때 개를 x마리, 닭을 y마리로
놓고 연립방정식을 세우면?

① $\begin{cases} y=x+10 \\ 2x-4y=26 \end{cases}$　　② $\begin{cases} x-y=10 \\ 2x+4y=26 \end{cases}$

③ $\begin{cases} x+y=10 \\ 4x+2y=26 \end{cases}$　　④ $\begin{cases} x+y=10 \\ 2x+4y=26 \end{cases}$

⑤ $\begin{cases} x+y=26 \\ 4x+2y=10 \end{cases}$

29 (하) 객관식 문항은 한 문제당 3점, 주관식 문항은 한 문제당 5점인 수학 시험에서 모두 18문제를 맞혀 76점을 받았다. 맞힌 객관식 문항 수를 x개, 맞힌 주관식 문항 수를 y개로 놓고 연립방정식을 세우면?

① $\begin{cases} x+y=18 \\ 3x+5y=76 \end{cases}$ ② $\begin{cases} x+y=18 \\ 5x+3y=76 \end{cases}$

③ $\begin{cases} y=x+18 \\ 3x+5y=76 \end{cases}$ ④ $\begin{cases} x-y=18 \\ 3x-5y=76 \end{cases}$

⑤ $\begin{cases} x+y=63 \\ 3x+5y=76 \end{cases}$

30 (중) 700원짜리 공책과 400원짜리 볼펜을 섞어서 4개를 사고 2200원을 냈다. 이때 공책과 볼펜의 개수를 각각 x개, y개라 할 때, 연립방정식으로 알맞은 식은?

① $\begin{cases} x+y=2200 \\ 7x+4y=4 \end{cases}$ ② $\begin{cases} y=x+4 \\ 7x-4y=22 \end{cases}$

③ $\begin{cases} x-y=300 \\ 7x+4y=22 \end{cases}$ ④ $\begin{cases} y=4-x \\ 7x+4y=22 \end{cases}$

⑤ $\begin{cases} 7x+4y=4 \\ x+y=22 \end{cases}$

31 (중) 150원짜리 우표 x장과 300원짜리 우표 y장을 합하여 7장을 사고 모두 1800원의 값을 지불하였다. 이때 x, y에 관한 연립방정식을 세우면?

① $\begin{cases} y=7-x \\ 150x+300y=1800 \end{cases}$ ② $\begin{cases} y=7-x \\ 300x+150y=1800 \end{cases}$

③ $\begin{cases} x=y+7 \\ 150x+300y=1800 \end{cases}$ ④ $\begin{cases} y=x+7 \\ 300x+150y=1800 \end{cases}$

⑤ $\begin{cases} x-y=7 \\ 150x+300y=1800 \end{cases}$

32 (중) 세발자전거 x대와 자동차 y대 모두 합하여 13대가 있다. 자전거와 자동차의 바퀴 수의 합이 45개일 때, x, y에 관한 연립방정식을 세우면 $\begin{cases} y=13+ax \\ bx+cy=45 \end{cases}$ 와 같다. 이때 $a-b+c$의 값은? (단, a, b, c는 상수)

① -2 ② -1 ③ 0

④ 1 ⑤ 2

33 (중) 농구경기에서 2점 슛 x개, 3점 슛 y개를 넣어 총 92점을 득점하였는데 3점 슛이 2점 슛보다 4개 더 많았다. 이때 x, y에 관한 연립방정식을 세우면 $\begin{cases} ax+3y=b \\ x-y=c \end{cases}$ 와 같다. 이때 $a+b+c$의 값은? (단, a, b, c는 상수)

① 90 ② 92 ③ 94

④ 96 ⑤ 98

34 (중) 어느 12명의 병사가 큰 말에는 2명씩, 조랑말에는 1명씩 모두 9마리의 말을 나누어 타고 싸움터로 떠났다고 한다. 큰 말의 수를 x마리, 조랑말의 수를 y마리라 하고 연립방정식을 세우면 $\begin{cases} x+y=a \\ bx+y=c \end{cases}$ 와 같다. 이때 $a+b-c$의 값은? (단, a, b, c는 상수)

① -5 ② -1 ③ 1

④ 5 ⑤ 23

출제율 85%

35
(중)
정혁이와 민우는 가위바위보를 하여 이긴 사람은 계단에서 2칸 올라가고 진 사람은 1칸을 내려가기로 하였다. 정혁이와 민우는 각각 x번, y번 이겨서 처음보다 정혁이는 5칸, 민우는 2칸 더 올라가 있었다. 이때 x, y에 관한 연립방정식을 나타내는 과정에서 상수, a, b, c에 대하여 $c-b-a$의 값을 구하여라.

> 정혁이는 x번 이기고, y번 진 것이므로
> $2x+ay=5$ ⋯ ㉠
> 민우는 y번 이기고, x번 진 것이므로
> $bx+cy=2$ ⋯ ㉡
> ㉠와 ㉡을 연립방정식으로 나타내면
> $\begin{cases} 2x+ay=5 \\ bx+cy=2 \end{cases}$ 와 같이 나타낼 수 있다.

대표유형 **연립방정식의 해**

36 다음 연립방정식 중에서 그 해가 $(-3, 6)$인 것은?

① $\begin{cases} 3x-2y=15 \\ 4x+y=-6 \end{cases}$ ② $\begin{cases} x+y=6 \\ 2x-y=-6 \end{cases}$

③ $\begin{cases} 2x-y=-12 \\ 3x+4y=15 \end{cases}$ ④ $\begin{cases} x+y=-9 \\ 2x+3y=12 \end{cases}$

⑤ $\begin{cases} 3x+y=3 \\ x-2y=-5 \end{cases}$

출제율 95%

37
(하)
x, y가 자연수일 때, 연립방정식
$\begin{cases} 2x+3y=19 & ⋯ ㉠ \\ -x+4y=18 & ⋯ ㉡ \end{cases}$ 의 해는?

① $(1, 7)$ ② $(2, 5)$ ③ $(3, 3)$
④ $(4, 1)$ ⑤ $(6, 2)$

출제율 90%

38
(하)
자연수 x, y에 대하여 두 일차방정식 $x+y=5$와 $3x-y=11$을 동시에 만족시키는 해는?

① $(1, 4)$ ② $(2, 3)$ ③ $(3, 2)$
④ $(4, 1)$ ⑤ $(5, 4)$

출제율 90%

39
(하)
다음 연립방정식 중에서 $x=-3$, $y=1$을 해로 갖는 것은?

① $\begin{cases} 3x+4y=-5 \\ 2x+3y=8 \end{cases}$ ② $\begin{cases} 2x+7y=3 \\ -5x-4y=19 \end{cases}$

③ $\begin{cases} -x+5y=8 \\ -3x+7y=16 \end{cases}$ ④ $\begin{cases} 2x+5y=8 \\ -3x+4y=13 \end{cases}$

⑤ $\begin{cases} -4x-5y=3 \\ x+5y=2 \end{cases}$

출제율 85%

40
(중)
입장료가 어른은 3000원, 어린이는 1500원인 어느 박물관에 어른과 어린이를 합쳐서 6명이 입장하면서 12000원을 지불하였다. 어른을 x명, 어린이를 y명이라 할 때, 어른과 어린이는 각각 몇 명씩 입장하였는지 구하여라.

41 한 개에 500원인 사과 a개와 한 개에 1200원인 배 b개를 합하여 8개를 모두 7500원을 주고 샀을 때, 배의 개수는 몇 개인가?

① 3개   ② 4개   ③ 5개

④ 6개   ⑤ 7개

출제율 80%

42 일차방정식 $3a+2b=20$을 만족하는 해 중에서 가장 큰 ab의 값을 갖도록 하는 a, b에 대하여 연립방정식 $\begin{cases} ax+by=12 \\ -x+3y=5 \end{cases}$ 의 해를 구하면?

(단, a, b, x, y는 모두 자연수)

① $(1, 1)$ ② $(1, 2)$ ③ $(2, 3)$

④ $(3, 2)$ ⑤ $(4, 4)$

출제율 80%

43 다음 보기의 일차방정식 중 두 식을 짝지어 만든 연립방정식의 해가 $(-2, 1)$인 것은?

보기

ㄱ. $2x-y=-5$ ㄴ. $3x+2y=4$

ㄷ. $5x=-2y-8$ ㄹ. $4x+5y+1=0$

① ㄱ, ㄴ   ② ㄱ, ㄷ   ③ ㄴ, ㄷ

④ ㄴ, ㄹ   ⑤ ㄷ, ㄹ

대표유형 연립방정식의 해가 주어질 때

44 연립방정식 $\begin{cases} 4x+3y=-1 \\ ax-2y=16 \end{cases}$ 의 해가 $(2, b)$일 때, ab의 값은?

① 30   ② 15   ③ 10

④ -15 ⑤ -30

출제율 90%

45 연립방정식 $\begin{cases} ax+3y=7 \\ -x+by=5 \end{cases}$ 의 해가 $(-1, 2)$일 때, 상수 a, b에 대하여 $a+b$의 값은?

① -2 ② -1 ③ 1

④ 2   ⑤ 4

출제율 80%

46 연립방정식 $\begin{cases} y=7x-9 \\ 3x=-5y-7 \end{cases}$ 의 해를 (a, b)라고 할 때, 다음 보기 중 옳은 것을 모두 고른 것은?

보기

ㄱ. $7a-b=-9$ ㄴ. $3a+5b=-7$

ㄷ. $a=2$, $b=5$ ㄹ. $a=1$, $b=-2$

① ㄱ, ㄴ   ② ㄱ, ㄷ   ③ ㄴ, ㄷ

④ ㄴ, ㄹ   ⑤ ㄷ, ㄹ

출제율 90%

47 연립방정식 $\begin{cases} -2x+3y=5 \\ bx+4y=1 \end{cases}$ 의 해가 $(a, 1)$일 때, $a-b$의 값은?

① -2 ② -3 ③ -4
④ -5 ⑤ -6

출제율 90%

48 $-x-3y=-7$과 $ax+y=9$를 동시에 만족시키는 해가 $(b, 1)$일 때, $a+2b$의 값은?

① 3 ② 6 ③ 8
④ 10 ⑤ 12

출제율 95%

49 연립방정식 $\begin{cases} 3x+2y=3 \\ 7x-a=-3y+8 \end{cases}$ 을 만족시키는 y의 값이 -3일 때, 상수 a의 값은?

① -10 ② -7 ③ -4
④ 4 ⑤ 10

출제율 90%

50 연립방정식 $\begin{cases} 4x-2y=8 \\ 3x-a=12-ay \end{cases}$ 을 만족시키는 x의 값이 3일 때, 상수 a의 값은?

① 4 ② 3 ③ 2
④ 1 ⑤ -1

출제율 85%

51 $\begin{cases} 2x-y=4 \\ bx-2y=6 \end{cases}$ 의 해가 $(2, a)$이고, $\begin{cases} cx+3y=-11 \\ 5x+2y=8 \end{cases}$ 의 해가 $(d, -1)$일 때, $a+b+c+d$의 값은?

① -3 ② -1 ③ 1
④ 2 ⑤ 4

출제율 85%

52 연립방정식 $\begin{cases} 4x+3y-20=0 \\ 2x+y-4a=0 \end{cases}$ 의 해가 $(b, 2b)$일 때, $a+b$의 값은?

① 4 ② 5 ③ 6
④ 7 ⑤ 9

출제율 80%

53 $\begin{cases} -2x+y=4 \\ x-y=-3 \end{cases}$ 의 해가 $(k, -2k)$이고 $\begin{cases} x-2y=10 \\ 4x+7y=a \end{cases}$ 를 만족시키는 y의 값이 k일 때, 상수 a의 값은?

① 5 ② 8 ③ 10
④ 18 ⑤ 25

개념 UP 01 미지수가 2개인 일차방정식의 해

(1) 문제에 주어진 조건을 만족하는 해를 구한다.
(2) 문제에 주어진 조건에 따라 일차방정식을 세우거나 정리한 후 구하고자 하는 값을 구한다.

54
(상) 출제율 80%

x, y는 $|x| \leq 4$, $|y| \leq 4$를 만족하는 정수일 때, 일차방정식 $2x - y + 2 = 0$의 해 중 $x \geq y$인 것을 모두 구하여라.

55
(상) 출제율 80%

일차방정식 $0.\dot{3}x - 1.\dot{1}y = 2.\dot{3}$의 한 해가 $x = a$, $y = -3$일 때, 상수 a의 값은?

① -9 ② -3 ③ -1
④ 3 ⑤ 9

56
(상) 출제율 80%

한 자리의 자연수 A, B가 적힌 숫자 카드가 있다. 이것을 이용하여 오른쪽과 같이 계산하였을 때, $A - B$의 값은?

$$\begin{array}{r} \boxed{A}\,\boxed{B} \\ -)\ \boxed{2}\,\boxed{A} \\ \hline \boxed{B}\,\boxed{A} \end{array}$$

① -11 ② -3 ③ 1
④ 3 ⑤ 11

개념 UP 02 연립방정식의 해

(1) 문제에 주어진 조건을 만족하는 해를 구한다.
(2) 문제에 주어진 조건을 이용하여 미지수의 값을 구한다.

57
(상) 출제율 80%

수지는 어떤 상점에서 1개에 500원인 머리핀 2개와 1개에 1000원인 머리띠 x개, 1개에 800원인 머리방울 y개를 합하여 모두 8개를 사고 10000원을 내었다. 거스름돈으로 3600원을 받았다고 할 때, x, y의 값을 각각 구하여라.

58
(상) 출제율 80%

x, y가 자연수일 때, 연립방정식 $\begin{cases} x + 2y = 5 \\ 2x - 5y = k \end{cases}$의 해 $x = a$, $y = b$가 일차방정식 $2x + y = 7$을 만족한다. 이때 $a + b + k$의 값은?

① 1 ② 2 ③ 3
④ 4 ⑤ 5

59
(상) 출제율 80%

x, y가 자연수일 때, 연립방정식 $\begin{cases} 2x + y = 11 \\ 3x + ky = 6 \end{cases}$의 해 $x = a$, $y = b$가 일차방정식 $x + 3y = 13$을 만족한다. 이때 $a - b - k$의 값은?

① -3 ② -1 ③ 0
④ 1 ⑤ 3

01 다음 중 두 미지수 x, y에 관한 일차방정식이 <u>아닌</u> 것은?

① $4x-3y=5x+3$ ② $2x+3y=0$
③ $y=-3x+5$ ④ $4y=x+7$
⑤ $-2x+4y+3xy=0$

02 다음 중 일차방정식 $3x-2y=4$의 해가 <u>아닌</u> 것은?

① $\left(1, -\dfrac{1}{2}\right)$ ② $\left(-1, -\dfrac{5}{2}\right)$ ③ $(-2, -5)$
④ $(2, 1)$ ⑤ $(0, -2)$

03 다음 일차방정식 중 순서쌍 $(2, 3)$이 해가 되는 것은?

① $2x+3y=12$ ② $-x+5y=13$
③ $-4x+y=-6$ ④ $x+y=6$
⑤ $5x+\dfrac{1}{3}y=7$

04 x, y에 관한 일차방정식 $2x-3y-k=0$의 한 해가 $(-5, 2)$일 때, 상수 k의 값은?

① -16 ② -8 ③ 8
④ 10 ⑤ 16

05 일차방정식 $3x+4y=24$의 해 중에서 x, y가 음이 <u>아닌</u> 정수인 것은 모두 몇 개인가?

① 2개 ② 3개 ③ 4개
④ 5개 ⑤ 6개

06 다음 중 일차방정식 $4x+2y=8$의 해에 대한 설명으로 옳지 <u>않은</u> 것은?

① $x=3$일 때, $y=-2$이다.
② x, y가 자연수일 때, 해는 2개다.
③ x, y가 정수일 때, 해는 무수히 많다.
④ $(-2, 8)$은 이 일차방정식의 해이다.
⑤ x, y가 수 전체일 때, 해는 무수히 많다.

07 다음 중 일차방정식 $2x+y=4$의 해인 것은?

① $(4, 0)$ ② $(2, 1)$ ③ $(0, 2)$
④ $(1, 2)$ ⑤ $(1, 3)$

08 일차방정식 $x+ay+8=0$은 $x=-3$일 때, $y=5$이다. $y=4$일 때, x의 값은?

① -4 ② -3 ③ -2
④ -1 ⑤ 1

09 일차방정식 $-3x+2y=6$은 $(2, a)$, $(b, 6)$을 해로 가질 때, $a+b$의 값은?

① 0   ② 1   ③ 2
④ 4   ⑤ 8

10 다음 연립방정식 중 해가 $x=4, y=-2$인 것은?

① $\begin{cases} x-y=-3 \\ 3x-2y=7 \end{cases}$ ② $\begin{cases} 3x+2y=3 \\ 4x+3y=9 \end{cases}$

③ $\begin{cases} x=-2y+5 \\ 4x+5y=6 \end{cases}$ ④ $\begin{cases} 3x-7y=9 \\ 2x-5y=7 \end{cases}$

⑤ $\begin{cases} y=-\dfrac{3}{2}x+4 \\ 4x+5y=6 \end{cases}$

11 연립방정식 $\begin{cases} ax-3y=-3 \\ x+by=-10 \end{cases}$의 해가 $x=-3, y=-1$일 때, $a-b$의 값은?

① -7 ② -6 ③ -5
④ 4   ⑤ 3

12 자연수 x, y에 대하여 두 일차방정식 $x+y=7$과 $-4x+5y=8$을 동시에 만족시키는 해는?

① $(1, 6)$ ② $(2, 5)$ ③ $(3, 4)$
④ $(4, 3)$ ⑤ $(5, 2)$

13 다음은 연립방정식 $\begin{cases} ax+by=3 \\ 3x+by=1 \end{cases}$의 해가 $x=2, y=5$일 때, $a+b$의 값을 구하는 과정이다. ☐ 안에 들어갈 수를 **보기**에서 찾아 해당하는 글자를 차례대로 연결해 문장을 완성해 보아라.

> 연립방정식의 해 $x=2, y=5$를 각각의 방정식에 대입하면 ☐$a+5b=3 \cdots$㉠, ☐$+5b=1 \cdots$㉡
> ㉡을 풀면 $b=$☐
> b의 값을 ㉠에 대입하여 방정식을 풀면 $a=$☐
> $\therefore a+b=$☐

보기
-6(앞을) -5(모든 것을) -4(패배한 자이다.)
-3(하는 것이다.) -2(그것이) -1(할 때)
0(아는 것이다.)   1(것이)   2(당신이)
3(성공한 것이다.)   4(당신은)   5(원하는 지를)
6(원하는 것을)

14 연립방정식 $\begin{cases} -2x+y=4 \\ 7x+ay=-13 \end{cases}$의 해가 $(-3, b)$일 때, ab의 값은?

① -2 ② -4 ③ -6
④ 8   ⑤ 10

15 일차방정식 $-5x+6y=-15$의 한 해가 $(a-2, 5-a)$일 때, 상수 a의 값은?

① -5 ② -4 ③ 3
④ 4   ⑤ 5

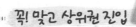

16 자연수 x, y에 대하여 다음 일차방정식 중 해가 <u>없는</u> 것은?

① $x+3y=5$ ② $2x+y=5$
③ $2x+3y=13$ ④ $4x+y=11$
⑤ $4x+3y=12$

17 연립방정식 $\begin{cases} 5x-4y-7=0 \\ 3x+2y+3a=0 \end{cases}$ 의 해가 $(b, 3b)$일 때, $b-a$의 값은?

① -2 ② -4 ③ -6
④ 8 ⑤ 9

18 6%의 소금물 x g과 15%의 소금물 y g을 섞었더니 10%의 소금물 900 g이 되었다. 이때 x, y에 관한 연립방정식을 세우면?

① $\begin{cases} x+y=900 \\ 2x+5y=3000 \end{cases}$ ② $\begin{cases} x+y=900 \\ 5x+2y=3000 \end{cases}$
③ $\begin{cases} x+y=900 \\ 6x+15y=3000 \end{cases}$ ④ $\begin{cases} x-y=900 \\ 2x+5y=3000 \end{cases}$
⑤ $\begin{cases} x-y=900 \\ 5x+2y=3000 \end{cases}$

19 민정이와 진희가 연립방정식 $\begin{cases} -x+y=a \\ bx-y=5 \end{cases}$ 를 푸는 데 민정이는 상수항 a를 잘못 보고 풀어서 $x=3$, $y=-2$를 얻었고, 진희는 계수 b를 잘못 보고 풀어서 $x=4$, $y=3$을 얻었다. 이때 $a+b$의 값을 구하여라.

20 연산 ◎를 $a◎b=3a+4b$로 정의하고 자연수 x, y에 관한 방정식 $(x-2)◎(y+1)=18$의 해를 (m, n)이라 할 때, mn의 값은?

① 2 ② 3 ③ 4
④ 6 ⑤ 8

21 x, y가 자연수일 때, 연립방정식 $\begin{cases} x+y=6 \\ 2x-7y=k \end{cases}$ 의 해 $x=a$, $y=b$가 일차방정식 $x+2y=8$을 만족한다. 이때 $a+b+k$의 값은?

① -2 ② -1 ③ 0
④ 1 ⑤ 2

단계형

22 일차방정식 $ax+3y=7$이 $(-2, b)$, $(1, 2)$를 해로 가질 때, $a+b$의 값을 구하여라. [7점]

  1단계 a의 값 구하기 [3점]

  _____

  _____

  2단계 b의 값 구하기 [3점]

  _____

  _____

  3단계 $a+b$의 값 구하기 [1점]

  _____

  _____

단계형

23 x, y가 자연수일 때, 연립방정식 $\begin{cases} x+y=5 \\ 2x+y=9 \end{cases}$ 의 해를 구하여라. [8점]

  1단계 x, y가 자연수일 때, 일차방정식 $x+y=5$의 해 구하기 [3점]

  _____

  _____

  2단계 x, y가 자연수일 때, 일차방정식 $2x+y=9$의 해 구하기 [3점]

  _____

  _____

  3단계 x, y가 자연수일 때, 주어진 연립방정식의 해 구하기 [2점]

  _____

  _____

사고력

24 솔별이는 친구들과의 농구 시합에서 3점 슛 x골과 2점 슛 y골을 합하여 모두 7골을 넣어 총 16점을 득점하였다. 이때 x, y에 관한 연립방정식을 세우면 $\begin{cases} x+y=a \\ 3x+by=c \end{cases}$ 가 된다고 할 때, $a+b+c$의 값을 구하여라. (단, a, b, c는 상수) [7점]

사고력

25 연립방정식 $\begin{cases} 2x-ay=6 \\ 3x+y=b \end{cases}$ 의 해가 $(2, -2)$일 때, 상수 a, b에 대하여 $a+b$의 값을 구하여라. [7점]

01 합과 차를 이용한 연립방정식의 풀이

연립방정식의 두 방정식을 변끼리 더하거나 빼어서 한 미지수를 없애면 연립방정식의 해를 구할 수 있다.

① 두 미지수 중 없애야 할 미지수의 계수의 절댓값이 같게 만든다.

② 계수의 부호가 같으면 빼고, 다르면 더한다.

(예) 연립방정식 $\begin{cases} x-3y=-1 & \cdots ㉠ \\ 2x+y=5 & \cdots ㉡ \end{cases}$ 을 합과 차를 이용하여 풀어 보자.

미지수 x를 없애기 위해 ㉠$\times 2-$㉡을 하면

$$\begin{array}{r} 2x-6y=-2 \\ -)\,2x+\ y=\ \ 5 \\ \hline -7y=-7 \quad \therefore y=1 \end{array}$$

$y=1$을 ㉠에 대입하면 $x-3=-1$ $\quad \therefore x=2$

$\therefore x=2,\ y=1$

02 대입을 이용한 연립방정식의 풀이

연립방정식의 한 방정식을 한 미지수에 관하여 푼 후 그 식을 다른 방정식에 대입하여 미지수를 없애면 연립방정식의 해를 구할 수 있다.

① 두 방정식 중 한 방정식을 한 미지수에 관하여 푼다.

　➡ '$x=(y$에 관한 식)' 또는 '$y=(x$에 관한 식)' 의 꼴이 되게 한다.

② ①의 식을 다른 식에 대입하여 푼다.

(예) 연립방정식 $\begin{cases} x+2y=5 & \cdots ㉠ \\ x-y=2 & \cdots ㉡ \end{cases}$ 을 대입을 이용하여 풀어 보자.

㉡을 x에 관하여 풀면 $x=y+2 \cdots ㉢$

㉢을 ㉠에 대입하면 $(y+2)+2y=5,\ 3y=3$ $\quad \therefore y=1$

$y=1$을 ㉢에 대입하면 $x=1+2=3$ $\quad \therefore x=3$

$\therefore x=3,\ y=1$

> **포인트 개념**
> ① 두 방정식 중 어느 하나가 $x=(y$에 관한 식) 또는 $y=(x$에 관한 식)일 때
> ② 방정식의 x 또는 y의 계수가 1인 경우
> ➡ 대입을 이용하는 것이 편리하다.

03 복잡한 꼴의 연립방정식

(1) 괄호가 있는 연립방정식의 풀이 : 분배법칙을 이용하여 괄호를 풀고 동류항끼리 정리한 후 합과 차 또는 대입을 이용하여 푼다.

(2) 계수에 분수나 소수가 있는 연립방정식의 풀이

　계수를 정수로 바꾸어 푼다.

　① 계수가 분수일 때 : 양변에 분모의 최소공배수를 곱한다.

　② 계수가 소수일 때 : 양변에 10의 거듭제곱을 곱한다.

　(주의!) 분수나 소수인 계수를 정수로 바꿀 때, 이미 정수인 계수도 반드시 같은 수를 곱해야 함을 주의한다.

예제 1

연립방정식 $\begin{cases} x+2y=5 & \cdots ㉠ \\ 4x+3y=5 & \cdots ㉡ \end{cases}$ 을 합과 차를 이용하여 풀어라.

예제 2

연립방정식 $\begin{cases} 2x+y=1 & \cdots ㉠ \\ -x+y=7 & \cdots ㉡ \end{cases}$ 을 대입을 이용하여 풀어라.

예제 3

다음 연립방정식을 풀어라.

(1) $\begin{cases} x+4y=-1 \\ 2(x-2)+y=1 \end{cases}$

(2) $\begin{cases} 0.4x-0.3y=-0.2 \\ \dfrac{1}{2}x+\dfrac{2}{3}y=\dfrac{11}{6} \end{cases}$

04 $A=B=C$ 꼴의 연립방정식

다음 세 가지 형태 중 하나로 고쳐서 푼다.

$$\begin{cases} A=B \\ A=C \end{cases}, \quad \begin{cases} A=B \\ B=C \end{cases}, \quad \begin{cases} A=C \\ B=C \end{cases}$$

이때 세 연립방정식의 해가 모두 같다.

포인트개념

- $A=B=C$ 꼴에서 C가 상수이면 $\begin{cases} A=C \\ B=C \end{cases}$ 가 가장 편리하다.

05 해가 특수한 연립방정식

(1) 해가 무수히 많은 연립방정식

두 방정식을 변형했을 때, 미지수의 계수와 상수항이 각각 같은 경우

예 $\begin{cases} x-3y=1 \\ 3x-9y=3 \end{cases} \rightarrow \begin{cases} 3x-9y=3 \\ 3x-9y=3 \end{cases}$ ∴ 해가 무수히 많다.

(2) 해가 없는 연립방정식

두 방정식을 변형했을 때, 미지수의 계수는 각각 같고, 상수항은 다른 경우

예 $\begin{cases} 2x-3y=-1 \\ 4x-6y=2 \end{cases} \rightarrow \begin{cases} 4x-6y=-2 \\ 4x-6y=2 \end{cases}$ ∴ 해가 없다.

포인트개념

$\begin{cases} ax+by=c \\ a'x+b'y=c' \end{cases}$ 에서

① $\dfrac{a}{a'}=\dfrac{b}{b'}=\dfrac{c}{c'}$ → 해가 무수히 많다. ② $\dfrac{a}{a'}=\dfrac{b}{b'}\neq\dfrac{c}{c'}$ → 해가 없다.

06 연립방정식의 활용

① 무엇을 미지수 x, y로 나타낼 것인지를 정한다.
② 문제의 뜻에 맞게 연립방정식을 세운다.
③ 연립방정식을 풀어 x, y의 값을 구한다.
④ 구한 x, y의 값이 문제의 뜻에 맞는지 확인한다.

포인트개념

- 미지수 x, y 정하기 → 연립방정식 세우기 → 연립방정식 풀기 → 확인하기

07 여러 가지 연립방정식의 활용 문제

(1) 거리, 속력, 시간에 관한 문제

$$(거리)=(속력)\times(시간), \quad (속력)=\frac{(거리)}{(시간)}, \quad (시간)=\frac{(거리)}{(속력)}$$

(2) 농도에 관한 문제

$$(소금물의 농도)=\frac{(소금의 양)}{(소금물의 양)}\times 100(\%)$$

예제 4

연립방정식 $-3x+5y=-x+4y=14$를 풀어라.

예제 5

다음 물음에 답하여라.

(1) 연립방정식 $\begin{cases} 2x+y=6 \\ 4x+ay=12 \end{cases}$ 의 해가 무수히 많을 때, a의 값을 구하여라.

(2) 연립방정식 $\begin{cases} 3x-2y=a \\ 9x+by=18 \end{cases}$ 의 해가 없을 조건을 구하여라.

예제 6

서로 다른 두 자연수 x, y가 있다. 두 수의 합은 17이고 x의 2배는 y보다 7만큼 클 때, x, y의 값을 구하여라.

예제 7

등산을 하는데 올라갈 때는 시속 2 km, 내려올 때는 올라갈 때보다 3 km가 더 먼 길을 시속 3 km로 걸었더니 모두 6시간이 걸렸다. 이때 내려온 거리를 구하여라.

출제율 95%

대표유형 합과 차를 이용한 연립방정식의 풀이

01 연립방정식 $\begin{cases} 3x+2y=-4 & \cdots ㉠ \\ 2x-y=-5 & \cdots ㉡ \end{cases}$ 을 풀면?

① $x=2, y=-1$ ② $x=2, y=1$
③ $x=-2, y=1$ ④ $x=-2, y=-1$
⑤ $x=1, y=2$

출제율 90%

02 연립방정식 $\begin{cases} 2x+3y=1 & \cdots ㉠ \\ 3x-4y=-24 & \cdots ㉡ \end{cases}$ 에서 x를 없애려

고 할 때, 다음 중 옳은 것은?

① ㉠+㉡ ② ㉠×4-㉡×3
③ ㉠×4+㉡×3 ④ ㉠×3-㉡×2
⑤ ㉠×3+㉡×2

출제율 95%

03 연립방정식 $\begin{cases} 5x+4y=7 \\ 3x-2y=13 \end{cases}$ 을 풀어라.

출제율 90%

04 연립방정식 $\begin{cases} 5x+3y=7 \\ x-y=3 \end{cases}$ 의 해를 구하면 (a, b)이다.

이때 ab의 값은?

① -2 ② 0 ③ 1
④ 2 ⑤ 4

05 연립방정식 $\begin{cases} 6x-5y=11 \\ 2x+3y=-1 \end{cases}$ 의 해를 구하면 $x=a$,

$y=b$이다. 이때 $a-b$의 값을 구하여라.

대표유형 대입을 이용한 연립방정식의 풀이

06 연립방정식 $\begin{cases} x+2y=8 \\ 2x+3y=14 \end{cases}$ 를 풀면?

① $x=2, y=4$ ② $x=4, y=2$
③ $x=-2, y=4$ ④ $x=4, y=-2$
⑤ $x=2, y=-4$

출제율 90%

07 다음은 연립방정식 $\begin{cases} y=2x+1 & \cdots ㉠ \\ x-2y=4 & \cdots ㉡ \end{cases}$ 을 푸는 과정이

다. ( ) 안에 알맞은 것을 써넣어라.

㉠을 ㉡에 대입하면
$x-2(\quad)=4$, $(\quad)x-2=4$
∴ $x=(\quad)$ ⋯㉢
㉢을 ㉠에 대입하면 $y=2×(\quad)+1=(\quad)$
따라서 연립방정식의 해는 $x=(\quad)$, $y=(\quad)$

출제율 95%

08 연립방정식 $\begin{cases} x=13-3y & \cdots ㉠ \\ 2x-y=5 & \cdots ㉡ \end{cases}$ 에서 ㉠을 ㉡에 대입

하여 x를 없애면 $-7y=a$이다. 이때 상수 a의 값을
구하여라.

09 연립방정식 $\begin{cases} 2x-3y=7 \\ 2x=3+y \end{cases}$ 의 해는?

① $(1, 2)$ ② $\left(\dfrac{1}{2}, -2\right)$ ③ $\left(-\dfrac{1}{2}, 2\right)$

④ $(1, -2)$ ⑤ $(1, 5)$

---

10 연립방정식 $\begin{cases} 3y=2-4x \\ 6x+3y=4 \end{cases}$ 의 해는?

① $(-2, 5)$ ② $\left(-1, \dfrac{1}{3}\right)$ ③ $\left(-\dfrac{1}{2}, \dfrac{4}{3}\right)$

④ $\left(1, -\dfrac{2}{3}\right)$ ⑤ $(2, -2)$

대표유형 **해를 알 때, 미지수 구하기**

11 연립방정식 $\begin{cases} ax+by=1 \\ bx-ay=3 \end{cases}$ 의 해가 $x=1$, $y=2$일 때, $a+b$의 값은?

① $-\dfrac{3}{2}$ ② -1 ③ 0

④ 1 ⑤ 2

---

12 연립방정식 $\begin{cases} ax+by=7 \\ bx+ay=13 \end{cases}$ 의 해가 $x=-1$, $y=5$일 때, $a+b$의 값을 구하여라.

---

13 연립방정식 $\begin{cases} ax+by=1 \\ 2bx-ay=24 \end{cases}$ 의 해가 $x=3$, $y=-4$일 때, $a-b$의 값은?

① 1 ② 2 ③ 3

④ 4 ⑤ 5

---

14 연립방정식 $\begin{cases} x+ay=2b \\ bx+(a+1)y=14 \end{cases}$ 의 해가 $(2, 4)$일 때, 상수 a, b에 대하여 $a+b$의 값은?

① -2 ② -1 ③ 2

④ 4 ⑤ 6

---

15 연립방정식 $\begin{cases} ax+y=1 \\ 2x-y=a+3 \end{cases}$ 의 해가 $(-1, b)$일 때, 상수 a, b에 대하여 ab의 값은?

① 3 ② 4 ③ 5

④ 6 ⑤ 7

16 연립방정식 $\begin{cases} ax+y=b \\ (b-3)x-ay=-2 \end{cases}$ 의 해가 $(1, 3)$일 때, 상수 a, b에 대하여 $a+b$의 값을 구하여라.

출제율 85%

17 연립방정식 $\begin{cases} (1-b)x-2ay=8 \\ (b+1)x+(a+2)y=-14 \end{cases}$ 의 해가 $(3, -2)$일 때, 상수 a, b에 대하여 ab의 값을 구하면?

① 5   ② 12   ③ 18
④ 21   ⑤ 28

대표 유형 **연립방정식의 해의 조건이 있을 때, 미지수 구하기**

18 연립방정식 $\begin{cases} 6x+3y=-15 & \cdots\text{㉠} \\ x-4y=a & \cdots\text{㉡} \end{cases}$ 을 만족하는 x의 값이 y의 값의 2배일 때, 상수 a의 값은?

① -2   ② 0   ③ 2
④ 6   ⑤ 8

내신 UP POINT

연립방정식 $\begin{cases} A \\ B \end{cases}$ 와 조건 C가 주어질 때,

① A(계수가 미지수가 아닌 식)와 조건 C로 연립방정식을 만든다.
② $\begin{cases} A \\ C \end{cases}$ 를 푼다.
③ 구한 해를 B에 대입하여 미지수를 구한다.

출제율 95%

19 연립방정식 $\begin{cases} 6x+ay=18 & \cdots\text{㉠} \\ 5x-2y=-1 & \cdots\text{㉡} \end{cases}$ 을 만족하는 y의 값이 x의 값의 3배일 때, 상수 a의 값은?

① 2   ② 3   ③ 4
④ 5   ⑤ 6

출제율 95%

20 연립방정식 $\begin{cases} ax-4y=5 \\ x+5y=-7 \end{cases}$ 의 해가 일차방정식 $2x-3y=-1$을 만족할 때, 상수 a의 값은?

① -2   ② -1   ③ $-\dfrac{1}{2}$
④ 1   ⑤ $\dfrac{3}{2}$

출제율 95%

21 연립방정식 $\begin{cases} -x+y=1 \\ 3x+ay=5 \end{cases}$ 의 해가 일차방정식 $2x+y=4$를 만족할 때, 상수 a의 값은?

① -3   ② -2   ③ -1
④ 1   ⑤ 2

출제율 95%

22 연립방정식 $\begin{cases} 4x+5y=2 \\ ax+10y=14 \end{cases}$ 의 해가 일차방정식 $2x+7y=10$을 만족할 때, 상수 a의 값을 구하여라.

출제율 90%

26 다음 A, B의 연립방정식은 같은 해를 가진다고 한다. 이때 $a+b$의 값을 구하여라.

$$A : \begin{cases} 6x-y=9 \\ 2ax+3by=-5 \end{cases}, \quad B : \begin{cases} ax+5by=-13 \\ 5x-y=7 \end{cases}$$

대표유형 **해가 같은 두 연립방정식에서 미지수 구하기**

23 다음 두 연립방정식의 해가 같다고 한다. 이때 a, b의 값은?

$$\begin{cases} x+3y=11 \\ ax+by=-4 \end{cases}, \quad \begin{cases} ax-2by=5 \\ 2x-3y=-5 \end{cases}$$

① $a=4$, $b=\dfrac{5}{3}$ ② $a=4$, $b=-5$

③ $a=-1$, $b=3$ ④ $a=-\dfrac{1}{2}$, $b=-1$

⑤ $a=3$, $b=1$

내신 UP POINT

해가 같은 두 연립방정식에서 미지수 구하기
① 계수가 미지수가 아닌 일차방정식 2개를 짝지어 연립방정식을 만든다.
② ①의 연립방정식의 해를 구한다.
③ 구한 해를 나머지 두 일차방정식에 대입하여 미지수를 구한다.

대표유형 **잘못 보고 구한 해**

27 연립방정식 $\begin{cases} ax+by=1 \\ bx+ay=-5 \end{cases}$ 에서 잘못하여 a와 b를 바꾸어 놓고 풀었더니 $x=3$, $y=1$이었다. $a+b$의 값은?

① -2 ② -1 ③ 1
④ 2 ⑤ 3

출제율 95%

24 두 연립방정식 $\begin{cases} x+2y=a \\ 2x-y=7 \end{cases}$, $\begin{cases} 3x+3y=-12 \\ 4x+by=-1 \end{cases}$ 의 해가 서로 같을 때, 상수 a, b에 대하여 ab의 값을 구하면?

① -9 ② -3 ③ 3
④ 6 ⑤ 9

출제율 90%

28 연립방정식 $\begin{cases} ax-by=2 \\ bx+ay=14 \end{cases}$ 에서 잘못하여 a, b를 바꾸어 놓고 풀었더니 $x=1$, $y=2$이었다. 처음 연립방정식의 해를 구하여라.

출제율 95%

25 두 연립방정식 $\begin{cases} ax+by=3 \\ 3x+2y=-1 \end{cases}$ 과 $\begin{cases} 3x+y=1 \\ bx-ay=-2 \end{cases}$ 의 해가 서로 같을 때, 상수 a, b의 값을 각각 구하여라.

출제율 85%

29 두 연립방정식 $\begin{cases} x-2y=1 \quad \cdots \text{㉠} \\ 2x+y=7 \quad \cdots \text{㉡} \end{cases}$ 을 푸는데 ㉠의 상수항을 a로 잘못보고 풀어서 $y=-3$을 얻었다. 상수항 1을 어떤 수로 잘못보고 풀었는지 구하여라.

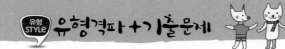
30 연립방정식 $\begin{cases} 3x-y=2 & \cdots ㉠ \\ 2x+3y=-8 & \cdots ㉡ \end{cases}$ 을 푸는데 ㉡의 y 의 계수를 잘못 보고 풀어 $x=3$ 을 얻었다고 할 때, y 의 계수 3을 어떤 수로 잘못 보고 풀었겠는가?

출제율 85%

① -2 ② -1 ③ 1

④ 2 ⑤ 4

---

34 연립방정식 $\begin{cases} 5x=3(x-y) \\ 4x=5(x+y)+7 \end{cases}$ 을 풀면 $x=a, y=b$ 이다. 이때 $a-b$ 의 값은?

출제율 95%

① -2 ② -1 ③ 2

④ 4 ⑤ 5

대표유형 괄호가 있는 연립방정식의 풀이

31 연립방정식 $\begin{cases} x-4+4(y-2)=8 \\ 3(x+3)-2y=13 \end{cases}$ 을 풀면?

① $x=-2, y=2$ ② $x=0, y=5$

③ $x=2, y=8$ ④ $x=4, y=4$

⑤ $x=4, y=11$

대표유형 계수가 분수인 연립방정식의 풀이

35 연립방정식 $\begin{cases} \dfrac{3}{4}x-\dfrac{3}{2}y=\dfrac{21}{4} \\ 3x-2(x-y)=-1 \end{cases}$ 의 해는?

① $x=3, y=2$ ② $x=3, y=-2$

③ $x=2, y=3$ ④ $x=-2, y=3$

⑤ $x=2, y=-3$

---

32 연립방정식 $\begin{cases} 3x-4(x+2y)=5 \\ 2(x-y)=3-5y \end{cases}$ 의 해를 구하여라.

(중)

---

36 연립방정식 $\begin{cases} 5x-2(3x-y)=-4 \\ \dfrac{x}{6}-\dfrac{2}{9}y=1 \end{cases}$ 의 해가 $x=a,$ $y=b$ 일 때, $a+b$ 의 값은?

출제율 90%

① 7 ② 9 ③ 11

④ 13 ⑤ 15

---

33 연립방정식 $\begin{cases} 4(2x+y)-9y=7 \\ 3x-2(x+y)=5 \end{cases}$ 의 해를 (a, b) 라 할 때, $a+b$ 의 값은?

출제율 95%

(중)

① 4 ② 2 ③ 1

④ -2 ⑤ -4

37 연립방정식 $\begin{cases} \dfrac{2}{3}x - \dfrac{y-3}{4} = 5 \\ \dfrac{5}{3}x - \dfrac{y}{2} = \dfrac{21}{2} \end{cases}$ 의 해가 $x=a$, $y=b$일

때, $a-b$의 값은?

① -7 ② -3 ③ 1

④ 4 ⑤ 7

대표유형 **계수가 소수인 연립방정식의 풀이**

38 다음 연립방정식의 해를 구하여라.

$$\begin{cases} 0.03x - 0.02y = 0.05 \\ 0.1x + 0.2y = 0.3 \end{cases}$$

---

39 연립방정식 $\begin{cases} 0.02x + 0.05y = 0.06 \\ 0.2x + y = 1.6 \end{cases}$ 을 만족하는 x, y

에 대하여 $x+y$의 값은?

① -2 ② 0 ③ 2

④ 3 ⑤ 5

---

40 연립방정식 $\begin{cases} 0.6x - 0.8y = -2.6 \\ -0.25x + 0.75y = 1.5 \end{cases}$ 를 만족하는

x, y에 대하여 $x+3y$의 값은?

① -3 ② 0 ③ 1

④ 3 ⑤ 5

---

41 연립방정식 $\begin{cases} 0.3x - y = 1.9 \\ 0.\dot{5}x + 1.\dot{3}y = 0.\dot{3} \end{cases}$ 의 해가 $x=a$, $y=b$

일 때, ab^3의 값은?

① -4 ② -3 ③ 2

④ 3 ⑤ 4

대표유형 **비례식을 포함한 연립방정식의 풀이**

42 방정식 $\dfrac{x}{2} + y = 12$를 만족하는 x와 y의 값의 비가

$2:1$일 때, $x+y$의 값은?

① 12 ② 14 ③ 16

④ 18 ⑤ 20

내신 UP POINT

비례식의 성질($a:b=m:n$이면 $an=bm$)을 이용하여 비례식
을 방정식으로 바꾼 후 연립방정식을 푼다.

---

43 연립방정식 $\begin{cases} (x-1):(y+1) = 5:3 \\ 2x - 3y = 6 \end{cases}$ 의 해는?

① $(2, 6)$ ② $(2, -6)$ ③ $(6, 2)$

④ $(6, -3)$ ⑤ $(3, -6)$

출제율 85%

44 연립방정식 $\begin{cases} 3x-ay=2 \\ 2x+y=10 \end{cases}$ 을 만족하는 x와 y의 값의 비 (중) 가 $1:3$일 때, 상수 a의 값을 구하여라.

출제율 85%

45 연립방정식 $\begin{cases} ax-y=4 \\ (x+1):(y+5)=1:3 \end{cases}$ 을 만족시키는 (상) x, y가 $2x+y=3$의 해가 될 때, 상수 a의 값을 구하여라.

대표 유형 $A=B=C$ 꼴의 연립방정식의 풀이

46 다음 연립방정식을 풀어라.

$$x+2y=-x+3y=-5$$

출제율 95%

47 연립방정식 $4x-3=5x-2y=6x-3y+2$의 해는? (중)
① $(1, -1)$ ② $(-1, 1)$ ③ $(2, -1)$
④ $(2, 2)$ ⑤ $(1, 1)$

출제율 95%

48 연립방정식 $\dfrac{y-2x}{3}=\dfrac{-3x-y}{2}=5$의 해가 (중) $x=a$, $y=b$일 때, $a-b$의 값은?
① -10 ② -5 ③ 0
④ 5 ⑤ 10

출제율 90%

49 다음 연립방정식의 해를 구하면? (중)

$$x-\frac{y}{3}=\frac{x+y}{2}=\frac{3x+2}{5}$$

① $x=-2$, $y=\dfrac{3}{5}$ ② $x=2$, $y=-\dfrac{3}{5}$

③ $x=2$, $y=\dfrac{6}{5}$ ④ $x=2$, $y=-\dfrac{6}{5}$

⑤ $x=3$, $y=\dfrac{5}{6}$

대표 유형 해가 무수히 많은 연립방정식

50 다음 연립방정식 중 해가 무수히 많은 것은?

① $\begin{cases} x-y=1 \\ 2x+y=2 \end{cases}$ ② $\begin{cases} x-2y=1 \\ 3x-6y=3 \end{cases}$

③ $\begin{cases} x+2y=1 \\ x-2y=5 \end{cases}$ ④ $\begin{cases} 2x-y=1 \\ 4x-2y=3 \end{cases}$

⑤ $\begin{cases} 3x+y=2 \\ -6x-2y=4 \end{cases}$

내신 UP POINT
두 방정식을 변형했을 때, 미지수의 계수와 상수항이 각각 같은지 확인한다.

출제율 95%

51 연립방정식 $\begin{cases} ax-y=3 \\ 2x-3y=9 \end{cases}$ 의 해가 무수히 많을 때, 상수 a의 값은?

① $\dfrac{1}{3}$ ② $\dfrac{2}{3}$ ③ 1

④ 2 ⑤ 3

출제율 90%

52 연립방정식 $\begin{cases} -4x+ay=-2 \\ 2x+3y=b \end{cases}$ 의 해가 무수히 많을 때, 상수 a, b에 대하여 $a-b$의 값은?

① -1 ② -3 ③ -5

④ -7 ⑤ -9

대표유형 **해가 없는 연립방정식**

53 다음 연립방정식 중 해가 없는 것은?

① $\begin{cases} 2x-y=-2 \\ 2x-2y=-2 \end{cases}$ ② $\begin{cases} 2x+8y=4 \\ x+4y=2 \end{cases}$

③ $\begin{cases} 3x-y=1 \\ 6x-4y=3 \end{cases}$ ④ $\begin{cases} x+2y=1 \\ 2x-2y=3 \end{cases}$

⑤ $\begin{cases} x-y=2 \\ 3x-3y=2 \end{cases}$

내신 UP POINT
두 방정식을 변형했을 때, 미지수의 계수는 각각 같고 상수항은 다른지 확인한다.

출제율 95%

54 연립방정식 $\begin{cases} ax+2y=-4 \\ 9x+6y=b \end{cases}$ 의 해가 없을 조건은?

① $a=3,\ b=-12$ ② $a=-3,\ b\ne-12$

③ $a=3,\ b=8$ ④ $a=3,\ b=12$

⑤ $a=3,\ b\ne-12$

출제율 90%

55 연립방정식 $\begin{cases} \dfrac{x}{4}+\dfrac{y}{6}=2 \\ 3x+2y=6a \end{cases}$ 의 해가 없을 때, 상수 a의 값으로 적당하지 않은 것은?

① 1 ② 2 ③ 3

④ 4 ⑤ 5

출제율 90%

56 연립방정식 $\begin{cases} 2x+ay=-7 \\ x-4y=3 \end{cases}$ 의 해가 없을 때, 상수 a의 값은?

① 4 ② 8 ③ 0

④ -4 ⑤ -8

대표유형 **합, 차, 곱, 몫에 관한 문제**

57 서로 다른 두 자연수 x, y가 있다. 이 두 수의 합은 27이고, y의 3배를 2로 나눈 값은 x에 3을 더한 값과 같다고 한다. 이때 x의 값을 구하여라.

(단, $x>y$)

내신 UP POINT
큰 수를 x, 작은 수를 y라 놓고 식을 세운다.

출제율 85%

58 서로 다른 두 자연수가 있다. 두 수의 합은 253이고
(중) 큰 수를 작은 수로 나누면 몫이 18이고 나머지는 6이
다. 두 수 중에서 큰 수를 구하여라.

출제율 95%

59 서로 다른 두 자연수가 있다. 두 수의 합은 143이고
(중) 두 수의 차는 121일 때, 두 수 중 큰 수를 작은 수로
나눈 몫은?

① 10   ② 11   ③ 12
④ 13   ⑤ 14

대표
유형 **두 자리의 자연수에 관한 문제**

60 어떤 두 자리의 자연수의 십의 자리의 숫자의 2배
는 일의 자리의 숫자보다 2가 크고, 십의 자리의 숫
자와 일의 자리의 숫자를 바꾼 자연수는 처음 수보
다 9가 크다고 한다. 이 자연수를 구하여라.

내신 **UP POINT**
십의 자리의 숫자가 x, 일의 자리의 숫자가 y인 두 자리의
자연수 ➡ $10x+y$
이 자연수의 각 자리의 숫자의 합 ➡ $x+y$

출제율 95%

61 각 자리의 숫자의 합이 13인 두 자리의 자연수에서
(중) 십의 자리와 일의 자리의 숫자를 바꾸면 처음 수보다
27만큼 작아진다고 할 때, 이 자연수를 구하여라.

출제율 80%

62 두 수 37과 99는 다음과 같은 규칙으로 각각 29와 63
(중) 으로 변한다고 할 때, 상수 a, b의 값을 차례로 구하
여라.

규칙
(십의 자리 숫자)$\times a+$(일의 자리 숫자)$\times b$
$=$(새로운 두 자리의 자연수)

대표
유형 **가격, 개수에 관한 문제**

63 연필 3자루의 가격은 형광펜 한 자루의 가격과 같
고, 연필 1타와 형광펜 6자루의 가격의 합은
15000원이라 한다. 이때 형광펜 한 자루의 가격을
구하여라. (단, 연필 1타는 12자루이다.)

출제율 90%

64 A, B 두 종류의 음악 파일이 있다. A 파일 3개와 B
(중) 파일 4개의 가격은 5200원이고, B 파일 한 개의 가격
은 A 파일 한 개의 가격보다 100원이 더 싸다고 한
다. B 파일 한 개의 가격을 구하여라.

출제율 90%

65 음료수 자동판매기에서 사이다는 800원, 오렌지 주스
(중) 는 1000원이다. 하루 동안 총 100개가 팔려서, 84000
원의 수입이 있었다고 한다. 이 날 팔린 사이다는 x
개, 오렌지 주스는 y개라 할 때, $\dfrac{x}{y}$의 값을 구하여라.

출제율 95%

대표 유형 다리 수, 바퀴 수에 관한 문제

66 어느 농장에서 닭과 개를 키우고 있다. 닭과 개는 모두 16마리이고 다리의 수는 44개일 때, 닭과 개는 각각 몇 마리인지 구하여라.

70 현재 아버지와 딸의 나이의 차는 29살이다. 지금부터 15년 후의 아버지의 나이는 딸의 나이의 2배보다 5살이 많다고 한다. 현재 아버지의 나이와 딸의 나이의 합을 구하여라.

출제율 90%

67 어느 주차장에 오토바이와 자동차가 모두 합하여 26대가 주차되어 있고 바퀴 수의 합이 74개라 한다. 이때 자동차는 몇 대인지 구하여라.

출제율 95%

71 지금부터 4년 전의 누나의 나이와 동생의 나이의 합은 50살이고, 지금부터 8년 후의 동생의 나이는 현재 누나의 나이와 같다고 한다. 현재 누나의 나이는?

① 30살　　② 31살　　③ 32살
④ 33살　　⑤ 34살

출제율 85%

68 세발자전거와 두발자전거가 모두 합하여 25대가 있고, 바퀴 수의 합이 66개라고 할 때, 세발자전거는 몇 대인지 구하여라.

대표 유형 일에 관한 문제

72 A, B 두 사람이 어떤 일을 하는데 A가 3일간 하고 B가 2일간 하면 그 일을 마칠 수 있고, A, B가 동시에 하면 2.4일 만에 마칠 수 있다. A, B가 혼자서 일을 하면 각각 며칠이 걸리는지 구하여라.

대표 유형 나이에 관한 문제

69 형과 동생의 나이의 합은 35살이고, 형은 동생보다 3살 많다. 형과 동생은 각각 몇 살인지 구하여라.

내신 UP POINT
① 전체 일의 양을 1로 놓는다.
② 단위 시간 동안 할 수 있는 일의 양을 미지수로 놓는다.

출제율 90%

73 (상) 벽에 페인트를 칠하는데 A와 B가 함께하면 3시간 36분만에 끝낼 수 있는 데 A가 3시간 동안 칠한 후 B가 와서 4시간을 칠해서 다 끝냈다. 만약 B가 혼자서 칠한다면 몇 시간 만에 끝낼 수 있는가?

① 5시간   ② 6시간   ③ 7시간
④ 8시간   ⑤ 9시간

출제율 90%

74 (상) 어떤 수조에 물을 가득 채우는데 A 호스로 2분 동안 넣고 B 호스로 14분 동안 넣었더니 물이 가득 차고, 같은 수조에 A, B 호스를 모두 사용하여 6분 동안 넣었더니 수조가 가득 찼다. A 호스로만 수조를 가득 채우는 데는 몇 분이 걸리는가?

① 5분   ② 6분   ③ 7분
④ 8분   ⑤ 9분

대표유형 속력에 관한 문제

75 등산을 하는데 올라갈 때는 시속 3 km, 내려올 때는 올라갈 때보다 3 km가 더 먼 길을 시속 4 km로 걸었더니 모두 6시간이 걸렸다. 전체 걸은 거리를 구하여라.

출제율 85%

76 (상) 윤호가 360 m를 걷는 동안 은지는 288 m를 걷는 속력으로 윤호와 은지가 2.7 km 떨어진 지점에서 서로 마주 보고 걸어서 20분 만에 만났다. 이때 윤호가 1분 동안 걸은 거리는?

① 60 m   ② 70 m   ③ 75 m
④ 80 m   ⑤ 85 m

출제율 85%

77 (상) 지훈이가 학교를 향해 분속 50 m로 걸어간 지 26분 후에 같은 길을 민호가 자전거를 타고 분속 180 m로 출발하였다면 두 사람이 만나는 것은 민호가 출발한 지 몇 분 후인가?

① 6분 후   ② 10분 후   ③ 12분 후
④ 18분 후   ⑤ 36분 후

대표유형 속력에 관한 문제 – 호수 또는 트랙을 도는 경우

78 둘레의 길이가 2400 m인 호수가 있다. 유빈이와 상원이가 같은 지점에서 출발하여 호수의 둘레를 동시에 같은 방향으로 돌면 20분 후에 만나고 반대 방향으로 돌면 10분 후에 만난다고 한다. 유빈이의 속력이 상원이의 속력보다 빠르다고 할 때, 유빈이의 속력을 구하여라.

내신 UP POINT

두 사람이 일정한 속력으로 트랙을 돌 때
① 같은 방향으로 돌아 만나면
  ➡ (이동 거리의 차)=(트랙의 길이)
② 반대 방향으로 돌아 만나면
  ➡ (이동 거리의 합)=(트랙의 길이)

79 둘레의 길이가 400 m인 트랙을 따라 지현이와 진희
가 각자 일정한 속력으로 자전거를 타고 있다. 지현이
가 60 m를 달리는 동안 진희는 40 m를 달린다고 할
때, 두 사람이 같은 지점에서 동시에 출발하여 서로
반대 방향으로 달리면 20초 만에 다시 만난다고 한
다. 이때 지현이의 속력은?

① 초속 10 m　　② 초속 12 m　　③ 초속 15 m
④ 초속 20 m　　⑤ 초속 24 m

대표유형 속력에 관한 문제 – 강물 위의 배

80 길이가 5 km인 강을 속력이 일정한 보트로 거슬러
올라가는 데 1시간, 내려오는 데 30분이 걸렸다. 강
물의 흐르는 속력과 강물이 정지하고 있을 때의 보
트의 속력을 각각 구하여라.

내신 UP POINT
(1) 배의 속력 : x, 강물의 속력 : y
(2) 배를 타고 이동할 때의 속력
　① 강물을 따라 이동할 때의 속력 : $x+y$
　② 강물을 거슬러 이동할 때의 속력 : $x-y$

출제율 85%

81 길이가 36 km인 강을 속력이 일정한 배를 타고 거슬
러 올라가는 데 6시간, 내려오는 데 3시간이 걸렸다.
정지한 물에서의 배의 속력은?

① 시속 5 km　　② 시속 6 km　　③ 시속 7 km
④ 시속 8 km　　⑤ 시속 9 km

대표유형 도형에 관한 문제

82 가로의 길이가 세로의 길이의 2배보다 3 cm만큼
짧은 직사각형의 둘레의 길이가 66 cm일 때, 가로
의 길이는?

① 7 cm　　② 12 cm　　③ 15 cm
④ 18 cm　　⑤ 21 cm

출제율 95%

83 세로의 길이가 가로의 길이보다 4 cm 더 긴 직사각형
이 있다. 이 직사각형의 둘레의 길이가 32 cm일 때,
직사각형의 넓이는?

① 30 cm²　　② 40 cm²　　③ 50 cm²
④ 60 cm²　　⑤ 70 cm²

대표유형 계단에 관한 문제

84 A, B 두 사람이 가위바위보를 하여 이긴 사람은
2계단씩 올라가고 진 사람은 1계단씩 내려가기로
했다. 처음보다 A는 20계단을, B는 8계단을 올라
가 있었다. A가 이긴 횟수를 구하여라. (단, 비겼을
경우는 움직이지 않는다.)

내신 UP POINT
A가 이긴 횟수를 x회, B가 이긴 횟수를 y회라 하면
A가 진 횟수는 y회, B가 진 횟수는 x회이다.

출제율 85%

85 (상) 지호와 혜정이는 가위바위보를 하여 이긴 사람은 3계단씩 올라가고 진 사람은 2계단씩 내려가기로 하였다. 얼마 후 지호는 처음 위치보다 19계단을, 혜정이는 처음 위치보다 9계단을 올라가 있었다. 이때 지호가 이긴 횟수를 구하여라. (단, 비기는 경우는 없는 것으로 한다.)

대표유형 **농도에 관한 문제**

86 8 %의 소금물과 13 %의 소금물을 섞어서 11 %의 소금물 1000 g을 만들려고 한다. 이때 8 %의 소금물을 몇 g 넣어야 하는지 구하여라.

출제율 85%

87 (중) 4 %의 설탕물 x g에 y g의 설탕을 더 넣어 녹였더니 20 %의 설탕물 150 g이 되었다. 이때 더 넣은 설탕의 양을 구하여라.

출제율 85%

88 (중) 농도가 다른 두 소금물 A, B가 있다. A 소금물 100 g과 B 소금물 200 g을 섞으면 5 %의 소금물이 되고, A 소금물 200 g과 B 소금물 100 g을 섞으면 4 %의 소금물이 될 때, B 소금물의 농도는?

① 2 %   ② 3 %   ③ 4 %
④ 5 %   ⑤ 6 %

대표유형 **증가, 감소에 관한 문제**

89 작년의 학생 수는 1050명이고, 금년은 작년보다 남학생이 4 % 증가하고 여학생은 2 % 감소하여 전체적으로 9명이 증가하였다. 금년의 남학생 수를 구하여라.

내신 UP POINT
증가, 감소 전의 값을 x, y로 놓고 연립방정식을 세운다.
→ { (변하기 전의 전체 수)에 관한 식
    (증가, 감소한 양)에 관한 식

출제율 80%

90 (상) 작년에 윤아네 중학교 전체 학생 수는 625명이었다. 올해에는 남학생이 8 % 감소하고, 여학생은 3 % 증가하여 전체 학생 수는 608명이 되었다. 작년 여학생 수를 구하면?

① 296명   ② 300명   ③ 313명
④ 325명   ⑤ 332명

출제율 85%

91 (상) 어떤 상점에서 지난 달의 상품 A, B의 판매액의 합은 70만 원이었다. 이번 달에는 A가 2 %, B가 4 % 더 팔려 두 상품의 판매액의 합이 지난달보다 2만 원 증가하였다. 이번 달의 A, B의 판매액을 각각 구하여라.

개념 UP 01 속력에 관한 문제 – 터널, 다리를 통과할 때

기차가 일정한 속력으로 터널이나 다리를 통과할 때
➡ (전체 이동 거리)=(터널이나 다리의 길이)+(기차의 길이)

출제율 90%

92
(상)
일정한 속력으로 달리는 기차가 길이가 1200 m인 터널을 완전히 지나는 데 3분이 걸리고, 길이가 700 m인 다리를 완전히 지나는 데 2분이 걸린다고 한다. 이때 기차의 속력을 구하여라.

출제율 80%

93
(상)
길이가 570 m인 다리를 화물열차가 지나가는 데 50초가 걸렸고, 이 열차보다 길이가 60 m 짧은 특급 열차가 이 다리를 화물열차의 2배의 속력으로 23초만에 지나갔다. 이때 화물열차의 길이는?

① 150 m   ② 180 m   ③ 200 m
④ 240 m   ⑤ 300 m

출제율 80%

94
(상)
길이가 210 m인 화물열차가 어떤 다리를 건너는 데 55초가 걸렸고, 길이가 120 m인 특급열차는 이 다리를 화물열차의 2배의 속력으로 26초 만에 지나갔다. 이때 다리의 길이는?

① 1 km   ② 1.2 km   ③ 1.4 km
④ 1.44 km   ⑤ 1.6 km

개념 UP 02 합금에 관한 문제

구리를 포함한 합금 A, B로 합금 C를 만들었을 때 합금 A, B의 무게를 각각 x, y로 놓고 다음 두 식을 이용한다.
① (A의 무게)+(B의 무게)=(C의 무게)
② (A에 포함된 구리의 무게)+(B에 포함된 구리의 무게)
  =(C에 포함된 구리의 무게)

출제율 80%

95
(상)
구리를 포함한 합금 A, B가 있다. A는 90 %, B는 60 %의 구리를 포함하고 있다. A, B를 녹여서 70 %의 구리를 포함한 합금 C를 45 kg 만들려면 A, B를 각각 몇 kg씩 섞으면 되는지 구하여라.

출제율 80%

96
(상)
A는 구리를 10 %, 아연을 60 % 포함한 합금이고, B는 구리를 20 %, 아연을 20 % 포함한 합금이다. 이 두 종류의 합금을 녹여서 구리를 100 g, 아연을 300 g 포함하는 합금을 만들려고 할 때, 필요한 합금 A의 양은?

① 300 g   ② 350 g   ③ 400 g
④ 450 g   ⑤ 500 g

출제율 80%

97
(상)
오른쪽 표는 두 식품 A, B에 들어 있는 단백질과 지방의 비율을 백분율로 나

식품	단백질(%)	지방(%)
A	15	8
B	20	5

타낸 것이다. 두 식품에서 단백질 65 g, 지방 29 g을 얻으려면 식품 A, B를 합하여 몇 g을 섭취해야 하는지 구하여라.

━━━━━━━━━━ 연립방정식의 풀이와 활용 ━━━━━━━━━━

01 연립방정식 $\begin{cases} -3x+2y=1 & \cdots ㉠ \\ 4x-3y=24 & \cdots ㉡ \end{cases}$ 에서 y를 없애려고 할 때, 다음 중 옳은 것은?

① ㉠+㉡
② ㉠−㉡
③ ㉠×4+㉡×3
④ ㉠×3−㉡×2
⑤ ㉠×3+㉡×2

02 연립방정식 $\begin{cases} 3x-4y=2 \\ 2x-3y=-1 \end{cases}$ 의 해를 $x=a,\ y=b$라 할 때, $a-b$의 값은?

① 1
② 2
③ 3
④ 4
⑤ 5

03 연립방정식 $\begin{cases} ax+by=8 \\ bx-ay=1 \end{cases}$ 의 해가 $x=2,\ y=1$일 때, ab의 값은?

① −6
② −4
③ 2
④ 4
⑤ 6

04 연립방정식 $\begin{cases} x+y=5+b \\ x+by=5 \end{cases}$ 의 해가 $(a,\ 1)$일 때, 상수 $a,\ b$에 대하여 $2a-4b$의 값은?

① 1
② 3
③ 5
④ 7
⑤ 9

05 연립방정식 $\begin{cases} x+y=6 \\ 4x+ky=-4 \end{cases}$ 의 해가 일차방정식 $3x-2y=-2$를 만족한다고 할 때, k의 값은?

① −3
② −2
③ 1
④ 2
⑤ 3

06 연립방정식 $\begin{cases} 2x+by=6 \\ 3x+y=5 \end{cases}$ 와 $\begin{cases} 2x-y=5 \\ ax+2y=4 \end{cases}$ 의 해가 서로 같을 때, $a+b$의 값은?

① −2
② −1
③ 0
④ 1
⑤ 2

07 연립방정식 $\begin{cases} ax-by=2 \\ bx+ay=19 \end{cases}$ 를 잘못하여 $a,\ b$를 바꾸어 놓고 풀었더니 $x=1,\ y=2$가 되었다. 이때 ab의 값은?

① 16
② 20
③ 22
④ 24
⑤ 28

08 연립방정식 $\begin{cases} 3y-(x+y)=3x \\ 5x+2(2x-3y)=3 \end{cases}$ 의 해를 $x=a,$ $y=b$라 할 때, $a+b$의 값은?

① −5
② −3
③ −1
④ 3
⑤ 5

09 연립방정식 $\begin{cases} 0.4x-0.3y=-1.7 \\ \dfrac{x}{4}-\dfrac{y}{6}=-1 \end{cases}$ 을 풀면?

① $x=-2,\ y=-3$ 　② $x=-2,\ y=3$

③ $x=2,\ y=-3$ 　④ $x=2,\ y=3$

⑤ $x=-3,\ y=3$

10 연립방정식 $x-4y+10=6x-4=-x+3y+7$을 풀면?

① $x=-1,\ y=2$ 　② $x=\dfrac{1}{2},\ y=2$

③ $x=2,\ y=\dfrac{1}{2}$ 　④ $x=2,\ y=1$

⑤ $x=-1,\ y=3$

11 연립방정식 $\begin{cases} -3x+y=4 \\ 3ax+by=-8 \end{cases}$ 의 해가 무수히 많을 때, $a+b$의 값은?

① -4 　② -2 　③ 0

④ 2 　⑤ 4

12 다음 연립방정식 중에서 해가 <u>없는</u> 것은?

① $\begin{cases} y-2x=1 \\ 2y=4x+1 \end{cases}$ 　② $\begin{cases} 2x+y=3 \\ 6x+3y=9 \end{cases}$

③ $\begin{cases} x+y=2 \\ x+2y=1 \end{cases}$ 　④ $\begin{cases} 2x-y=-1 \\ x+y=7 \end{cases}$

⑤ $\begin{cases} 0.1x-0.2y=0.3 \\ x-2y=3 \end{cases}$

13 두 자리의 자연수가 있다. 각 자리의 숫자의 합이 7이고 이 수의 십의 자리의 숫자와 일의 자리의 숫자를 바꾼 수는 처음 수보다 9가 작다고 한다. 처음의 자연수는?

① 16 　② 25 　③ 34

④ 43 　⑤ 52

14 집에서 1.5 km 떨어진 학교까지 가는데 처음에 시속 4 km로 걷다가 나중에 시속 10 km로 뛰어서 총 18분이 걸렸다. 이때 걸어간 거리와 뛰어간 거리를 각각 구하면?

① 걸어간 거리 : 0.5 km, 뛰어간 거리 : 1 km

② 걸어간 거리 : 0.7 km, 뛰어간 거리 : 0.8 km

③ 걸어간 거리 : 1 km, 뛰어간 거리 : 0.5 km

④ 걸어간 거리 : 1.2 km, 뛰어간 거리 : 0.3 km

⑤ 걸어간 거리 : 1.3 km, 뛰어간 거리 : 0.2 km

15 7 %의 소금물과 14 %의 소금물 안에 들어 있는 소금의 양의 합이 28 g이고, 소금물의 합이 300 g이다. 7 %의 소금물은 몇 g인가?

① 100 g 　② 150 g 　③ 200 g

④ 250 g 　⑤ 300 g

꼭! 맞고 상위권 진입 **90점!**

16 연립방정식 $\begin{cases} x+2y=k \\ \dfrac{x}{4}-\dfrac{y}{5}=2 \end{cases}$ 를 만족하는 x, y에 대하여 $x:y=4:3$일 때, 상수 k의 값은?

① 20   ② 30   ③ 40
④ 50   ⑤ 60

17 속력이 일정한 배로 강을 12 km 거슬러 올라가는 데 2시간, 내려오는 데 1시간이 걸렸다. 정지하고 있는 물에서의 배의 속력을 구하여라.

18 지훈이와 혜진이가 지훈이네 집에서 출발하여 자전거를 타고 동물원에 가려고 한다. 혜진이가 동물원을 향해 시속 8 km로 출발한 지 30분 후에 지훈이가 같은 길을 시속 10 km로 달려서 혜진이를 따라갔다. 두 사람은 지훈이가 자신의 집에서 출발한 지 몇 시간 후에 만나는지 구하여라. 또, 두 사람이 만날 때까지 지훈이가 이동한 거리는 몇 km인지 구하여라.

19 작년의 학생 수는 850명이고 금년의 남학생은 작년보다 4 % 감소하고, 여학생은 5 % 증가하여 전체적으로 2명이 증가하였다. 금년의 남학생 수는?

① 400명   ② 420명   ③ 432명
④ 450명   ⑤ 468명

 1등급 만점도전 **100점!**

20 연립방정식 $\begin{cases} 2x-a=10 \\ x+2y-3a=5 \end{cases}$ 에서 x와 y의 차가 2일 때, 상수 a의 값은? (단, $x>y$)

① 3   ② 4   ③ 5
④ 6   ⑤ 7

21 연립방정식 $\begin{cases} ax+by=2 \\ cx-7y=8 \end{cases}$ 을 경훈이는 옳게 풀어 $(x, y)=(3, -2)$를 얻었고, 수남이는 c를 잘못 보아 $(x, y)=(-2, 2)$를 얻었다. 상수 a, b, c의 값을 각각 구하여라.

단계형

22 연립방정식 $\begin{cases} x+2y=5 \\ 2x+3y=8 \end{cases}$ 의 해를 $x=a$, $y=b$라 할 때, $a+b$의 값을 구하여라. [7점]

(1단계) 연립방정식 풀기 [3점]

_____

_____

(2단계) a, b의 값 구하기 [2점]

_____

_____

(3단계) $a+b$의 값 구하기 [2점]

_____

_____

단계형

23 연립방정식 $\begin{cases} 2ax-y=b+3 \\ ax-y=b \end{cases}$ 의 해가 $x=1$, $y=2$일 때, $2a+3b$의 값을 구하여라. [7점]

(1단계) $x=1$, $y=2$를 대입하여 a, b에 관한 연립방정식 세우기 [3점]

_____

_____

(2단계) a, b에 관한 연립방정식 풀기 [2점]

_____

_____

(3단계) $2a+3b$의 값 구하기 [2점]

_____

_____

사고력

24 연립방정식 $\begin{cases} x+2y=10 \\ y=-x+6 \end{cases}$ 의 해가 $x=a$, $y=b$일 때, a^2+b^2의 값을 구하여라. [7점]

사고력

25 혜미는 어느 상점에서 정가로 티셔츠 한 장과 치마 한 벌을 40000원에 구입했다. 그런데 며칠 후 이 상점에서 할인 행사로 티셔츠는 정가의 20%를 할인하고, 치마는 정가의 30%를 할인하여 판매하기 시작했다. 할인 행사가 시작된 후에 혜진이는 혜미가 구입한 것과 똑같은 티셔츠와 치마를 31000원에 구입했을 때, 혜진이가 구입한 티셔츠의 할인된 가격을 구하여라.

[8점]

01 함수의 뜻

(1) **변수** : x, y와 같이 여러 가지로 변하는 값을 나타내는 문자
(2) **함수** : 두 변수 x, y에 대하여 x의 값이 정해짐에 따라 y의 값이 오직 하나씩 대응하는 관계에 있을 때, y를 x의 함수라 하고, 기호로 $y=f(x)$와 같이 나타낸다.
(3) **함수의 예**

① 정비례 관계식, $y=ax(a\neq0)$

예
x	1	2	3	4	$\cdots$
y	5	10	15	20	$\cdots$

$\Rightarrow y=5x$

② 반비례 관계식, $y=\dfrac{a}{x}(a\neq0)$

예
x	1	2	3	4	$\cdots$
y	12	6	4	3	$\cdots$

$\Rightarrow y=\dfrac{12}{x}$

③ $y=$(x에 대한 일차식)

예
x	1	2	3	4	$\cdots$
y	2	3	4	5	$\cdots$

$\Rightarrow y=x+1$

포 인 트 개념

x의 값이 정해짐에 따라 y의 값이
· 오직 하나만 대응하면 $\Rightarrow y$는 x의 함수이다.
· 하나도 대응하지 않거나 두 개 이상 대응하면 $\Rightarrow y$는 x의 함수가 아니다.

02 함숫값

(1) 함수 $y=f(x)$에서 x의 값에 따라 하나로 결정되는 y의 값, 즉 $f(x)$를 x의 함숫값이라고 한다.
(2) 함수 $y=f(x)$에서 $f(a)$ $\Rightarrow$ $x=a$일 때의 함숫값
$\Rightarrow$ $x=a$일 때, y의 값
$\Rightarrow$ $f(x)$에 $x=a$를 대입하여 얻은 값

예 $f(x)=-2x$에서 $x=1$일 때의 함숫값 $\Rightarrow f(1)=-2\times1=-2$

03 일차함수의 뜻

함수 $y=f(x)$에서 y가 x에 관한 일차식

$$y=ax+b\ (a,\ b\text{는 상수, }a\neq0)$$

로 나타내어질 때, 이 함수를 일차함수라 한다.

예 $y=2x$, $y=\dfrac{1}{3}x-1$

참고 $y=f(x)$에서 $y=x-2$와 $f(x)=x-2$는 같은 표현이다.

포 인 트 개념

일차함수가 아닌 식
$\Rightarrow$ $-2x+1$(일차식), $y=8$(일차방정식), $y=-3x^2+2$, $y=\dfrac{2}{x}+3$

예제 1

한 변의 길이가 x cm인 정사각형의 둘레의 길이를 y cm라고 할 때, 물음에 답하여라.

(1) 다음 표를 완성하여라.

x(cm)	1	2	3	4	$\cdots$
y(cm)					$\cdots$

(2) y는 x의 함수인지 말하여라.
(3) x와 y 사이의 관계식을 구하여라.

예제 2

함수 $y=\dfrac{1}{3}x$에 대하여 다음을 구하여라.

(1) $x=3$일 때의 함숫값
(2) $x=6$일 때의 함숫값

예제 3

다음 중 일차함수인 것은?

① $y=\dfrac{3}{x}$ ② $y=3$
③ $y=3x^2+1$ ④ $y=x(x-1)$
⑤ $y=-2x$

04 일차함수 $y=ax(a\neq0)$의 그래프

(1) 원점 $(0, 0)$을 지나는 직선이다.

(2)

$a>0$일 때	$a<0$일 때
제1, 3사분면을 지난다. x의 값이 증가하면 y의 값도 증가한다. 오른쪽 위로 향하는 직선이다.	제2, 4사분면을 지난다. x의 값이 증가하면 y의 값은 감소한다. 오른쪽 아래로 향하는 직선이다.

(3) a의 절댓값이 클수록 y축에 가깝다.

05 일차함수 $y=ax+b(a\neq0)$의 그래프

(1) 평행이동 : 한 도형을 일정한 방향으로 일정한 거리만큼 옮기는 것
(2) 일차함수 $y=ax+b$의 그래프 : 일차함수 $y=ax+b$의
그래프는 일차함수 $y=ax$의 그래프를 y축의 방향으로
b만큼 평행이동한 직선이다.

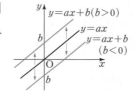

예 $y=3x$의 그래프 $\xrightarrow[\text{$-1$만큼 평행이동}]{\text{$y$축의 방향으로}}$ $y=3x-1$의 그래프

포인트 개념

$$y=ax \xrightarrow[\text{b만큼 평행이동}]{\text{y축의 방향으로}} y=ax+b$$

06 일차함수의 그래프의 x절편, y절편

일차함수 $y=ax+b(a\neq0)$의 그래프에서
(1) x절편 : 그래프가 x축과 만나는 점의 x좌표 ➡ $y=0$일 때의 x의 값
(2) y절편 : 그래프가 y축과 만나는 점의 y좌표 ➡ $x=0$일 때의 y의 값

예 $y=-x+3$의 그래프에서
① x절편 : $y=0$일 때, $0=-x+3$, $x=3$이므로 x절편은 3이다.
② y절편 : $x=0$일 때, $y=-1\times0+3=3$이므로 y절편은 3이다.

포인트 개념

$y=ax+b(a\neq0)$에서
① x절편 : $-\dfrac{b}{a}$
② y절편 : b

예제 4

다음 중 일차함수 $y=-4x$의 그래프의 성질이 아닌 것은?

① 원점을 지난다.
② 점 $(-1, 4)$를 지난다.
③ 오른쪽 아래로 향하는 직선이다.
④ 제1사분면과 제3사분면을 지난다.
⑤ x의 값이 증가하면 y의 값은 감소한다.

예제 5

다음 일차함수의 그래프를 y축의 방향으로 [　] 안의 값만큼 평행이동한 그래프의 식을 구하여라.

(1) $y=\dfrac{1}{2}x$ $[-2]$　　(2) $y=-3x$ $[4]$

(3) $y=x-1$ $[3]$　　(4) $y=-2x+5$ $[-1]$

예제 6

일차함수 $y=\dfrac{2}{3}x-2$의 그래프의 x절편과 y절편의 합을 구하여라.

07 일차함수의 그래프의 기울기

일차함수 $y=ax+b$에서 x의 값의 증가량에 대한 y의 값의 증가량의 비율을 기울기라 한다.

$$(기울기)=\frac{(y의\ 값의\ 증가량)}{(x의\ 값의\ 증가량)}=a$$

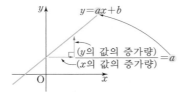

예 $y=4x-3$의 그래프에서
x의 값이 1에서 2까지 1만큼 증가할 때, y의 값은 1에서 5까지 4만큼 증가하므로
$$(기울기)=\frac{5-1}{2-1}=\frac{4}{1}=4$$

포 인 트 개념

08 일차함수의 그래프 그리기

(1) x절편, y절편을 이용한 그래프 그리기
  ① x절편과 y절편을 각각 구하여 좌표평면 위에 나타낸다.
  ② 두 점을 연결하는 직선을 그린다.
(2) 기울기와 y절편을 이용한 그래프 그리기
  ① y절편을 좌표평면 위에 나타낸다.
  ② 기울기를 이용하여 다른 한 점을 찾아 나타낸 후 두 점을 직선으로 연결한다.

포 인 트 개념
일차함수의 그래프는 직선이므로 두 점만 알면 그래프를 그릴 수 있다.

09 일차함수의 그래프의 성질

(1) 일차함수 $y=ax+b$의 그래프의 모양은 다음과 같다.
  ① $a>0$일 때, x의 값이 증가하면 y의 값도 증가한다.
    ➡ 오른쪽 위로 향하는 직선이다.
  ② $a<0$일 때, x의 값이 증가하면 y의 값은 감소한다.
    ➡ 오른쪽 아래로 향하는 직선이다.
(2) a의 절댓값이 클수록 그래프는 y축에 가깝다.

포 인 트 개념
일차함수 $y=ax+b$의 그래프의 모양
① $a>0$, $b>0$　　② $a>0$, $b<0$　　③ $a<0$, $b>0$　　④ $a<0$, $b<0$

예제 7
다음 물음에 답하여라.

(1) 일차함수 $y=\frac{1}{2}x+3$의 그래프에서 x의 값이 4만큼 증가할 때, y의 값의 증가량을 구하여라.
(2) 일차함수 $y=-5x+1$의 그래프에서 x의 값이 -1에서 1까지 증가할 때, y의 값의 증가량을 구하여라.

예제 8
다음 물음에 답하여라.

(1) x절편과 y절편을 이용하여 일차함수 $y=2x-6$의 그래프를 그려라.
(2) 기울기와 y절편을 이용하여 일차함수 $y=-3x+4$의 그래프를 그려라.

예제 9
일차함수 $y=ax-b$의 그래프가 오른쪽 그림과 같을 때, 상수 a, b의 부호를 각각 정하여라.

🔟 일차함수의 그래프의 평행, 일치

(1) 두 일차함수의 그래프에서

   ① 기울기가 같고 y절편이 다르면 두 그래프는 평행하다.

   ② 기울기가 같고 y절편도 같으면 두 그래프는 일치한다.

(2) 평행한 두 일차함수의 그래프의 기울기는 서로 같다.

> **포인트개념**
>
> 두 일차함수 $y=ax+b$와 $y=cx+d$에서
>
> ① $a=c$, $b \neq d$ ➡ 평행
>
> ② $a=c$, $b=d$ ➡ 일치
>
> ③ $a \neq c$ ➡ 한 점에서 만난다.

예제 10

두 일차함수 $y=ax-b$와 $y=-6x+2$의 그래프에 대하여 다음 조건을 구하여라.

                 (단, a, b는 상수)

(1) 두 직선이 서로 평행할 조건

(2) 두 직선이 서로 일치할 조건

(3) 두 직선이 한 점에서 만날 조건

1️⃣1️⃣ 기울기와 y절편이 주어질 때, 일차함수의 식 구하기

기울기가 a이고 y절편이 b인 직선을 그래프로 하는 일차함수의 식은

$y=ax+b$이다.

예 • 기울기가 -3이고 y절편이 6인 직선을 그래프로 하는 일차함수의 식은 $y=-3x+6$이다.

    • $y=2x+3$의 그래프와 평행하고 y절편이 -1인 직선을 그래프로 하는 일차함수의 식은 $y=2x-1$이다.

> **포인트개념**
>
> $y=\boxed{a}x+\boxed{b}$
>
>   ↑기울기   ↑y절편

예제 11

기울기가 -8이고 $y=\dfrac{3}{2}x-2$의 그래프와 y축 위에서 만나는 직선을 그래프로 하는 일차함수의 식을 구하여라.

1️⃣2️⃣ 기울기와 한 점이 주어질 때, 일차함수의 식 구하기

기울기가 a이고 한 점 (x_1, y_1)을 지나는 직선을 그래프로 하는 일차함수의 식은

① 기울기 a를 대입하여 $y=ax+b$로 놓는다.

② $y=ax+b$에 주어진 한 점의 좌표 (x_1, y_1)을 대입하여 b의 값을 구한다.

예 기울기가 -3이고, 점 $(-1, -2)$를 지나는 직선을 그래프로 하는 일차함수의 식을 $y=-3x+b$로 놓는다.

점 $(-1, -2)$를 지나므로 $x=-1$, $y=-2$를 $y=-3x+b$에 대입하면 $b=-5$

따라서 일차함수의 식은 $y=-3x-5$

예제 12

x의 값이 3만큼 증가할 때 y의 값은 3만큼 감소하고, x절편이 2인 직선을 그래프로 하는 일차함수의 식을 구하여라.

13 서로 다른 두 점이 주어질 때, 일차함수의 식 구하기

① (기울기 a)$=\dfrac{(y\text{의 값의 증가량})}{(x\text{의 값의 증가량})}$ 을 구한다.

② y절편을 b라 하여 $y=ax+b$로 놓는다.

③ 두 점 중 한 점의 좌표를 $y=ax+b$에 대입하여 b의 값을 구한다.

예 두 점 $(2, 7)$, $(3, 5)$를 지나는 직선을 그래프로 하는 일차함수의 식은

(기울기 a)$=\dfrac{5-7}{3-2}=-2$이므로 y절편을 b라 하여 $y=-2x+b$로 놓는다.

점 $(2, 7)$을 지나므로 $x=2$, $y=7$을 $y=-2x+b$에 대입하면 $b=11$

따라서 일차함수의 식은 $y=-2x+11$

 개념

두 점 (x_1, y_1), (x_2, y_2)를 지나는 직선의 기울기 ➡ $\dfrac{y_2-y_1}{x_2-x_1}=\dfrac{y_1-y_2}{x_1-x_2}$

14 x절편과 y절편이 주어질 때, 일차함수의 식 구하기

x절편이 m, y절편이 n일 때,

① 두 점 $(m, 0)$, $(0, n)$을 지나므로 (기울기)$=\dfrac{n-0}{0-m}=-\dfrac{n}{m}$

② y절편이 n이므로 $y=-\dfrac{n}{m}x+n$

예 x절편이 3, y절편이 2인 직선을 그래프로 하는 일차함수의 식은

(기울기)$=\dfrac{2-0}{0-3}=-\dfrac{2}{3}$ $\therefore y=-\dfrac{2}{3}x+2$

15 일차함수의 활용

일차함수의 활용 문제 풀이 순서

① 문제의 뜻을 파악하여 변수 x, y를 정한다.

② 변수 x, y 사이의 관계를 식으로 나타낸다.

③ 주어진 조건에 맞는 값을 구한다.

④ 구한 값이 문제의 뜻에 맞는지 확인한다.

포인트 개념

일차함수의 활용 문제 풀이 순서

변수 x, y 정하기 ➡ x와 y 사이의 관계식 세우기 ➡ 답 구하기 ➡ 답 확인하기

예제 13

두 점 $(2, 4)$, $(4, -2)$를 지나는 직선을 그래프로 하는 일차함수의 식을 구하여라.

예제 14

$y=2x+4$의 그래프와 x축 위에서 만나고, y절편이 -2인 직선을 그래프로 하는 일차함수의 식을 구하여라.

예제 15

처음 온도가 12 ℃인 물을 알코올 램프로 데울 때, 물의 온도가 1분마다 6 ℃씩 올라간다. 가열하기 시작한지 x분 후의 물의 온도를 y ℃라 할 때, 다음 물음에 답하여라.

(1) x와 y 사이의 관계식을 구하여라.
(2) 3분 후의 물의 온도를 구하여라.

대표유형 함수의 뜻

01 다음 중 y가 x의 함수인 것은?

① 한 개에 300원 하는 볼펜 x개의 값 y원
② 키가 x cm인 사람의 앉은키 y cm
③ 자연수 x의 약수 y
④ 자연수 x보다 작은 소수 y
⑤ 수학 성적이 x점인 학생의 영어 성적 y점

내신 UP POINT
x의 값이 정해짐에 따라 y의 값이 하나도 대응하지 않거나 두 개 이상 대응하면 함수가 아니다.

출제율 90%

02 다음 보기 중 y가 x의 함수인 것을 모두 골라라.

중

보기
ㄱ. 자연수 x의 배수 y
ㄴ. 가로, 세로의 길이가 각각 4 cm, x cm인 직사각형의 넓이 y cm^2
ㄷ. 나이가 x살인 사람의 키 y cm
ㄹ. x원짜리 연필 5자루의 값 y원
ㅁ. 자연수 x의 약수의 개수 y개

출제율 95%

03 다음 중 y가 x의 함수가 <u>아닌</u> 것은?

중

① 한 변의 길이가 x cm인 정삼각형의 둘레의 길이 y cm
② 시속 5 km로 x시간 동안 간 거리 y km
③ 반지름의 길이가 x cm인 원의 둘레의 길이 y cm
④ 자연수 x와 서로소인 수 y
⑤ 밑변의 길이가 4 cm, 높이가 x cm인 삼각형의 넓이 y cm^2

대표유형 함숫값

04 함수 $f(x)=3x$에 대하여 $2f(4)-\dfrac{1}{2}f(-2)$의 값은?

① 6   ② 18   ③ 27
④ 30   ⑤ 32

출제율 95%

05 함수 $f(x)=-\dfrac{1}{2}x$에 대하여 $f(-2)$의 값은?

하

① -2 ② -1 ③ 0
④ 1   ⑤ 2

출제율 95%

06 함수 $f(x)=\dfrac{16}{x}$에 대하여 $f(-4)$의 값은?

하

① -6 ② -4 ③ -2
④ 4   ⑤ 12

출제율 95%

07 함수 $f(x)=3x+1$에 대하여 $f(2)$의 값은?

하

① -2 ② -1 ③ 3
④ 5   ⑤ 7

08 함수 $f(x)=\dfrac{5}{x}$ 에 대하여 $f(-5)+f(1)$ 의 값은?

출제율 90%

중

① 1   ② 2   ③ 3
④ 4   ⑤ 5

09 함수 $f(x)=\dfrac{1}{2}x+3$ 에 대하여 $2f(3)+4f(-1)$ 의 값은?

출제율 90%

중

① 11   ② 13   ③ 15
④ 17   ⑤ 19

10 함수 $f(x)=-2x-1$ 에 대하여 $\dfrac{f(1)+f(-1)}{f(0)}$ 의 값은?

출제율 90%

중

① 1   ② 2   ③ 3
④ 4   ⑤ 5

11 함수 $f(x)=3x-1$ 에 대하여 $f(f(1))$ 의 값은?

출제율 85%

상

① 1   ② 2   ③ 3
④ 4   ⑤ 5

대표 유형 $f(x)=(x$에 대한 조건)에 대한 함숫값

12 함수 $f(x)=(x$ 이하의 소수의 개수)에 대하여 $f(8)+f(11)$ 의 값은?

① 6   ② 7   ③ 8
④ 9   ⑤ 10

13 함수 $f(x)=($자연수 x를 5로 나눈 나머지)라고 할 때, $f(48)+f(49)+f(51)$ 의 값을 구하여라.

출제율 90%

중

14 함수 $f(x)=(x$의 약수의 개수)라고 할 때, $f(18)$ 의 값을 구하여라.

출제율 90%

중

15 자연수 n에 대하여
$f(n)=(n$보다 작은 자연수 중 n과 서로소인 것의 개수)
라고 할 때, $f(9)+f(11)+f(25)$ 의 값을 구하여라.

출제율 80%

상

대표유형 **함숫값을 이용하여 미지수 구하기(1)**

16 함수 $f(x)=3x+2$에 대하여 $f(a)=11$일 때, a의 값은?

① 2　　　　② 3　　　　③ 4
④ 5　　　　⑤ 6

출제율 95%

17 함수 $f(x)=-3x+1$에 대하여 $f(a)=4$일 때, a의 값은?
[하]

① -2　　　② -1　　　③ 0
④ 1　　　　⑤ 2

출제율 90%

18 함수 $f(x)=4x-1$에 대하여 $f(a)=-5$, $f(2)=b$일 때, $2a-b$의 값은?
[중]

① -13　　② -9　　③ -7
④ -1　　　⑤ 5

출제율 90%

19 함수 $f(x)=-\dfrac{18}{x}$에 대하여 $f(a)=-3$이고
[중] $f(b)=a$일 때, $a+b$의 값을 구하여라.

대표유형 **두 함수가 주어질 때의 함숫값**

20 두 함수 $f(x)=-2x+5$, $g(x)=\dfrac{4}{x}+3$에 대하여
$3f(1)+2g(2)$의 값은?

① 15　　　② 16　　　③ 17
④ 18　　　⑤ 19

내신 UP POINT

두 함수 $y=f(x)$, $y=g(x)$가 주어질 때
① $f(a)$ ➡ 함수 $y=f(x)$에서 $x=a$일 때 y의 값
② $g(b)$ ➡ 함수 $y=g(x)$에서 $x=b$일 때 y의 값

출제율 90%

21 두 함수 $f(x)=2x$, $g(x)=\dfrac{8}{x}$에 대하여
[하] $f(-5)-g(2)$의 값은?

① -16　　② -14　　③ -12
④ 12　　　⑤ 14

출제율 85%

22 두 함수 $f(x)=-\dfrac{12}{x}$, $g(x)=\dfrac{3}{4}x$에 대하여
[중] $2f(3)-\dfrac{1}{2}g(8)$의 값을 구하여라.

출제율 85%

23 두 함수 $f(x)=\dfrac{2}{3}x-1$, $g(x)=-\dfrac{1}{2}x$에 대하여
[중] $2g\left(\dfrac{1}{3}\right)+f\left(\dfrac{1}{2}\right)$의 값을 구하여라.

대표 유형 함숫값을 이용하여 미지수 구하기(2)

24 두 함수 $f(x)=-3x-2$, $g(x)=x+1$에 대하여 $f(a)=-5$일 때, $g(a)$의 값은?

① 2   ② 4   ③ 6
④ 8   ⑤ 10

출제율 85%

25 두 함수 $f(x)=-2x+3$, $g(x)=-3x+1$에 대하여 $f(k)=-k+4$일 때, $g(k)$의 값은? (단, k는 상수)

① -4 ② -2 ③ 1
④ 2   ⑤ 4

출제율 85%

26 두 함수 $f(x)=-2x+5$, $g(x)=\dfrac{6}{x}+1$에 대하여 $f(a)=7$, $g(-2)=b$일 때, $a+b$의 값을 구하여라.

출제율 85%

27 두 함수 $f(x)=3x-4$, $g(x)=-\dfrac{1}{3}x-2$에 대하여 $f(-2)=a$, $g(b)=a$를 만족시키는 상수 b의 값을 구하여라.

대표 유형 함숫값을 이용하여 함수의 식 구하기

28 함수 $f(x)=ax$에 대하여 $f(3)=-9$일 때, 상수 a의 값을 구하여라.

출제율 95%

29 함수 $f(x)=2x+a$에 대하여 $f(1)=5$일 때, $f(3)$의 값은? (단, a는 상수)

① 2   ② 7   ③ 9
④ 10   ⑤ 12

출제율 90%

30 함수 $f(x)=-\dfrac{a}{x}+5$에 대하여 $f(4)=0$일 때, $f(2)$의 값은? (단, a는 상수)

① -10 ② -5 ③ -1
④ 5   ⑤ 10

출제율 95%

31 함수 $f(x)=ax$에 대하여 $f(1)=4$일 때, $f(b)=2$를 만족하는 b의 값은? (단, a는 상수)

① -2 ② -1 ③ $-\dfrac{1}{2}$
④ $\dfrac{1}{4}$ ⑤ $\dfrac{1}{2}$

32 함수 $f(x)=\dfrac{a}{x}$에 대하여 $f(-1)=-8$, $f(b)=2$일 때, $a+b$의 값은? (단, a는 상수)

① 2   ② 6   ③ 8

④ 10   ⑤ 12

출제율 90%

33 함수 $f(x)=ax+3$에 대하여 $f(2)=1$일 때, $a+f(-1)$의 값을 구하여라. (단, a는 상수)

출제율 90%

34 다음 중 $f(x)=a(x-1)$에 대하여 $f(-2)=9$, $f(3)=b$일 때, $a-b$의 값은? (단, a, b는 상수)

① -3 ② 0 ③ 3

④ 6 ⑤ 9

대표유형 일차함수 찾기

35 다음 중 일차함수인 것을 모두 고르면? (정답 2개)

① $y=-2x^2$ ② $y=x+2$

③ $y=3-2x$ ④ $y=-\dfrac{5}{x}$

⑤ $y=-3$

출제율 95%

36 다음 **보기** 중 일차함수를 모두 고른 것은?

보기

ㄱ. $y^2=\dfrac{1}{3}x$ ㄴ. $3x^2-4y=3x^2+x-8$

ㄷ. $2x^2=5+y$ ㄹ. $3x=2y-x$

① ㄱ, ㄴ   ② ㄱ, ㄷ   ③ ㄴ, ㄷ

④ ㄴ, ㄹ   ⑤ ㄷ, ㄹ

출제율 90%

37 다음 중 y가 x에 관한 일차함수인 것은?

① 한 변의 길이가 x인 정사각형의 넓이는 y이다.

② 반지름의 길이가 x인 원의 넓이는 y이다.

③ 16 km의 거리를 시속 x km로 걸었을 때, 걸린 시간이 y시간이다.

④ 300원짜리 물건 x개를 사고 5000원을 냈을 때의 거스름돈이 y원이다.

⑤ 밑변의 길이가 x이고, 높이가 y인 삼각형의 넓이는 12이다.

출제율 95%

38 다음 중 y가 x에 관한 일차함수가 <u>아닌</u> 것을 모두 고르면? (정답 2개)

① $3x-2y-1=0$ ② $xy=4$

③ $y-x-3=-(x+2)$ ④ $y^2+y-1=x+y^2-4$

⑤ $y=-\dfrac{1}{2}x+2$

대표
유형 **일차함수의 함숫값**

39 일차함수 $f(x)=ax+3$에 대하여 $f(-1)=1$일 때, $f(5)$의 값은?

① 3 　　　② 5 　　　③ 8

④ 11 　　　⑤ 13

출제율 95%

40 일차함수 $f(x)=-3x-1$에 대하여 $f(-2)+2f(1)$의 값은?

① -11 　　　② -5 　　　③ -3

④ 3 　　　⑤ 11

출제율 95%

41 일차함수 $f(x)=ax+b$에 대하여 $f(2)=2$, $f(-1)=5$일 때, $f(-3)$의 값은?

① 3 　　　② 5 　　　③ 7

④ 11 　　　⑤ 13

출제율 85%

42 두 일차함수 $f(x)=ax+2$, $g(x)=-\dfrac{3}{2}x+b$에 대하여 $f(-3)=8$, $g(2)=1$일 때, $f(3)-g(8)$의 값은?

① -12 　　　② -4 　　　③ 0

④ 4 　　　⑤ 12

대표
유형 **일차함수의 그래프의 평행이동**

43 일차함수 $y=-2x$의 그래프를 y축의 방향으로 -3만큼 평행이동한 그래프는 점 $(-6, m)$을 지난다. 이때 m의 값은?

① 5 　　　② 6 　　　③ 7

④ 8 　　　⑤ 9

내신 **UP** POINT
① $y=ax$의 그래프를 y축의 방향으로 b만큼 평행이동한 그래프의 식은 $y=ax+b$
② $y=ax+b$의 그래프를 y축의 방향으로 c만큼 평행이동한 그래프의 식은 $y=(ax+b)+c$

출제율 90%

44 다음 보기의 □ 안에 알맞은 수를 순서대로 구한 것은?

보기
　$y=3x-4$의 그래프는 $y=3x$의 그래프를 y축의 방향으로 □만큼 평행이동한 것이고, $y=-x+3$의 그래프는 $y=-x$의 그래프를 y축의 방향으로 □만큼 평행이동한 것이다.

① 2, -3 　　　② 2, 3 　　　③ -4, 3

④ -2, -3 　　　⑤ 2, 4

출제율 90%

45 일차함수 $y=-2x-3a+4$의 그래프를 y축의 방향으로 2만큼 평행이동하면 $y=bx$의 그래프와 겹쳐질 때, 상수 a, b에 대하여 $a+b$의 값은?

① -2 　　　② -1 　　　③ 0

④ 1 　　　⑤ 2

46 다음 중 일차함수 $y=-2x+5$의 그래프 위에 있는 점은?

① $(1, -5)$　　② $(-1, 3)$　　③ $(-3, -1)$
④ $(4, -3)$　　⑤ $(2, 9)$

출제율 95%

47 일차함수 $y=\dfrac{1}{3}x+b$의 그래프가 두 점 $(-4, -2)$, $(p, 2)$를 지날 때, 상수 p의 값은?

① 4　　② 6　　③ 8
④ 9　　⑤ 10

출제율 90%

48 일차함수 $y=-\dfrac{1}{2}x+1$의 그래프를 y축의 방향으로 n만큼 평행이동하면 점 $(-2, 6)$을 지난다고 한다. 이때 n의 값은?

① 1　　② 2　　③ 3
④ 4　　⑤ 5

출제율 85%

49 일차함수 $y=2x$의 그래프를 y축의 방향으로 b만큼 평행이동시킨 그래프가 두 점 $(m, -2)$, $(1, 4)$를 지날 때, $b+m$의 값을 구하여라.

50 다음 중 일차함수 $y=-3x-6$의 그래프의 x절편과 y절편이 바르게 짝지어진 것은?

① $\begin{cases} x\text{절편}: -2 \\ y\text{절편}: 6 \end{cases}$　　② $\begin{cases} x\text{절편}: 2 \\ y\text{절편}: 3 \end{cases}$

③ $\begin{cases} x\text{절편}: -2 \\ y\text{절편}: -6 \end{cases}$　　④ $\begin{cases} x\text{절편}: 2 \\ y\text{절편}: 6 \end{cases}$

⑤ $\begin{cases} x\text{절편}: 6 \\ y\text{절편}: 3 \end{cases}$

출제율 95%

51 일차함수 $y=-\left(x+\dfrac{2}{3}\right)$의 그래프의 y절편은?

① -1　　② $-\dfrac{2}{3}$　　③ $\dfrac{1}{5}$
④ $\dfrac{1}{2}$　　⑤ 2

출제율 90%

52 일차함수 $y=ax+1$의 그래프가 점 $(-2, 3)$을 지날 때, 이 그래프의 x절편은?

① -2　　② -1　　③ 1
④ 2　　⑤ 4

출제율 85%

53 일차함수 $y=4x$의 그래프를 y축의 방향으로 -8만큼 평행이동한 그래프의 x절편과 y절편의 합은?

① -6　　② -4　　③ -2
④ 2　　⑤ 4

대표유형 일차함수의 그래프의 기울기

54 다음 일차함수의 그래프 중 x의 값이 2에서 5까지 증가할 때, y의 값이 6만큼 감소하는 것은?

① $y=-\dfrac{1}{2}x+5$ ② $y=\dfrac{1}{2}x+1$

③ $y=-2x+3$ ④ $y=2x-2$

⑤ $y=2x-3$

출제율 95%

55 다음 일차함수 중 x의 값이 4만큼 감소할 때, y의 값이 3만큼 증가하는 것은?

① $y=\dfrac{3}{4}x+1$ ② $y=-\dfrac{3}{4}x+2$

③ $y=\dfrac{4}{3}x+3$ ④ $y=2x-\dfrac{4}{3}$

⑤ $y=-4x+3$

출제율 95%

56 일차함수 $y=-4x+2$에서 x의 값의 증가량에 대한 y의 값의 증가량의 비율은?

① -16 ② -8 ③ -4

④ 8 ⑤ 16

출제율 90%

57 일차함수 $y=-\dfrac{1}{3}x+5$에서 $\dfrac{f(3)-f(-2)}{3-(-2)}$의 값은?

① $-\dfrac{1}{3}$ ② -1 ③ $\dfrac{1}{3}$

④ 1 ⑤ 3

대표유형 두 점을 지나는 일차함수의 그래프의 기울기

58 두 점 $(-3, -7)$, $(4, k)$를 지나는 일차함수의 그래프의 기울기가 2일 때, k의 값은?

① 7 ② 5 ③ 3

④ 2 ⑤ 1

 내신 UP POINT

두 점 (x_1, y_1), (x_2, y_2)를 지나는 일차함수의 그래프의 기울기

$$(\text{기울기})=\dfrac{(y\text{의 값의 증가량})}{(x\text{의 값의 증가량})}=\dfrac{y_2-y_1}{x_2-x_1}=\dfrac{y_1-y_2}{x_1-x_2}$$

출제율 95%

59 어떤 일차함수의 그래프 위에 두 점 $A(3, 1)$, $B(-4, 8)$가 있다. 이때 이 일차함수의 그래프의 기울기는?

① -3 ② -1 ③ 1

④ 3 ⑤ 7

출제율 95%

60 일차함수 $y=ax+1$에서 x의 값이 -1에서 2까지 증가할 때, y의 값이 -5에서 7까지 증가한다. 이때 상수 a의 값은?

① -2 ② -1 ③ 1

④ 2 ⑤ 4

출제율 90%

61 오른쪽 그래프와 기울기가 같은 그래프를 가지는 일차함수의 식은?

① $y=x+6$

② $y=2x-6$

③ $y=3x+3$

④ $y=-x+3$

⑤ $y=-2x+3$

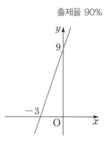

대표
유형 **세 점이 한 직선 위에 있을 조건**

62 세 점 $(0, -4)$, $(3, a)$, $(6, 5)$가 한 직선 위에 있도록 하는 a의 값은?

① $-\dfrac{3}{2}$ ② $-\dfrac{1}{2}$ ③ 0

④ $\dfrac{1}{2}$ ⑤ $\dfrac{3}{2}$

내신 **UP POINT**

세 점이 한 직선 위에 있다.
➡ 세 점 중 어느 두 점의 좌표를 이용하여 기울기를 구하여도 기울기가 모두 같다.

출제율 95%

63 세 점 $(5, -7)$, $(2, 2)$, $(0, p)$가 한 직선 위에 있도록 하는 p의 값은?

① 5 ② 6 ③ 7

④ 8 ⑤ 9

출제율 80%

64 기울기가 $-\dfrac{1}{3}$인 한 직선이 세 점 $(a, -1)$, $(2, 2)$, $(8, b)$를 지날 때, ab의 값은?

① 0 ② 1 ③ 3

④ 6 ⑤ 11

출제율 80%

65 세 점 $(-1, -5)$, $(3, 7)$, $(m, 2m)$이 한 직선 위에 있을 때, m의 값은?

① -2 ② 1 ③ 2

④ 4 ⑤ 6

대표
유형 **일차함수의 그래프의 기울기와 x절편, y절편**

66 일차함수 $y = \dfrac{4}{3}x - 2$의 그래프의 기울기를 a, x절편을 b, y절편을 c라 할 때, abc의 값은?

① -16 ② -8 ③ -4

④ 4 ⑤ 8

출제율 90%

67 일차함수 $y = 5x$의 그래프를 y축의 방향으로 -15만큼 평행이동한 그래프가 있다. 이 그래프의 x절편을 p, y절편을 q, 기울기를 a라 할 때, $a + p + q$의 값은?

① -3 ② -6 ③ -7

④ -9 ⑤ -11

출제율 85%

68 일차함수 $y = ax + b$의 그래프는 $y = x - 2$의 그래프와 x축 위에서 만나고, $y = -3x + 1$의 그래프와 y축 위에서 만난다. 이때 일차함수 $y = ax + b$의 그래프의 기울기를 구하면? (단, a, b는 상수)

① -1 ② $-\dfrac{1}{2}$ ③ $\dfrac{1}{4}$

④ 1 ⑤ 2

일차함수의 그래프 그리기

69 일차함수 $y=-\dfrac{3}{2}x+3$의 그래프로 옳은 것은?

①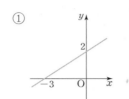
②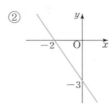
③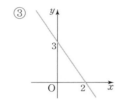
④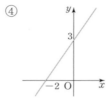
⑤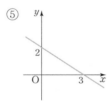

내신 **UP** POINT

일차함수는 그래프의 모양이 직선이므로 두 점의 좌표만 알면 그릴 수 있다. 특히, x절편과 y절편을 이용하면 쉽게 그릴 수 있다.

출제율 90%

70 다음 일차함수의 그래프 중에서 제3사분면을 지나지 않는 것은?

① $y=3x-5$ ② $y=-4x-6$
③ $y=-\dfrac{1}{2}x+4$ ④ $y=\dfrac{1}{3}x+2$
⑤ $y=5x+3$

출제율 80%

71 일차함수 $y=3x-2$의 그래프를 y축의 방향으로 4만큼 평행이동한 그래프가 지나지 않는 사분면을 말하여라.

일차함수 $y=ax$의 그래프

72 다음 중 일차함수 $y=ax(a\neq0)$의 그래프에 대한 설명으로 옳지 않은 것을 모두 고르면? (정답 2개)

① 점 $(-1, -a)$를 지난다.
② $a>0$이면 오른쪽 위로 향하는 직선이다.
③ $a<0$이면 제2, 4사분면을 지난다.
④ a의 절댓값이 클수록 x축에 가까워진다.
⑤ x의 값이 증가하면 y의 값도 증가한다.

출제율 80%

73 오른쪽 그림의 점선과 같이 $y=-2x$의 그래프와 x축 사이를 지나는 직선을 그래프로 하는 일차함수의 식을 모두 고르면? (정답 2개)

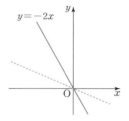

① $y=-5x$
② $y=-\dfrac{3}{2}x$
③ $y=-x$
④ $y=\dfrac{1}{3}x$
⑤ $y=x$

일차함수 $y=ax+b$의 그래프의 성질

74 다음 중 일차함수 $y=-\dfrac{3}{8}x+2$의 그래프에 대한 설명으로 옳지 않은 것은?

① 오른쪽 아래로 향하는 직선이다.
② x의 값이 8만큼 증가할 때, y의 값은 3만큼 감소한다.
③ 점 $(-8, 5)$를 지난다.
④ 제2, 3, 4사분면을 지난다.
⑤ $y=-\dfrac{1}{2}x+5$의 그래프보다 x축에 가깝다.

75 다음 중 일차함수 $y=ax+b$ $(a\neq0)$의 그래프에 대한 설명으로 옳지 <u>않은</u> 것은?

① x절편은 $-\dfrac{b}{a}$이다.

② y절편은 b이다.

③ 점 $\left(-\dfrac{b}{a}, b\right)$를 지난다.

④ $y=ax$의 그래프를 y축의 방향으로 b만큼 평행이동시킨 직선이다.

⑤ x의 값이 1만큼 증가할 때, y의 값은 a만큼 증가한다.

76 다음 보기 중 각 조건을 만족하는 일차함수의 그래프의 식을 모두 골라라.

> **보기**
> ㄱ. $y=4x-3$ ㄴ. $y=\dfrac{3}{4}x+5$
> ㄷ. $y=-3x+6$ ㄹ. $y=-\dfrac{1}{2}x+10$

(1) x절편이 양수인 직선

(2) 오른쪽 위로 향하는 직선

(3) 제1, 2, 4사분면을 지나는 직선

일차함수의 그래프의 모양

77 $a>0$, $b<0$일 때, 다음 중 $y=-ax+b$의 그래프의 모양은?

① ②

③ ④

⑤

---

78 $y=-ax+b$ $(a\neq0,\ b\neq0)$의 그래프가 제4사분면을 지나지 않을 때, 상수 a, b의 부호는?

① $a>0,\ b>0$ ② $a<0,\ b<0$

③ $a<0,\ b>0$ ④ $a>0,\ b<0$

⑤ 알 수 없다.

---

79 일차함수 $y=ax-\dfrac{b}{a}$의 그래프가 오른쪽 그림과 같을 때, 상수 a, b의 부호는?

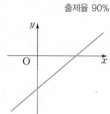

① $a>0,\ b>0$

② $a>0,\ b<0$

③ $a<0,\ b>0$

④ $a>0,\ b=0$

⑤ $a<0,\ b<0$

---

80 일차함수 $y=ax+b$의 그래프가 오른쪽 그림과 같을 때, 일차함수 $y=bx-2a$의 그래프가 지나지 <u>않는</u> 사분면은?

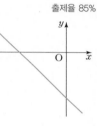

① 제1사분면

② 제2사분면

③ 제3사분면

④ 제4사분면

⑤ 모든 사분면을 지난다.

그래프와 좌표축으로 둘러싸인 도형의 넓이

81 일차함수 $y=\dfrac{1}{3}x-4$의 그래프와 x축, y축으로 둘러싸인 도형의 넓이를 구하여라.

> **내신 UP POINT**
> ① x절편과 y절편을 구한다.
> ② (넓이)$=\dfrac{1}{2}\times(x$절편의 절댓값)$\times(y$절편의 절댓값)

82 _중 일차함수 $y=ax-3$의 그래프와 x축, y축으로 둘러 싸인 도형의 넓이가 18일 때, a의 값은? (단, $a>0$)

출제율 95%

① 1   ② $\dfrac{1}{2}$ ③ $\dfrac{1}{3}$

④ $\dfrac{1}{4}$ ⑤ $\dfrac{1}{5}$

> **대표 유형** 일차함수의 그래프의 평행과 일치
>
> **83** 두 직선 $y=kx+1$과 $y=-4x-6$이 있을 때, 두 직선이 평행하기 위한 k의 값은?
>
> ① -4 ② -2 ③ 1
>
> ④ 2   ⑤ 4

---

84 _하 다음 중 직선 $y=3x$와 평행한 직선이 <u>아닌</u> 것은?

출제율 95%

① $y=3x+9$ ② $y=\dfrac{1}{3}x$ ③ $y=3x+7$

④ $y=3x-12$ ⑤ $y=3x-3$

---

85 _하 두 직선 $y=-ax+2$와 $y=5x+b$가 일치할 때, ab 의 값을 구하여라. (단, a, b는 상수, $a\neq0$, $b\neq0$)

출제율 90%

---

86 _중 다음 중 오른쪽 그림의 직선과 평행한 직선을 그래프로 하는 일차함수의 식은?

출제율 85%

① $y=-\dfrac{3}{2}x+2$

② $y=\dfrac{3}{2}x+\dfrac{1}{2}$

③ $y=\dfrac{2}{3}x$

④ $y=-\dfrac{2}{3}x+\dfrac{1}{3}$

⑤ $y=3x-2$

---

87 _중 일차함수 $y=3ax-b$의 그래프를 y축의 방향으로 5 만큼 평행이동하면 일차함수 $y=-6x+3$의 그래프 와 일치한다. 이때 상수 a, b에 대하여 $a+b$의 값은?

출제율 85%

① -4 ② -2 ③ 0

④ 2   ⑤ 4

---

88 _상 두 점 $(3, 3a+1)$, $(-2, -a+5)$를 지나는 직선이 직 선 $y=4x-1$에 평행할 때, a의 값은?

출제율 90%

① -6 ② -2 ③ 0

④ 2   ⑤ 6

> **대표 유형** 일차함수의 그래프의 이해
>
> **89** 일차함수 $y=-\dfrac{1}{2}x+4$의 그래프에 대한 설명 중 옳은 것은?
>
> ① 점 $(2, 3)$을 지난다.
>
> ② 일차함수 $y=\dfrac{1}{2}x+3$의 그래프와 평행하다.
>
> ③ 제4사분면을 지나지 않는다.
>
> ④ x절편은 -2, y절편은 4이다.
>
> ⑤ x의 값이 증가할 때, y의 값도 증가한다.

90 일차함수 $y=\dfrac{1}{2}x$의 그래프를 y축의 방향으로 b만큼
평행이동하면 점 $(4, 5)$를 지난다. 다음 중 이 그래프에 대한 설명으로 옳지 <u>않은</u> 것은?

① 기울기는 $\dfrac{1}{2}$이다. ② x절편은 6이다.

③ 점 $(-2, 2)$를 지난다. ④ y절편은 3이다.

⑤ 제1, 2, 3사분면을 지난다.

---

91 일차함수 $y=-\dfrac{3}{4}x+\dfrac{1}{2}$의 그래프에 대한 다음 보기
의 설명 중 옳은 것을 모두 고른 것은?

보기

ㄱ. $y=\dfrac{3}{4}x+\dfrac{1}{2}$의 그래프와 평행하다.

ㄴ. $y=\dfrac{3}{2}x-1$의 그래프와 x축 위에서 만난다.

ㄷ. 제1, 2, 3사분면을 지난다.

ㄹ. $y=-\dfrac{3}{4}x-\dfrac{3}{2}$의 그래프를 y축의 방향으로 2만큼 평행이동한 그래프이다.

① ㄱ, ㄴ ② ㄱ, ㄷ ③ ㄴ, ㄷ

④ ㄴ, ㄹ ⑤ ㄷ, ㄹ

대표유형 **기울기와 y절편이 주어질 때, 일차함수의 식 구하기**

92 일차함수 $y=2x+4$의 그래프와 평행하고 점 $(0, 3)$을 지나는 직선을 그래프로 하는 일차함수의 식은?

① $y=-2x-4$ ② $y=-2x+4$

③ $y=2x-3$ ④ $y=2x+3$

⑤ $y=3x+6$

---

93 일차함수 $y=ax-b$의 그래프는 오른쪽 그래프와 평행하고 y절편은 -2일 때, ab의 값은?

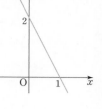

① -4 ② -2

③ 1 ④ 2

⑤ 4

---

94 일차함수 $y=-\dfrac{1}{3}x+5$의 그래프와 평행하고 y절편이 -2인 일차함수의 그래프의 x절편은?

① -9 ② -6 ③ -3

④ 6 ⑤ 9

대표유형 **기울기와 한 점이 주어질 때, 일차함수의 식 구하기**

95 점 $(-2, 5)$를 지나고 $y=-3x$의 그래프와 평행한 직선을 그래프로 하는 일차함수의 식은?

① $y=-3x+1$ ② $y=3x-1$

③ $y=x+1$ ④ $y=-x-1$

⑤ $y=-3x-1$

---

96 오른쪽 그림의 직선과 평행하고, 점 $(-1, 4)$를 지나는 직선을 그래프로 하는 일차함수의 식을 구하여라.

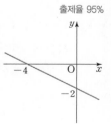

출제율 85%

97 다음 보기 는 직선 $y=\dfrac{1}{2}x+1$에 평행하고, 점 $(-4, 2)$
중 를 지나는 일차함수의 그래프에 대한 설명이다. 옳은 것을 모두 고른 것은?

> 보기
> ㄱ. 기울기는 $\dfrac{1}{2}$이다. ㄴ. y절편은 -4이다.
> ㄷ. 점 $(4, 6)$을 지난다. ㄹ. x절편은 6이다.

① ㄱ, ㄴ ② ㄱ, ㄷ ③ ㄴ, ㄷ
④ ㄴ, ㄹ ⑤ ㄷ, ㄹ

출제율 80%

98 점 $(4, 2)$를 지나고 직선 $y=2x+5$와 평행한 직선과
상 x축, y축으로 둘러싸인 삼각형의 넓이를 구하여라.

대표 유형 **서로 다른 두 점이 주어질 때, 일차함수의 식 구하기**

99 오른쪽 일차함수의 그래프의
식을 구하여라.

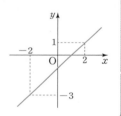

출제율 95%

100 두 점 $(-1, 3)$, $(4, -7)$을 지나는 직선을 그래프로
중 하는 일차함수의 식이 $y=ax+b$일 때, 상수 a, b에 대하여 $a+b$의 값은?

① -3 ② -1 ③ 0
④ 1 ⑤ 3

출제율 80%

101 세 점 $(-2, -7)$, $(4, 5)$, $(6, p)$가 한 직선 위에 있
중 다. 이 직선은 $y=qx$의 그래프를 y축의 방향으로 r만큼 평행이동한 것이다. $p+q+r$의 값을 구하여라.

대표 유형 **x절편과 y절편이 주어질 때, 일차함수의 식 구하기**

102 오른쪽 일차함수의 그래프의
식은?

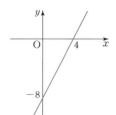

① $y=2x-8$
② $y=2x+6$
③ $y=-2x-8$
④ $y=-2x+6$
⑤ $y=-2x+8$

출제율 90%

103 일차함수 $y=-3x+18$의 그래프와 y축 위에서 만나
중 고, $y=\dfrac{1}{3}x+1$의 그래프와 x축 위에서 만나는 직선을 그래프로 하는 일차함수의 식을 구하여라.

출제율 85%

104 두 점 $A(3, 0)$, $B(0, -4)$를 지나는 일차함수의 그
중 래프의 식이 $y=ax+b$일 때, 다음 중 옳은 것은?

① x절편은 -3이다.
② x의 값이 증가하면 y의 값은 감소한다.
③ 점 $(-6, 6)$을 지난다.
④ $\triangle AOB$의 넓이는 12이다. (단, O는 원점이다.)
⑤ 기울기는 $\dfrac{4}{3}$이다.

109 50 g까지 달 수 있는 길이가 15 cm인 용수철이 있다. 이 용수철은 10 g인 물건을 달 때마다 길이가 4 cm씩 늘어난다고 한다. 무게가 x g인 물건을 달았을 때의 용수철의 길이를 y cm라 할 때, 다음 물음에 답하여라.

(1) y를 x에 관한 식으로 나타내어라.
(2) 무게가 20 g인 물건을 달았을 때의 용수철의 길이를 구하여라.

대표유형 실생활에서의 일차함수의 활용

105 지면으로부터 높이 10 km까지는 100 m씩 높아질 때마다 기온이 0.6 ℃씩 내려간다고 한다. 지면의 기온이 18 ℃이고, 높이 x m에서의 기온을 y ℃라 하면 기온이 −6 ℃인 지점의 지면으로부터의 높이는?

① 3000 m ② 3500 m ③ 4000 m
④ 4500 m ⑤ 5000 m

---

110 기온이 0 ℃ 일 때 소리의 속력은 초속 331 m이고, 기온이 1 ℃ 올라갈 때마다 소리의 속력은 초속 0.6 m씩 증가한다고 한다. 소리의 속력이 초속 343 m일 때의 기온을 구하여라.

---

106 온도가 16 ℃인 물을 끓이는 데 2분이 지날 때마다 물의 온도가 3 ℃씩 올라간다고 한다. x분 후의 물의 온도를 y ℃라 할 때, 몇 분 후부터 물이 끓기 시작하는지 구하여라. (단, 물의 끓는점은 100 ℃이다.)

대표유형 속력에 대한 일차함수의 활용

111 소현이가 살고 있는 아파트의 엘리베이터는 초속 2 m의 일정한 속력으로 내려온다고 한다. 1층으로부터 40 m의 높이에 있는 엘리베이터가 1층까지 멈추지 않고 내려온다고 할 때, 다음 물음에 답하여라.

(1) x초 후의 엘리베이터의 높이를 y m라 할 때, y를 x에 관한 식으로 나타내어라.
(2) 엘리베이터의 높이가 28 m가 될 때에는 엘리베이터가 출발한 지 몇 초 후인지 구하여라.

---

107 어느 산에 등산을 가려고 하는데 지면에서 5 m씩 높아질 때마다 기온은 0.5 ℃씩 내려간다고 한다. 현재 지면의 기온이 21 ℃이고, 높이 x m에서의 기온을 y ℃라 하면 150 m 올라갔을 때의 기온을 구하여라.

---

108 길이가 60 cm인 양초에 불을 붙이면 20분에 2 cm씩 짧아진다고 한다. 5시간 후 남아 있는 양초의 길이를 구하여라.

---

112 다희는 20 km 마라톤 대회에 참가하여 분속 200 m의 속력으로 일정하게 달리고 있다. 출발한 지 x분 후의 다희의 위치와 결승점 사이의 거리를 y km라 할 때, x와 y 사이의 관계식과 출발한 지 30분 후의 다희의 위치와 결승점 사이의 거리를 각각 구하여라.

대표유형 도형에서의 일차함수의 활용

113 오른쪽 그림의 직사각형 ABCD에서 점 P가 점 B를 출발하여 $\overline{BC}$를 따라 점 C까지 매초 2 cm의 속력으로 움직인다. 점 P가 점 B를 출발한 지 16초 후의 □APCD의 넓이는?

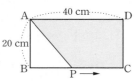

① 420 cm²   ② 440 cm²   ③ 460 cm²

④ 480 cm²   ⑤ 500 cm²

내신 UP POINT

선분 AB 위에 한 점 P가 1초에 2 cm의 속력으로 점 B에서 점 A 방향으로 움직이고 있다.

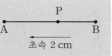

① (x초 후의 선분 BP의 길이)=$2x$
② (x초 후의 선분 AP의 길이)=(선분 AB의 길이)$-2x$

---

114 오른쪽 그림과 같이 $\overline{AB}$=24 cm, $\overline{BC}$=18 cm이고 ∠B=90°인 직각삼각형이 있다. 점 P가 점 A를 출발하여 매초 2 cm의 속력으로 점 B를 향하여 움직일 때, △PAC의 넓이가 72 cm²가 되는 것은 몇 초 후인지 구하여라.

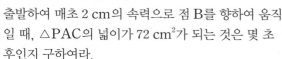

---

115 오른쪽 그림과 같이 가로의 길이가 30 cm, 세로의 길이가 20 cm인 직사각형 ABCD가 있다. 점 P가 점 C를 출발하여 매초 3 cm의 속력으로 $\overline{BC}$를 따라 점 B까지 움직인다고 할 때, 몇 초 후에 △ABP의 넓이가 120 cm²가 되는지 구하여라.

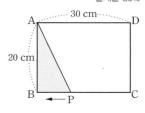

대표유형 그래프를 이용한 일차함수의 활용

116 오른쪽 그림은 길이가 40 cm인 양초에 불을 붙인 지 x시간 후에 남은 양초의 길이를 y cm라 할 때, x와 y 사이의 관계를 그래프로 나타낸 것이다. 불을 붙인 지 2시간 후에 남은 양초의 길이는?

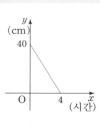

① 16 cm   ② 17 cm   ③ 18 cm

④ 19 cm   ⑤ 20 cm

내신 UP POINT

주어진 그래프의 식 $y=ax+b$를 다음을 이용하여 구한다.
① 그래프 위의 점을 이용
② 주어진 비율을 이용

---

117 300 L의 물이 들어 있는 물통에서 3분마다 60 L의 비율로 물이 흘러나온다. 물을 흘려보내기 시작하여 x분 후의 물통에 남은 물의 양을 y L라 할 때, x와 y 사이의 관계를 그래프로 나타내면 오른쪽 그림과 같다. 12분 후에 남아 있는 물의 양을 구하여라.

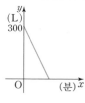

개념 UP 01 여러 가지 일차함수의 활용

(1) 문제의 뜻을 파악하여 변수 x, y를 정한다.
(2) 변수 x, y 사이의 관계를 식으로 나타낸다.
(3) 주어진 조건에 맞는 값을 찾는다.
(4) 구한 값이 문제의 뜻에 맞는지 확인한다.

출제율 80%

118 학교에서 15 km 떨어진 극장에 가는데 혜진이가 먼저 출발하고 지훈이는 혜진이가 출발한 지 15분 후에 출발하였다. 오른쪽 그림은 혜진이가 출발한 지 x분 후에 혜진이와 지훈이의 학교로부터의 거리를 y km라 할 때, x와 y 사이의 관계를 그래프로 각각 나타낸 것이다. 다음 물음에 답하여라. (단, 두 사람은 같은 길을 이용한다.)

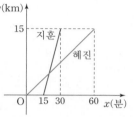

(1) 혜진이가 출발한 지 몇 분 후에 혜진이와 지훈이가 만나는지 구하여라.
(2) 혜진이와 지훈이는 학교로부터 몇 km 떨어진 지점에서 만나는지 구하여라.

출제율 80%

119 물이 들어 있는 원기둥 모양의 물탱크가 있다. 이 물탱크에 일정한 속도로 물을 채우기 시작한 지 20분 후의 물의 높이는 50 cm이고 50분 후의 물의 높이는 74 cm일 때, 이 물탱크에 처음에 들어 있던 물의 높이는?

① 28 cm ② 30 cm ③ 32 cm
④ 34 cm ⑤ 36 cm

출제율 80%

120 A, B 두 자동차가 고속도로를 이용하여 서울에서 광주까지 가려고 한다. A자동차는 오전 10시, B자동차는 오전 10시 30분에 같은 지점에서 출발하여 A자동차는 시속 70 km, B자동차는 시속 80 km로 달린다고 한다. B자동차가 출발한 지 x시간 후에 두 자동차 사이의 거리를 y km라 할 때, x와 y 사이의 관계식을 구하여라.

출제율 80%

121 어느 마라톤 대회에서는 여자 선수들이 먼저 출발하고 20분 뒤에 남자 선수들이 출발한다고 한다. 분속 250 m의 속력으로 달린 남자 선수와 분속 200 m의 속력으로 달린 여자 선수가 동시에 골인 지점에 도착했을 때, 이 마라톤 코스의 길이는 몇 km인지 구하여라.

출제율 80%

122 물이 각각 40 L, 46 L씩 들어 있는 A, B 두 물탱크가 있다. A, B 두 물탱크의 마개를 열면 각각 5분에 3 L, 5 L씩 물이 흘러나온다고 한다. 동시에 마개를 연 지 x분 후에 물탱크에 남아 있는 물의 양을 y L라 할 때, x와 y 사이의 관계식과 A, B 두 물탱크에 남아 있는 물의 양이 같아지는 것은 몇 분 후인지 각각 구하여라.

01 다음 중 y가 x에 관한 일차함수가 <u>아닌</u> 것은?

① 지름의 길이가 x cm인 원의 둘레의 길이는 y cm 이다.

② 농도가 x %인 소금물 y g 속에는 소금이 20 g 들어 있다.

③ 밑변의 길이가 8 cm, 높이가 x cm인 삼각형의 넓이는 y cm²이다.

④ 시속 x km로 달리는 자동차가 3시간 동안 달린 거리는 y km이다.

⑤ 윗변의 길이가 3 cm, 아랫변의 길이가 x cm, 높이가 6 cm인 사다리꼴의 넓이는 y cm²이다.

02 일차함수 $y=-2x+3$의 그래프를 y축의 방향으로 -5만큼 평행이동하면 $y=ax+b$의 그래프가 된다고 한다. 이때 $a+b$의 값은?

① -6 ② -5 ③ -4
④ 4 ⑤ 6

03 다음 중 일차함수 $y=4x-3$의 그래프 위에 있지 <u>않</u>은 점은?

① $(-2, -11)$ ② $(-1, 7)$ ③ $(0, -3)$
④ $(1, 1)$ ⑤ $(2, 5)$

04 일차함수 $y=-\dfrac{1}{2}x-4$의 그래프의 x절편을 m, y절편을 n이라 할 때, $m+n$의 값은?

① -24 ② -20 ③ -18
④ -12 ⑤ -10

05 일차함수 $y=3x-5$에서 x의 값이 5만큼 증가할 때, y의 값의 증가량은?

① 13 ② 14 ③ 15
④ 16 ⑤ 17

06 오른쪽 그림과 같이 점 $(-3, 4)$를 지나고 y절편이 6인 일차함수의 그래프의 기울기는?

① $-\dfrac{4}{3}$ ② $-\dfrac{2}{3}$
③ $\dfrac{3}{4}$ ④ $\dfrac{2}{3}$
⑤ $\dfrac{4}{3}$

07 세 점 $A(-3, -9)$, $B(-1, -1)$, $C(m, 5)$가 한 직선 위에 있을 때, m의 값은?

① -2 ② -1 ③ $\dfrac{1}{2}$
④ 1 ⑤ 2

08 다음 중 일차함수 $y=\dfrac{1}{2}x-3$의 그래프는?

①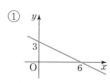

②

③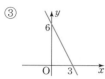

④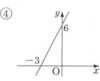

⑤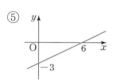

09 다음 보기 는 일차함수 $y=2x-8$의 그래프에 대한 설명이다. 옳은 것을 모두 고른 것은?

> 보기
> ㄱ. $y=2x-1$의 그래프를 y축의 방향으로 -7만큼 평행이동시킨 그래프이다.
> ㄴ. x절편은 -4이고, y절편은 -8이다.
> ㄷ. x가 2만큼 증가할 때, y는 4만큼 감소한다.
> ㄹ. 제1, 3, 4사분면을 지난다.
> ㅁ. 점 $\left(\dfrac{1}{2},\ -7\right)$을 지난다.

① ㄱ, ㅁ   ② ㄴ, ㅁ   ③ ㄱ, ㄹ, ㅁ
④ ㄴ, ㄷ, ㄹ   ⑤ ㄷ, ㄹ, ㅁ

10 다음 중 일차함수의 그래프가 제2사분면을 지나지 <u>않는</u> 것은?

① $y=-3x+6$ ② $y=-2x-7$
③ $y=-\dfrac{1}{2}x-\dfrac{2}{3}$ ④ $y=\dfrac{1}{2}x+2$
⑤ $y=2x-4$

11 일차함수 $y=-3x+12$의 그래프와 x축, y축으로 둘러싸인 삼각형의 넓이는?

① 12   ② 14   ③ 16
④ 20   ⑤ 24

12 일차함수 $y=ax+3$의 그래프는 $y=-2x+8$의 그래프와 평행하고, $y=\dfrac{2}{3}x+b$의 그래프와 x축 위에서 만난다고 한다. 이때 $a+b$의 값은?

① -3 ② -1 ③ 1
④ 2   ⑤ 3

13 일차함수 $y=-ax-b$의 그래프가 오른쪽 그림과 같을 때, $a+b$의 값은?

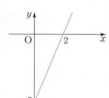

① 5   ② $\dfrac{7}{2}$
③ 3   ④ $\dfrac{5}{2}$
⑤ 2

14 길이가 20 cm인 용수철에 물체를 달았을 때, 물체의 무게 10 g마다 1.2 cm씩 길이가 늘어난다고 한다. 50 g인 물체를 달았을 때, 용수철의 길이는?

① 24 cm   ② 26 cm   ③ 28 cm
④ 30 cm   ⑤ 32 cm

15 일차함수 $y=-ax-b$의 그래프가 오른쪽 그림과 같을 때, a, b의 부호는?

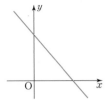

① $a>0$, $b>0$
② $a<0$, $b<0$
③ $a<0$, $b\leq0$
④ $a<0$, $b>0$
⑤ $a>0$, $b<0$

16 $ab>0$, $ac<0$일 때, 일차함수 $y=\dfrac{b}{a}x+\dfrac{c}{b}$의 그래프가 지나지 <u>않는</u> 사분면은?

① 제1사분면
② 제2사분면
③ 제3사분면
④ 제4사분면
⑤ 제1, 4사분면

17 오른쪽 그림과 같이 두 일차함수 $y=x+3$, $y=ax+3$의 그래프와 x축으로 둘러싸인 도형의 넓이가 6일 때, a의 값은?

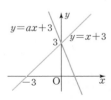

① -5
② -4
③ -3
④ -2
⑤ -1

18 두 직선 $y=-\dfrac{a}{b}x+\dfrac{1}{b}$, $y=-\dfrac{b}{a}x+\dfrac{3}{a}$이 서로 평행할 때, 다음 중 항상 옳은 것은?

① $a+b=1$
② $a+b=-1$
③ $ab=1$
④ $ab=-1$
⑤ $a^2=b^2$

19 일차함수 $y=ax+b$의 그래프의 x절편과 y절편은 절댓값이 같고, 부호가 반대이다. 또, 이 그래프가 점 $(-3, 3)$을 지날 때, 다음 중 이 그래프 위에 있는 점은? (단, $a\neq0$, $b\neq0$이다.)

① $(-4, -2)$
② $(-1, -5)$
③ $(1, 4)$
④ $(2, 8)$
⑤ $(3, -2)$

20 점 $(-1, -3)$을 지나는 직선이 제2사분면을 지나지 않도록 할 때, 그 직선의 최대 기울기는?

① 1
② 2
③ 3
④ 4
⑤ 5

단계형

21 일차함수 $y=2x+b$의 그래프를 y축의 방향으로 3만큼 평행이동하였더니 일차함수 $y=2x-2$의 그래프가 되었다. 이때 $y=2x+b$의 그래프를 y축의 방향으로 -5만큼 평행이동한 그래프의 식을 구하여라. [5점]

1단계 b의 값 구하기 [3점]

_____

_____

2단계 $y=2x+b$의 그래프를 y축의 방향으로 -5만큼 평행이동한 그래프의 식 구하기 [2점]

_____

_____

단계형

22 오른쪽 그림에서 직선 $y=3x-3$에 평행한 직선 l이 점 $(-1, 2)$를 지날 때, 색칠한 부분의 넓이를 구하여라. [5점]

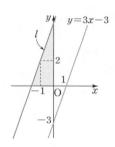

1단계 직선 l의 식 구하기 [2점]

_____

_____

2단계 직선 l의 x절편과 y절편 구하기 [2점]

_____

_____

3단계 색칠한 부분의 넓이 구하기 [1점]

_____

_____

사고력

23 일차함수 $y=ax+b$의 그래프가 오른쪽 그래프와 평행하고 y절편이 2일 때, $a+b$의 값을 구하여라. [5점]

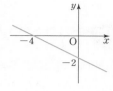

사고력

24 오른쪽 그림은 길이가 30 cm인 양초에 불을 붙인 후 30분마다 5 cm씩 짧아진다는 것을 나타낸 그래프이다. x분 후의 양초의 길이를 y cm라 할 때, x와 y 사이의 관계식을 구하고, 불을 붙인 지 1시간 30분 후의 양초의 길이를 구하여라. [5점]

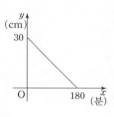

01 일차함수와 일차방정식의 관계

(1) 미지수가 2개인 일차방정식의 그래프 : 미지수가 2개인 일차방정식의 해인 순서쌍 (x, y)를 좌표평면 위에 나타낸 것

　① x, y의 값이 자연수 또는 정수인 경우 : 점으로 나타낸다.

　② x, y의 값이 수 전체인 경우 : 직선으로 나타낸다.

(2) 직선의 방정식 : x, y의 값이 수 전체일 때, $ax+by+c=0$(a, b, c는 상수, $a \neq 0$ 또는 $b \neq 0$)을 직선의 방정식이라 한다.

(3) 미지수가 2개인 일차방정식 $ax+by+c=0$(a, b, c는 상수, $a \neq 0$, $b \neq 0$)의 해를 나타내는 그래프는 일차함수 $y = -\dfrac{a}{b}x - \dfrac{c}{b}$의 그래프와 같다.

　예 일차방정식 $3x-y+2=0$을 y에 관하여 풀면 $-y=-3x-2$, $y=3x+2$

　　따라서 $y=3x+2$의 그래프의 x절편은 $-\dfrac{2}{3}$, y절편은 2이므로

　　일차방정식 $3x-y+2=0$의 그래프는 오른쪽 그림과 같다.

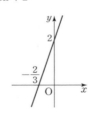

포인트개념

$$ax+by+c=0 \xrightarrow{\ y\text{에 관하여 풀면}\ } y = -\dfrac{a}{b}x - \dfrac{c}{b}$$

02 축에 평행한 직선

(1) $x=p$의 그래프

　① 점 $(p, 0)$을 지나고 y축에 평행한(x축에 수직인) 직선

　② $x=0$의 그래프는 y축을 나타낸다.

　예 점 $(-5, 0)$을 지나고 y축에 평행한 직선의 방정식은 $x=-5$

(2) $y=q$의 그래프

　① 점 $(0, q)$를 지나고 x축에 평행한(y축에 수직인) 직선

　② $y=0$의 그래프는 x축을 나타낸다.

　예 점 $(0, -2)$를 지나고 x축에 평행한 직선의 방정식은 $y=-2$

포인트개념

$x=p$, $y=q$의 그래프를 그리면 오른쪽 그림과 같다.

(단, p, q는 양수)

예제 1

일차방정식 $4x+ay-8=0$의 그래프의 기울기가 -2일 때, 다음을 구하여라.

(1) 상수 a의 값

(2) y절편

예제 2

다음을 만족하는 직선의 방정식을 구하여라.

(1) 점 $(3, 2)$를 지나고 y축에 평행한 직선

(2) 점 $(2, -3)$을 지나고 x축에 평행한 직선

(3) 점 $(-1, 4)$를 지나고 y축에 수직인 직선

(4) 점 $(-3, -2)$를 지나고 x축에 수직인 직선

03 연립방정식의 해와 그래프

연립방정식 $\begin{cases} ax+by+c=0 \\ a'x+b'y+c'=0 \end{cases}$ 의 해가 $x=m$, $y=n$이면

점 (m, n)은 두 방정식의 그래프의 교점이다.

예 두 일차방정식의 그래프가 오른쪽 그림과 같을 때,

연립방정식 $\begin{cases} x+y=3 \\ 2x-y=0 \end{cases}$ 의 해는 $x=1$, $y=2$

포인트개념

(연립방정식의 해)=(두 그래프의 교점의 좌표)

---

04 연립방정식의 해의 개수와 두 그래프의 위치 관계

연립방정식 $\begin{cases} ax+by+c=0 \\ a'x+b'y+c'=0 \end{cases}$ 의 해의 개수와 두 그래프의 위치 관계는 다음과 같다.

해가 한 쌍이다.	해가 없다.	해가 무수히 많다.
두 직선이 한 점에서 만난다.	두 직선이 평행하다.	두 직선이 일치한다.
➡ 기울기가 다르다.	➡ 기울기가 같고, y절편이 다르다.	➡ 기울기, y절편이 같다.
➡ $\dfrac{a}{a'} \neq \dfrac{b}{b'}$	➡ $\dfrac{a}{a'} = \dfrac{b}{b'} \neq \dfrac{c}{c'}$	➡ $\dfrac{a}{a'} = \dfrac{b}{b'} = \dfrac{c}{c'}$

예 $\begin{cases} 2x+y=1 \\ 4x+2y=3 \end{cases}$ 에서 각각의 일차방정식을 y에 관하여 풀면 $\begin{cases} y=-2x+1 \\ y=-2x+\dfrac{3}{2} \end{cases}$ 이므로

기울기는 같고, y절편이 다르다.

따라서 연립방정식 $\begin{cases} 2x+y=1 \\ 4x+2y=3 \end{cases}$ 의 해는 없다.

예 $\begin{cases} 2x-y=1 \\ 4x-2y=2 \end{cases}$ 에서 각각의 일차방정식을 y에 관하여 풀면 $\begin{cases} y=2x-1 \\ y=2x-1 \end{cases}$ 이므로

기울기와 y절편이 모두 같다.

따라서 연립방정식 $\begin{cases} 2x-y=1 \\ 4x-2y=2 \end{cases}$ 의 해는 무수히 많다.

포인트개념

연립방정식 $\begin{cases} ax+by+c=0 \\ a'x+b'y+c'=0 \end{cases}$ 의 해의 개수와 그래프

해가 한 쌍이다.   해가 없다.   해가 무수히 많다.

예제 3

두 일차방정식 $ax+y-6=0$,

$5x-y-b=0$의 그래프의 교점의 좌표가

$(2, 4)$일 때, a, b의 값을 각각 구하여라.

예제 4

다음 연립방정식 중 해가 오직 한 쌍 존재하는 것은?

① $\begin{cases} 2x+y=1 \\ 4x+2y=-2 \end{cases}$ ② $\begin{cases} 3x-y=2 \\ y=-3x+2 \end{cases}$

③ $\begin{cases} -3x+y=4 \\ 6x-2y=-8 \end{cases}$ ④ $\begin{cases} -8x+4y=12 \\ 2x-y=-3 \end{cases}$

⑤ $\begin{cases} 2x-y=8 \\ -x+\dfrac{1}{2}y=4 \end{cases}$

대표 유형 일차함수와 일차방정식의 관계

01 일차방정식 $x+ay+b=0$의 그래프와 일차함수 $y=\dfrac{1}{3}x-2$의 그래프가 서로 같은 직선일 때, $a+b$의 값은?

① -9 ② -8 ③ -7
④ -6 ⑤ -5

내신 UP POINT

일차방정식 $ax+by+c=0$의 그래프
$\iff$ 일차함수 $y=-\dfrac{a}{b}x-\dfrac{c}{b}$의 그래프 $(a\neq0, b\neq0)$

① 기울기: $-\dfrac{a}{b}$ ② x절편: $-\dfrac{c}{a}$ ③ y절편: $-\dfrac{c}{b}$

출제율 95%

02 다음 중 일차방정식 $x-4y+2=0$의 그래프에 대한 설명으로 옳은 것을 모두 고르면? (정답 2개)

① y절편은 -3이다.
② x절편은 2이다.
③ 점 $(2, 1)$을 지난다.
④ 제4사분면을 지나지 않는다.
⑤ 일차함수 $y=4x$의 그래프와 평행하다.

출제율 90%

03 다음 중 일차방정식 $x+3y=15$의 그래프에 대한 설명으로 옳지 <u>않은</u> 것을 모두 고르면? (정답 2개)

① 순서쌍 $(3, 6)$은 해이다.
② x, y가 자연수일 때, 해는 모두 4쌍이다.
③ $x=9$일 때, $y=2$이다.
④ 그래프의 모양은 직선이다.
⑤ 그래프는 좌표평면의 제4사분면을 지나지 않는다.

출제율 85%

04 두 일차방정식 $4x-y-2=0$, $8x+ay-6=0$의 그래프가 서로 평행할 때, 상수 a의 값은?

① -4 ② -2 ③ 1
④ 2 ⑤ 4

출제율 85%

05 다음 일차방정식 중 일차함수 $y=-x+5$와 그 그래프가 일치하는 것을 모두 고르면? (정답 2개)

① $x-y-5=0$ ② $x+y-5=0$
③ $-x-y+5=0$ ④ $-x+y-5=0$
⑤ $x+y+5=0$

출제율 85%

06 일차방정식 $10x-2y+6=0$의 그래프의 기울기를 a, x절편을 p, y절편을 q라 할 때, $ap-q$의 값은?

① -6 ② -5 ③ -4
④ -3 ⑤ -2

출제율 80%

07 $ac<0$, $bc<0$일 때, x, y에 관한 일차방정식 $ax+by+c=0$의 그래프에 대한 설명 중 옳은 것을 모두 고른 것은?

ㄱ. y절편은 $-\dfrac{b}{c}$이다.
ㄴ. 기울기는 $-\dfrac{a}{b}$이다.
ㄷ. 제2사분면을 지난다.
ㄹ. 제3사분면을 지나지 않는다.
ㅁ. 오른쪽 위로 향하는 직선이다.

① ㄱ, ㄴ   ② ㄱ, ㄴ, ㄷ   ③ ㄴ, ㄷ, ㄹ
④ ㄴ, ㄷ, ㅁ   ⑤ ㄱ, ㄴ, ㄷ, ㄹ, ㅁ

대표유형 **일차방정식의 계수 구하기**
– 그래프 위의 한 점을 알 때

08 일차방정식 $ax-2y+3=0$의 그래프 위의 한 점이 $(1, 2)$일 때, 상수 a의 값은?

① -1 ② 0 ③ 1
④ 2 ⑤ 3

출제율 95%

09 일차방정식 $3x+ay+4=0$의 그래프가 점 $(-1, -1)$을 지날 때, 이 그래프의 기울기는? (단, a는 상수)

① -4 ② -3 ③ -2
④ 1 ⑤ 2

출제율 90%

10 일차방정식 $x+ay+2=0$의 그래프가 점 $(4, -2)$를 지날 때, 이 그래프의 y절편은?

① -2 ② -1 ③ $-\dfrac{2}{3}$
④ $-\dfrac{1}{3}$ ⑤ 1

출제율 90%

11 점 $(2k-1, 7)$이 직선 $5x-4y+3=0$ 위에 있을 때, 상수 k의 값은?

① -2 ② -1 ③ 1
④ 2 ⑤ 3

출제율 80%

12 직선 $2x-ay-1=0$의 그래프가 $\left(3, \dfrac{5}{4}\right)$를 지난다. 이때 이 그래프의 x절편을 b라고 하면 ab의 값은?

① -2 ② 1 ③ 2
④ 3 ⑤ 4

출제율 90%

13 점 $\left(-\dfrac{2}{3}, 3a+6\right)$이 직선 $3x-y-a=0$ 위에 있을 때, a의 값은?

① -3 ② -2 ③ $-\dfrac{5}{3}$
④ 0 ⑤ 1

출제율 80%

14 직선 $ax-y-8=0$의 x절편이 -4이고, 점 (m, m)을 지날 때, 상수 m의 값은?

① 2 ② 1 ③ $-\dfrac{4}{3}$
④ -2 ⑤ $-\dfrac{8}{3}$

일차방정식의 계수 구하기
– 기울기와 y절편을 알 때

15 일차방정식 $(-2a-3)x+by-6=0$의 그래프의 기울기가 -5, y절편이 -2일 때, 상수 a, b에 대하여 $a+b$의 값은?

① 1 　　② 2 　　③ 3
④ 4 　　⑤ 5

출제율 90%

16 일차방정식 $ax+by+3=0$의 그래프의 기울기가 -2이고, y절편이 -3일 때, ab의 값은?

（단, a, b는 상수）

① -2 　　② -1 　　③ 1
④ 2 　　⑤ 3

출제율 90%

17 $ax+by-12=0$의 그래프가 $2x-y-3=0$의 그래프와 서로 평행하고 y절편이 4일 때, $a+b$의 값은?

（단, a, b는 상수）

① -3 　　② -1 　　③ 3
④ 5 　　⑤ 7

출제율 80%

18 일차방정식 $(2a-3b)x-2y+(a+4b)=0$의 그래프의 기울기가 5, y절편이 -3일 때, 상수 a, b에 대하여 $a+b$의 값을 구하여라.

일차방정식의 계수 구하기
– 직선 위의 점의 좌표를 알 때

19 일차방정식 $x-by+c=0$의 그래프의 x절편이 4, y절편이 -3일 때, $3b+2c$의 값은?

① -5 　　② -4 　　③ -3
④ -2 　　⑤ -1

출제율 90%

20 일차방정식 $3x-2y+a=0$의 그래프가 점 $(0, -2)$를 지날 때, 이 그래프가 지나는 점의 좌표인 것은?

① $(3, 1)$ 　　② $(2, -1)$ 　　③ $(-1, -3)$
④ $(-2, -5)$ 　　⑤ $(-3, -6)$

출제율 90%

21 일차방정식 $x+3y+4=0$에 평행하고 x절편이 6인 일차함수의 식을 구하여라.

출제율 85%

22 일차방정식 $ax+5y+1=0$의 그래프가 두 점 $(-3, -2)$, $(7, b)$를 지날 때, $a+b$의 값은?

（단, a, b는 상수）

① 5 　　② 4 　　③ 3
④ 2 　　⑤ 1

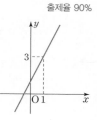

23 두 점 $\left(\dfrac{1}{2}, -3\right)$, $(3, 2)$를 지나는 일차방정식

출제율 80%

$ax+by-2=0$의 그래프는 점 $(k, -2)$도 지난다. 이때 상수 k의 값은?

① -3 　② -2 　③ 1
④ 2 　⑤ 3

대표 유형 **일차방정식의 계수 구하기 – 그래프가 주어질 때**

24 일차방정식 $2x-ay=3$의 그래프가 오른쪽 그림과 같을 때, a의 값은?

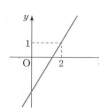

① -2 　② -1
③ 0 　④ 1
⑤ 2

---

25 일차방정식 $ax+2y+b=0$의 그래프가 오른쪽 그림과 같을 때, 상수 a, b에 대하여 $b-a$의 값은?

출제율 95%

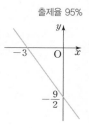

① -3 　② -2
③ 0 　④ 4
⑤ 6

---

26 x, y의 값이 수 전체일 때, 어떤 일차방정식의 그래프가 오른쪽 그림과 같다. 다음 중 이 그래프에 해당하는 일차방정식은?

출제율 90%

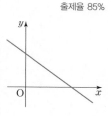

① $x+y=4$
② $\dfrac{1}{2}x+y=-\dfrac{7}{2}$
③ $2x-y=-1$
④ $2x-y=5$
⑤ $3x+y=6$

---

27 오른쪽 그림은 일차방정식 $ax+by+c=0$의 그래프이다. 다음 중 옳은 것을 모두 고르면?

출제율 85%

(정답 2개)

① a와 b는 다른 부호이다.
② a와 b는 같은 부호이다.
③ b와 c는 같은 부호이다.
④ b와 c는 다른 부호이다.
⑤ a와 c는 같은 부호이다.

---

28 오른쪽 그림과 같은 일차함수의 그래프에서 x절편, y절편이 각각 a, b일 때, 일차방정식 $ax+y-b=0$의 그래프가 지나지 않는 사분면을 구하여라.

출제율 80%

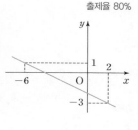

대표 유형 **좌표축에 평행한 직선의 방정식**

29 두 점 $(-a+1, 3)$, $(-2a+5, -5)$를 지나는 직선이 x축에 수직일 때, 상수 a의 값은?

① 1   ② 2   ③ 3
④ 4   ⑤ 5

33 일차방정식 $4x-5y-10=0$의 그래프의 y절편을 지나고 x축에 평행한 직선의 방정식은?

① $x=2$ ② $y=-2$ ③ $y=x-3$
④ $y=-x+4$ ⑤ $y=3x+2$

출제율 95%

30 점 $(1, -3)$을 지나면서 x축에 평행한 직선의 방정식은?

① $x=-3$ ② $y=1$ ③ $y=-3$
④ $x=1$ ⑤ $x-3y=0$

출제율 90%

34 다음 **보기**에 관한 설명으로 옳지 <u>않은</u> 것은?

보기
ㄱ. $x+y=-6$ ㄴ. $x=5$
ㄷ. $8y-4=0$ ㄹ. $y=-2x+4$
ㅁ. $x-y-3=0$

① ㄱ과 ㅁ은 평행하지 않다.
② ㄴ은 x축에 수직인 직선이다.
③ ㄷ은 x축에 평행한 직선이다.
④ 오른쪽 아래로 향하는 직선은 ㄱ, ㄹ이다.
⑤ ㄹ은 제4사분면을 지나지 않는다.

출제율 90%

31 직선 $ax+by-4=0$의 그래프가 오른쪽 그림과 같을 때, 상수 a, b에 대하여 $a+b$의 값은?

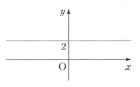

① -3 ② -1 ③ 0
④ 1 ⑤ 2

출제율 90%

35 다음 중 옳지 <u>않은</u> 것은? (정답 2개)

① $x=2$는 일차함수가 아니다.
② $x=0$은 x축, $y=0$은 y축을 나타내는 직선이다.
③ $y=k$(k는 상수)의 그래프는 점 $(1, k)$를 지나고 y축과 평행한 직선이다.
④ $x=k$(k는 상수)의 그래프는 점 $(k, -2)$를 지나고 x축에 수직인 직선이다.
⑤ $y=-2$의 그래프는 제3, 4사분면을 지난다.

출제율 95%

32 두 점 $(3a-4, 2)$, $(5a+6, -2)$를 지나는 직선이 y축에 평행할 때, 상수 a의 값은?

① -5 ② -4 ③ -3
④ -2 ⑤ -1

좌표축에 평행한 네 직선으로 둘러싸인 도형의 넓이

36 다음 네 직선으로 둘러싸인 도형의 넓이는?

$$y=4, \ x=-1, \ 4x-8=0, \ y+1=0$$

① 6   ② 9   ③ 12

④ 15   ⑤ 18

출제율 90%

37 네 개의 직선 $x=0$, $y=0$, $2-x=0$, $y+3=0$으로
(하) 둘러싸인 부분의 넓이는?

① 2   ② 3   ③ 4

④ 6   ⑤ 8

출제율 90%

38 네 방정식 $2y-7=0$, $x+6=0$, $y=1$, $x+a=0$의
(중) 그래프로 둘러싸인 도형의 넓이가 10일 때, 상수 a의
값은? (단, $0<a<6$)

① 1   ② 2   ③ $\dfrac{7}{2}$

④ $\dfrac{9}{2}$ ⑤ 5

출제율 90%

39 다음과 같은 네 직선의 방정식으로 만들어지는 사각
(상) 형의 넓이가 30일 때, 상수 a의 값은? (단, $\dfrac{1}{2}<a<4$)

$$y+4=a, \ y=2a-1, \ x-2=0, \ x=7$$

① 1   ② 2   ③ 3

④ 4   ⑤ 5

출제율 90%

40 다음과 같은 네 직선의 방정식으로 만들어지는 사각형
(상) 의 넓이는?

$$x-4=0, \ x-y=-2, \ y=-1, \ x+2y=6+x$$

① 12   ② 20   ③ 36

④ 48   ⑤ 52

연립방정식의 해와 그래프의 교점

41 연립방정식 $\begin{cases} x+by=5 \\ ax-y=1 \end{cases}$ 을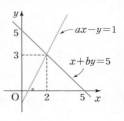
이루는 두 일차방정식의 그
래프가 오른쪽 그림과 같
다. 이 연립방정식의 해는?

① $(2, 0)$ ② $(0, 3)$

③ $(2, 3)$ ④ $(5, 0)$

⑤ $(0, 5)$

출제율 95%

42 두 일차방정식 $2x-5y-16=0$, $-2x+3y+12=0$
⑤ 의 그래프의 교점의 좌표를 (a, b)라 할 때, $a+b$의
값은?

① 3 　　　　② 1 　　　　③ 0

④ -1 　　　⑤ -2

출제율 90%

43 두 직선 $3x-ay+1=0$, $-4x+y+2=0$의 교점의
⑤ 좌표가 $(b, 10)$일 때, 상수 a, b에 대하여 ab의 값을
구하면?

① -3 　　　② -2 　　　③ -1

④ 2 　　　　⑤ 3

출제율 85%

44 두 일차방정식 $2x+ay+3=0$, $bx-4y+7=0$의 그
⑤ 래프가 모두 점 $(-3, 1)$을 지날 때, 일차함수
$y=\dfrac{a}{b}x+a$의 그래프의 x절편을 구하여라.

출제율 85%

45 두 일차방정식 $ax+y=2$, $bx+ay=7$의 그래프의
⑤ 교점의 좌표가 $(-1, 4)$일 때, 상수 a, b에 대하여
$a-b$의 값을 구하면?

① 3 　　　　② 2 　　　　③ 1

④ -2 　　　⑤ -3

출제율 85%

46 오른쪽 그래프는 연립방정식의
⑤ 해를 구하기 위하여 그린 것이다.
다음 보기 중 옳은 것을 모두 고
른 것은?

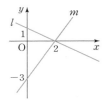

보기

ㄱ. 직선 l의 방정식은
　 $x+2y=-2$이다.

ㄴ. 직선 m의 방정식은
　 $3x-2y=6$이다.

ㄷ. 교점의 좌표는 $(2, 0)$이다.

ㄹ. 연립방정식의 해는 $x=2$,
　 $y=0$이다.

① ㄱ, ㄷ 　　　② ㄷ, ㄹ 　　　③ ㄱ, ㄴ, ㄷ

④ ㄴ, ㄷ, ㄹ 　　⑤ ㄱ, ㄴ, ㄷ, ㄹ

대표유형 두 직선의 교점을 지나는 직선의 방정식

47 두 직선 $2x-3y-8=0$, $3x+2y+1=0$의 교점을
지나고, 직선 $3x+y=6$과 평행한 직선의 방정식
은?

① $3x+y+1=0$ 　　② $3x+y-1=0$

③ $-3x+y+1=0$ 　④ $-3x+y=0$

⑤ $-3x+y-1=0$

출제율 95%

48 두 직선 $x+2y=4$, $2x-y=-2$의 교점을 지나고
⑤ x절편이 4인 직선의 방정식은?

① $-x+2y+4=0$ 　② $x-2y+2=0$

③ $-x-2y+4=0$ 　④ $2x-3y+2=0$

⑤ $2x+3y-6=0$

49 두 직선 $2x-y=6$, $3x-4y=14$의 교점을 지나고 기울기가 $\frac{1}{2}$인 직선의 방정식은?

① $x-2y-6=0$ ② $2x+y-6=0$
③ $x+2y-4=0$ ④ $2x+4y-2=0$
⑤ $2x-4y-6=0$

50 세 직선 $x+y=-5$, $-2x+y=4$, $5x-2y+a=0$이 한 점에서 만날 때, 상수 a의 값은?

① 3 ② 5 ③ 7
④ 9 ⑤ 11

51 세 직선 $2x-y=1$, $x+2y=8$, $2ax+y=5a+1$이 한 점에서 만날 때, 상수 a의 값은?

① 1 ② 2 ③ 3
④ 4 ⑤ 5

52 세 직선 $3x-y=1$, $x+2y=5$, $(a+2)x-y=3$이 한 점에서 만날 때, 직선 $2x+ay+6=0$과 x축과의 교점을 구하면?

① -3 ② -2 ③ -1
④ 2 ⑤ 3

대표유형 **연립방정식의 해의 개수와 그래프**

53 연립방정식 $\begin{cases} x+ay=3 \\ 4x-8y=b \end{cases}$의 해가 무수히 많을 때, 상수 a, b에 대하여 $a+b$의 값은?

① 2 ② 4 ③ 8
④ 10 ⑤ 12

54 연립방정식 $\begin{cases} x-3y=6 \quad \cdots \text{㉠} \\ y=\frac{1}{3}x-2 \quad \cdots \text{㉡} \end{cases}$에서 ㉠, ㉡이 나타내는 직선의 교점의 개수는?

① 무수히 많다. ② 없다. ③ 1개
④ 2개 ⑤ 3개

55 두 직선 $ax-y=-3$, $-6x+3y=b$의 교점이 존재하지 않을 때, 상수 a의 값과 b의 조건을 구하여라.

56 연립방정식 $\begin{cases} (3+a)x+4y=6 \\ 2ax+6y=3 \end{cases}$의 해가 존재하지 않을 때, 상수 a의 값은?

① 3 ② 5 ③ 7
④ 9 ⑤ 11

57 오른쪽 그림은 연립방정식
$\begin{cases} 5x+4y=20 \\ ax-2y=-ab \end{cases}$ 를 이루는 두
일차방정식의 그래프이다. a의
값이 될 수 <u>없는</u> 것은?

출제율 85%

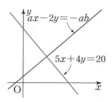

① $-\dfrac{1}{2}$ ② $-\dfrac{3}{2}$ ③ -2

④ $-\dfrac{5}{2}$ ⑤ -3

58 두 직선 $ax-8y+2=0$, $2x-4y-b=0$의 교점이 무
수히 많을 때, 연립방정식 $\begin{cases} ax+y-2=0 \\ kx-2y-3b=0 \end{cases}$ 의 해는
존재하지 않는다. 이때, 상수 k의 값은?

출제율 90%

① -8 ② -4 ③ 2

④ 6 ⑤ 10

대표유형 **세 직선으로 둘러싸인 도형의 넓이**

59 오른쪽 그림과 같이 두 직선
$4x+3y=4$, $-x+y=2$와
x축으로 둘러싸인 도형의 넓
이는?

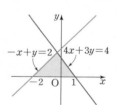

① $\dfrac{2}{7}$ ② 1

③ $\dfrac{12}{7}$ ④ 2

⑤ $\dfrac{18}{7}$

60 세 직선 $2x+y=6$, $2x-y+12=0$, $y=0$으로 둘러
싸인 도형의 넓이를 구하여라.

출제율 90%

61 세 직선 $2x+y=8$, $x=2$, $-x+2y=-4$로 둘러싸
인 도형의 넓이는?

출제율 90%

① 2 ② 4 ③ 5

④ 6 ⑤ 8

62 두 직선 $y=-x-3$, $y=ax+2$와 y축으로 둘러싸인
삼각형의 넓이가 10일 때, 상수 a의 값은? (단, $a>0$)

출제율 85%

① 2 ② 1 ③ $\dfrac{1}{2}$

④ $\dfrac{1}{4}$ ⑤ $\dfrac{1}{8}$

개념 UP 01 직선이 선분과 만날 조건

점 $(0, b)$를 지나는 일차함수 $y=ax+b$의 그래프가 두 점 A(x_1, y_1), B(x_2, y_2)를 이은 선분 AB와 만나기 위해서는 기울기 a가

(1) 직선 l의 기울기보다 작거나 같아야 하고
(2) 직선 m의 기울기보다 크거나 같아야 한다.

즉, $l : y=a_1x+b$, $m : y=a_2x+b$에 대하여 $a_2 \leq a \leq a_1$

개념 UP 02 넓이를 이등분하는 직선의 방정식

△AOB의 넓이를 이등분하는 직선 $y=mx$에서 상수 m의 값을 구하는 방법

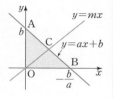

(1) △OBC의 넓이를 이용하여 점 C의 y좌표를 구한다.
(2) 점 C의 x좌표를 구한다.
(3) $y=mx$에 점 C의 좌표를 대입하여 상수 m의 값을 구한다.

출제율 90%

63 (상) 오른쪽 그림과 같이 좌표평면 위에 두 점 A$(2, 7)$, B$(3, 3)$이 있다. 일차함수 $y=ax+1$의 그래프가 선분 AB와 만나도록 하는 상수 a의 값의 범위는?

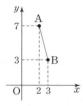

① $\dfrac{1}{3} \leq a \leq \dfrac{1}{2}$ ② $\dfrac{2}{3} \leq a \leq 3$

③ $\dfrac{1}{2} \leq a \leq 1$ ④ $\dfrac{2}{3} \leq a \leq 4$

⑤ $1 \leq a \leq 5$

출제율 85%

64 (상) 일차함수 $y=ax-3$의 그래프가 두 점 A$(3, 9)$, B$(5, 2)$를 이은 선분 AB와 만나도록 하는 상수 a의 값의 범위가 $p \leq a \leq q$일 때, pq의 값은?

① 1 ② 2 ③ 3
④ 4 ⑤ 5

출제율 80%

65 (상) 좌표평면 위에 네 점 A$(-6, 4)$, B$(-6, 2)$, C$(-3, 2)$, D$(-3, 4)$를 꼭짓점으로 하는 사각형이 있다. 일차함수 $y=ax+1$의 그래프가 이 사각형과 만나도록 하는 a의 값의 범위를 구하여라.

출제율 90%

66 (상) 일차함수 $y=-\dfrac{4}{3}x+8$의 그래프와 x축, y축으로 둘러싸인 부분의 넓이를 직선 $y=mx$가 이등분할 때, 상수 m의 값을 구하여라.

출제율 90%

67 (상) 일차방정식 $3x-y-6=0$의 그래프와 x축, y축으로 둘러싸인 도형의 넓이를 직선 $y=mx$가 이등분할 때, 상수 m의 값을 구하여라.

출제율 85%

68 (상) 오른쪽 그림과 같이 직선 $y=ax+b$가 두 일차함수 $y=2x$, $y=-x+12$의 그래프의 교점을 지나면서 두 일차함수의 그래프와 x축으로 둘러싸인 도형의 넓이를 이등분할 때, 상수 a, b에 대하여 $a+b$의 값을 구하여라.

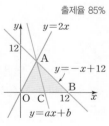

01 일차방정식 $2x+3y-6=0$의 그래프에 대한 설명 중 옳지 <u>않은</u> 것은?

① 기울기는 $-\dfrac{2}{3}$이다.

② x절편은 3이다.

③ y절편은 2이다.

④ 일차함수 $y=-\dfrac{2}{3}x+2$의 그래프와 같다.

⑤ 제4사분면을 지나지 않는다.

02 일차방정식 $x-y-2=0$의 그래프에 대한 설명 중 옳은 것을 모두 고른 것은?

> ㄱ. 일차함수 $y=x-1$의 그래프와 평행하다.
> ㄴ. 제2사분면을 지나지 않는다.
> ㄷ. x절편과 y절편의 합은 4이다.
> ㄹ. x의 값이 2만큼 증가할 때, y의 값도 2만큼 증가한다.

① ㄱ, ㄴ   ② ㄱ, ㄹ   ③ ㄱ, ㄴ, ㄹ
④ ㄱ, ㄷ, ㄹ   ⑤ ㄴ, ㄷ, ㄹ

03 일차방정식 $x+ay-b=0(a\neq0,\ b\neq0)$의 그래프가 제3사분면을 지나지 않을 때, a와 b의 부호를 바르게 나타낸 것은?

① $a<0,\ b<0$ ② $a<0,\ b>0$
③ $a>0,\ b>0$ ④ $a>0,\ b<0$
⑤ 알 수 없다.

04 일차방정식 $ax+by=4$의 그래프가 점 $(2,\ -3)$을 지나고, 기울기가 -2인 직선일 때, $a+b$의 값은?

① 12   ② 6   ③ 2
④ -6 ⑤ -12

05 오른쪽 그림과 같은 직선의 방정식은?

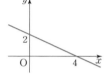

① $2x-y+4=0$
② $4x-y+2=0$
③ $-x+2y-4=0$
④ $x+2y-4=0$
⑤ $2x+y-2=0$

06 직선 $3x+y-2=0$과 평행하고, x절편이 $-\dfrac{4}{3}$인 직선을 그래프로 하는 일차함수의 식은?

① $y=-3x-4$ ② $y=-3x+4$
③ $y=-3x+\dfrac{4}{3}$ ④ $y=3x-4$
⑤ $y=3x+4$

07 직선 $6x+3y+27=0$ 위의 점 중에서 x좌표와 y좌표가 같은 점을 P라 할 때, 점 P는 제 몇 사분면 위의 점인가?

① 제1사분면   ② 제2사분면   ③ 제3사분면
④ 제4사분면   ⑤ 알 수 없다.

08 다음 중 x축에 수직인 직선을 그래프로 하는 일차방정식은?

① $x-y=0$ ② $x+y=0$ ③ $1-2x=0$
④ $1+2y=0$ ⑤ $y=2x+1$

09 네 일차방정식 $x=1$, $2x-6=0$, $2y-4=0$, $y=4$의 그래프로 둘러싸인 도형의 넓이는?

① 3   ② 4   ③ 5
④ 6   ⑤ 7

10 연립방정식 $\begin{cases} 2x+ay=8 \\ -bx+2y=10 \end{cases}$ 를 이루는 두 일차방정식의 그래프가 오른쪽 그림과 같을 때, $2a-b$의 값은?

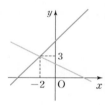

① 3   ② 4   ③ 5
④ 6   ⑤ 7

11 두 일차방정식 $ax+by=1$, $cx+dy=5$를 그래프로 나타내면 오른쪽 그림과 같다. 이때 연립방정식 $\begin{cases} ax+by=1 \\ cx+dy=5 \end{cases}$ 의 해는?

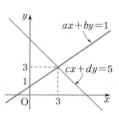

① $(1, 5)$ ② $(0, 1)$ ③ $(5, 3)$
④ $(3, 3)$ ⑤ $(5, 1)$

12 두 직선 $2x+y+5=0$, $x-2y+5=0$의 교점과 점 $(3, -7)$을 지나는 직선의 방정식은?

① $4x-3y-7=0$ ② $4x+3y+7=0$
③ $3x-4y+7=0$ ④ $3x+4y+9=0$
⑤ $4x+3y+9=0$

13 연립방정식 $\begin{cases} 2x+3y=a \\ bx-6y=8 \end{cases}$ 의 해가 무수히 많을 때, 상수 a, b에 대하여 $a-b$의 값을 구하여라.

14 연립방정식 $\begin{cases} 3x-2y=1 \\ 9x+my=-2 \end{cases}$ 의 해가 없을 때, 상수 m의 값은?

① -6 ② -4 ③ -3
④ -2 ⑤ -1

15 세 일차방정식 $x-y+2=0$, $x=2$, $y=0$의 그래프로 둘러싸인 도형의 넓이는?

① 4   ② 5   ③ 6
④ 8   ⑤ 9

16 일차방정식 $ax+by+c=0$에서 $ab<0$, $ac>0$일 때, 이 일차방정식의 그래프가 지나지 않는 사분면을 구하여라.

17 직선 $\dfrac{x}{3}+\dfrac{y}{4}=1$과 x축, y축으로 둘러싸인 부분의 넓이를 직선 $y=mx$가 이등분할 때, 상수 m의 값을 구하여라.

18 연립방정식 $\begin{cases} x+2ay=2 \\ y=\dfrac{2}{3}x+b \end{cases}$ 의 해가 무수히 많을 때,

$4ax+y-3b=0$의 그래프는 $x+ky=2$의 그래프와 평행하다고 한다. 이때 상수 k의 값은?

① -3 ② $-\dfrac{1}{3}$ ③ 1

④ $\dfrac{1}{3}$ ⑤ 3

19 다음 4개의 그래프로 둘러싸인 도형의 넓이를 구하여라.

$$y=x+1, \quad y=x-1, \quad y=-x+1, \quad y=-x-1$$

20 일차함수 $y=ax+4$의 그래프가 두 점 $(-1, 2)$, $(3, 2)$를 이은 선분과 만나지 않을 때, 다음 중 a의 값이 될 수 <u>없는</u> 것은?

① $-\dfrac{1}{3}$ ② $-\dfrac{1}{2}$ ③ 1

④ $\dfrac{3}{2}$ ⑤ $\dfrac{5}{2}$

21 점 $(4, 7)$에서 만나는 두 직선 $y=x+3$, $y=mx-1$과 직선 $y=ax+5$를 그렸을 때, 세 직선으로 둘러싸인 삼각형이 생기지 않기 위한 a의 값들의 합은?

① 0 ② $\dfrac{7}{2}$ ③ 3

④ $\dfrac{16}{3}$ ⑤ 8

단계형

22 직선 $4x-y=0$에 평행하고 점 $(1, -3)$을 지나는 직선의 방정식을 $ax+by-7=0$의 꼴로 나타낼 때, 상수 a, b에 대하여 ab의 값을 구하여라. [7점]

1단계 : 기울기와 y절편 구하기 [3점]

_____
_____

2단계 : 직선의 방정식 구하기 [2점]

_____
_____

3단계 : ab의 값 구하기 [2점]

_____
_____

단계형

23 오른쪽 그림은 연립방정식 $\begin{cases} x-y=-4 \\ ax+4y=6 \end{cases}$ 의 해를 그래프를 이용하여 나타낸 것이다. 두 직선과 x축으로 둘러싸인 도형의 넓이를 구하여라. [7점]

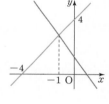

1단계 : 교점의 좌표 구하기 [2점]

_____
_____

2단계 : $ax+4y=6$의 그래프의 x절편 구하기 [3점]

_____
_____

3단계 : 두 직선과 x축으로 둘러싸인 도형의 넓이 구하기 [2점]

_____
_____

사고력

24 세 직선 $x-y+3=0$, $x+3y-5=0$, $ax-y-2=0$ 이 한 점 (b, c)에서 만날 때, $a+b+c$의 값을 구하여라. (단, a, b, c는 상수) [7점]

사고력

25 다음 그림과 같은 정사각형 ABCD에서 점 A, D는 각각 일차함수 $y=3x$, $y=-2x+11$의 그래프 위의 점이다. 이때 정사각형 ABCD의 넓이를 구하여라. [8점]

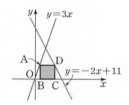

쉬어가기

시간을 낭비하지 말자!

미국의 정치가이자 외교관, 과학자, 저술가 벤자민 프랭클린은 다음과 같은 말을 하였습니다.

"그대는 인생을 사랑하는가? 그렇다면 시간을 낭비하지 말아라. 왜냐하면 시간은 인생을 구성하는 재료니까. 똑같이 출발하였는데 세월이 지난 뒤에 보면 어떤 사람은 뛰어나고 어떤 사람은 낙오자가 되어 있다. 이 두 사람의 거리는 좀처럼 접근할 수 없는 것이 되어 버렸다. 이것은 하루하루 주어진 시간을 잘 이용했느냐 아니면 이용하지 않고 허송세월을 보냈느냐에 달려 있다."

여기 똑같은 목표를 가지고 출발한 두 사람이 있습니다. 한 사람은 계획도 잘 세웠고, 그 계획보다 더 빨리 진행되었을 때에도 미리미리 다음 할 일을 실천하고 다시 계획을 세우고 있습니다. 또 한 사람은 계획은 잘 세웠지만 그 계획대로 되지 않을 때, 내일 더 하면 된다는 생각을 가지고 있습니다. 이 두 사람 중 누가 더 뛰어난 사람이 되었을까요?

당연히 시간을 낭비하지 않고 열심히 살아온 앞의 사람이 더 뛰어난 사람이 될 것입니다.

그렇다고 쉬지도 않고 꼭 계획대로 움직이고 미리미리 다음 할 일을 반드시 실천해야 한다는 것은 아닙니다.

건강을 생각하여 잠시 쉬거나 스트레스를 풀어 주는 것도 시간을 잘 이용하는 것일 수도 있습니다. 시간을 낭비하지 말고 목표를 달성하는 것도 중요하지만 건강이 최우선이니까요. 즉, 자기 할 일을 하지도 않고 하기 싫어서 그냥 노는 것은 시간을 낭비하는 일이지만 자기 할 일을 할 때에는 확실히 하고 놀 때에는 확실히 노는 것이 시간을 잘 이용하는 것일 수도 있습니다.

여러분! 본인에게 맞는 계획을 세워서 건강을 챙겨가며 시간을 낭비하지 말고 최선을 다해 봅시다. 꼭 뛰어난 사람이 될 것입니다. 또, 같은 목표를 가진 다른 사람보다 먼저 성공할 수 있을 것입니다.

중학 수학

Part II

싹쓸이 핵심 기출문제

싹쓸이 핵심 예상문제

실전 모의고사

01 미지수가 2개인 일차방정식의 해

x, y가 자연수일 때, 일차방정식 $2x+y=7$의 해의 개수는?

① 1개   ② 2개   ③ 3개
④ 4개   ⑤ 5개

02 일차방정식의 해를 이용하여 미지수 구하기

일차방정식 $2x+ay-12=0$의 한 해가 $(3, 2)$일 때, 상수 a의 값은?

① -2 ② -1 ③ 1
④ 2   ⑤ 3

03 연립방정식의 해

x, y가 자연수일 때, 연립방정식 $\begin{cases} x+3y=7 \\ 2x+y=9 \end{cases}$의 해는?

① $(1, 2)$ ② $(1, 7)$ ③ $(2, 5)$
④ $(3, 3)$ ⑤ $(4, 1)$

04 연립방정식의 해를 이용하여 미지수 구하기

연립방정식 $\begin{cases} ax+y=1 \\ bx-ay=-4 \end{cases}$의 해가 $(-1, 2)$일 때, 상수 a, b에 대하여 $a-b$의 값은?

① -2 ② -1 ③ 0
④ 1   ⑤ 2

05 연립방정식의 풀이

다음 중 연립방정식 $\begin{cases} 2x-y=5 \\ 3x+2y=4 \end{cases}$의 해인 것은?

① $x=1, y=-2$ ② $x=-2, y=1$
③ $x=2, y=-1$ ④ $x=-1, y=2$
⑤ $x=1, y=2$

06 두 연립방정식에서 미지수 구하기

다음 두 연립방정식의 해가 같을 때, $a-b$의 값을 구하여라.

$$\begin{cases} x+3y=9 \\ x+ay=1 \end{cases} \qquad \begin{cases} 2x-3y=-18 \\ ax+2y=b \end{cases}$$

07 계수가 분수, 소수인 연립방정식의 풀이

연립방정식 $\begin{cases} 0.3x+0.4y=1.7 \\ \dfrac{2}{3}x-\dfrac{1}{2}y=1 \end{cases}$의 해가 (a, b)일 때, $3a+b$의 값은?

① 21   ② 15   ③ 13
④ 11   ⑤ 5

08 $A=B=C$ 꼴의 연립방정식의 풀이

다음 연립방정식을 풀어라.

$$4x+y=2x-y-10=x-1$$

09 해가 특수한 연립방정식의 풀이

다음 연립방정식 중 해가 <u>없는</u> 것은?

① $\begin{cases} x-2y=-4 \\ x+y=5 \end{cases}$ ② $\begin{cases} 2x+2y=0 \\ 2x-y=0 \end{cases}$ ③ $\begin{cases} x-y=2 \\ 3x-3y=6 \end{cases}$

④ $\begin{cases} 2x-2y=4 \\ 6x-6y=8 \end{cases}$ ⑤ $\begin{cases} 2x+y=6 \\ 3x-y=9 \end{cases}$

10 연립방정식의 활용

두발자전거와 세발자전거를 모두 합하여 27대가 있고, 바퀴수의 합이 69개라고 할 때, 두발자전거는 몇 대인지 구하여라.

11 연립방정식의 활용 – 속력에 관한 문제

어느 산의 정상까지의 등반 코스로 A, B의 두 코스가 있다. A 코스로 시속 2 km로 올라가 B 코스로 시속 4 km로 내려오는 데 모두 4시간 30분이 걸렸고 거리는 13 km이었다. B 코스의 거리를 구하여라.

12 함수의 뜻

다음 중 y가 x의 함수가 <u>아닌</u> 것은?

① 1개에 500원 하는 빵 x개의 값은 y원이다.
② 정가가 x원인 물건의 가격을 20% 할인하면 y원이다.
③ 7 %의 소금물 x g 속에 녹아 있는 소금의 양은 y g이다.
④ 10 L들이 물통에 매분 x L씩 물을 넣을 때, 물통을 가득 채우는 데 걸리는 시간은 y분이다.
⑤ 절댓값이 x인 수는 y이다.

13 함숫값 구하기

함수 $f(x)=-\dfrac{1}{2}x$에 대하여 $f(0)+f(2)+f(4)$의 값은?

① -3 ② -2 ③ -1
④ 0 ⑤ 1

14 함숫값 구하기

두 함수 $f(x)=\dfrac{2}{x}-1$와 $g(x)=-2x+3$에 대하여 $f(2)+g(2)$의 값은?

① -2　　　② -1　　　③ 0
④ 1　　　⑤ 2

15 함수의 식 구하기

함수 $f(x)=\dfrac{a}{x}$에 대하여 $f(2)=-6$일 때, $f(-4)$는?

(단, a는 상수)

① -3　　　② -1　　　③ 1
④ 3　　　⑤ 5

16 일차함수의 그래프의 평행이동

일차함수 $y=-3x$의 그래프를 y축의 방향으로 b만큼 평행이동하면 점 $(2, -2)$를 지난다고 한다. 이때, 상수 b의 값은?

① 4　　　② 2　　　③ 1
④ -1　　　⑤ -2

17 일차함수의 그래프의 x절편, y절편

일차함수 $y=-\dfrac{3}{2}x+3$의 그래프의 x절편을 m, y절편을 n이라 할 때, $m+n$의 값을 구하여라.

18 일차함수의 그래프의 기울기

일차함수 $y=-4x+7$에 대하여 x의 값이 1에서 4까지 3만큼 증가할 때, y의 값의 증가량을 구하여라.

19 일차함수 $y=ax+b$의 그래프의 성질

일차함수 $y=-3x+1$의 그래프에 대한 설명 중 옳지 <u>않은</u> 것은?

① 기울기는 -3이다.
② x의 값이 증가하면 y의 값은 감소한다.
③ x절편은 $\dfrac{1}{3}$이고, y절편은 1이다.
④ 함수의 그래프는 오른쪽 위로 향하는 직선이다.
⑤ $y=-3x$의 그래프를 y축의 방향으로 1만큼 평행이동한 그래프이다.

20 그래프와 좌표축으로 둘러싸인 부분의 넓이

일차함수 $y=-2x-4$의 그래프와 x축, y축으로 둘러싸인 부분의 넓이는?

① 4　　　　　② 5　　　　　③ 6

④ $\dfrac{25}{4}$　　　　⑤ $\dfrac{13}{2}$

21 일차함수의 식 구하기

오른쪽 그림의 그래프와 평행하고 점 $(3, 2)$를 지나는 직선을 그래프로 하는 일차함수의 식을 $y=ax+b$라 할 때, $a+b$의 값은?

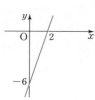

① -4　　　　② -2
③ 1　　　　　④ 2
⑤ 4

22 실생활에서의 일차함수의 활용

공기 중에서 소리의 속력은 기온이 0 ℃일 때 초속 331 m이고, 기온이 10 ℃씩 올라갈 때마다 초속 6 m씩 일정하게 증가한다고 한다. 기온이 x ℃일 때의 소리의 속력을 초속 y m라 할 때, 소리의 속력이 초속 340 m일 때의 기온은?

① 20 ℃　　　② 18 ℃　　　③ 15 ℃
④ 12 ℃　　　⑤ 10 ℃

23 좌표축에 평행한 직선의 방정식

점 $(3, -5)$를 지나고, x축에 평행한 직선의 방정식은?

① $x=3$　　　② $y=-5$　　　③ $y=-\dfrac{5}{3}x$

④ $x=-5$　　⑤ $y=3$

24 연립방정식의 해와 그래프의 교점

오른쪽 그림은 연립방정식
$\begin{cases} x+y=4 \\ ax-2y=-1 \end{cases}$ 의 해를 구하기 위해 두 일차방정식의 그래프를 그린 것이다. 상수 a의 값은?

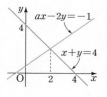

① $\dfrac{1}{2}$　　　　② $\dfrac{3}{2}$

③ 2　　　　　④ $\dfrac{5}{2}$

⑤ 3

25 연립방정식의 해의 개수와 그래프

연립방정식 $\begin{cases} ax+3y=-4 \\ 4x-6y=b \end{cases}$ 의 해가 무수히 많을 때, 두 상수 a, b에 대하여 $a+b$의 값은?

① 2　　　　　② 4　　　　　③ 6
④ 8　　　　　⑤ 10

01 미지수가 2개인 일차방정식의 해

x, y가 자연수일 때, 일차방정식 $x+3y=15$의 해는 모두 몇 개인가?

① 1개   ② 2개   ③ 3개
④ 4개   ⑤ 5개

02 일차방정식의 해를 이용하여 미지수 구하기

일차방정식 $ax+y=4$의 한 해가 $(1, 2)$일 때, 상수 a의 값을 구하여라.

03 연립방정식의 해

x, y가 자연수일 때, 연립방정식 $\begin{cases} x+3y=10 \\ 4x-y=1 \end{cases}$ 의 해는?

① $(1, 3)$ ② $(2, 7)$ ③ $(3, 11)$
④ $(4, 2)$ ⑤ $(7, 1)$

04 연립방정식의 해를 이용하여 미지수 구하기

연립방정식 $\begin{cases} ax+y=1 \\ x-by=8 \end{cases}$ 의 해가 $(-1, 3)$일 때, 상수 a, b에 대하여 $a+b$의 값은?

① -2 ② -1 ③ 0
④ 1 ⑤ 2

05 연립방정식의 풀이

다음 중 연립방정식 $\begin{cases} y=3x+1 \\ -3x+2y=17 \end{cases}$ 의 해인 것은?

① $(5, 16)$ ② $(-5, 14)$ ③ $(2, 7)$
④ $(-2, -4)$ ⑤ $(-2, -5)$

06 두 연립방정식에서 미지수 구하기

다음 두 연립방정식의 해가 같을 때, $a-b$의 값은?

$$\begin{cases} 2x+y=4 \\ ax+by=5 \end{cases} \quad \begin{cases} 3x+y=7 \\ bx-ay=12 \end{cases}$$

① -5 ② -1 ③ 0
④ 1 ⑤ 5

07 계수가 분수, 소수인 연립방정식의 풀이

연립방정식 $\begin{cases} 0.3x-0.2y=-1.1 \\ \dfrac{2-x}{4}-\dfrac{7-y}{2}=1 \end{cases}$ 의 해를 구하여라.

08 $A=B=C$ 꼴의 연립방정식의 풀이

연립방정식 $\dfrac{x-y}{4}=\dfrac{x-3y}{6}=\dfrac{1}{2}$ 의 해가 $x=a,\ y=b$ 이다.
이때 $a+b$ 의 값은?

① -2 ② $-\dfrac{3}{2}$ ③ 1

④ $\dfrac{1}{2}$ ⑤ 2

09 해가 특수한 연립방정식의 풀이

연립방정식 $\begin{cases} 2x-3y=2 \\ -4x+6y=a \end{cases}$ 가 무수히 많은 해를 가지도록
하는 a 의 값은?

① 4 ② 3 ③ 0

④ -4 ⑤ -3

10 연립방정식의 활용

주차장에 오토바이와 자동차가 합하여 20대가 주차되어 있다. 바퀴 수의 합이 58개라 할 때, 오토바이는 몇 대인지 구하여라.

11 연립방정식의 활용 – 속력에 관한 문제

총 16 km의 거리를 등산하는데 올라갈 때는 시속 3 km의 속력으로, 내려올 때는 다른 길을 택하여 시속 4 km의 속력으로 걸어서 모두 5시간이 걸렸다고 한다. 이때 내려온 거리를 구하여라.

12 함수의 뜻

다음 중 y 가 x 의 함수가 <u>아닌</u> 것은?

① 700원짜리 아이스크림 x개의 값 y원
② 자연수 x의 약수의 개수 y개
③ 자연수 x보다 작은 자연수 y
④ 한 변의 길이가 x인 정사각형의 둘레의 길이 y
⑤ 가로의 길이가 3, 세로의 길이가 x인 직사각형의 넓이 y

13 함숫값 구하기

함수 $f(x)=-\dfrac{6}{x}$ 에 대하여 $f(6)-2f(-3)$ 의 값은?

① -6 ② -5 ③ -4
④ -3 ⑤ -2

14 함숫값 구하기

두 함수 $f(x)=3x-4$와 $g(x)=-x+2$는 $x=a$에서 함숫값이 서로 같다고 한다. 이때, 상수 a의 값은?

① $-\dfrac{1}{2}$　　　② 1　　　③ $\dfrac{3}{2}$

④ 2　　　⑤ $\dfrac{5}{2}$

15 함수의 식 구하기

함수 $f(x)=ax-5$에 대하여 $f(-2)=-9$일 때, $f(3)$의 값은? (단, a는 상수)

① 1　　　② 2　　　③ 3
④ 4　　　⑤ 5

16 일차함수의 그래프의 평행이동

일차함수 $y=-3x+1$의 그래프를 y축의 방향으로 -3만큼 평행이동한 그래프의 식은?

① $y=3x+4$　　② $y=3x-3$　　③ $y=-3x+4$
④ $y=-3x-2$　　⑤ $y=-3x-3$

17 일차함수의 그래프의 x절편, y절편

일차함수 $y=4x+8$의 그래프의 x절편과 y절편의 합은?

① 9　　　② 6　　　③ 4
④ 3　　　⑤ 0

18 일차함수의 그래프의 기울기

두 점 $(3, -2)$, $(6, 7)$을 지나는 직선의 기울기를 구하여라.

19 일차함수 $y=ax+b$의 그래프의 성질

일차함수 $y=-\dfrac{1}{2}x+5$의 그래프에 대한 설명 중 옳지 <u>않은</u> 것은?

① x절편이 10이고, y절편은 5이다.
② $2y=x+4$의 그래프와 평행하다.
③ x의 값이 2만큼 증가하면 y의 값은 -1만큼 증가한다.
④ x의 값이 1만큼 증가하면 y의 값은 0.5만큼 감소한다.
⑤ 오른쪽 아래로 향하는 직선이다.

20 그래프와 좌표축으로 둘러싸인 부분의 넓이

일차함수 $y=\dfrac{1}{2}x-4$의 그래프와 x축, y축으로 둘러싸인 부분의 넓이는?

① 4   ② 8   ③ 12
④ 16   ⑤ 20

21 일차함수의 식 구하기

두 점 $A(-3, 5)$, $B(-2, -1)$을 지나는 직선을 그래프로 하는 일차함수의 식은?

① $y=-\dfrac{4}{5}x+2$ ② $y=4x-11$ ③ $y=-6x-13$
④ $y=-6x+13$ ⑤ $y=4x+13$

22 실생활에서의 일차함수의 활용

물이 들어 있는 직육면체 모양의 물통이 있다. 이 물통에 일정한 속력으로 물을 채우기 시작하여 10분 후에는 물의 높이가 바닥에서부터 25 cm가 되었고 25분 후에는 바닥에서부터 55 cm까지 찼다. 물이 일정하게 물통에 들어간다고 할 때, 물의 높이가 75 cm가 되는 것은 물을 채우기 시작한지 몇 분 후인가?

① 40분 후   ② 35분 후   ③ 30분 후
④ 25분 후   ⑤ 20분 후

23 좌표축에 평행한 직선의 방정식

점 $(2, -6)$을 지나고, y축에 평행한 직선의 방정식은?

① $x=2$ ② $y=-6$ ③ $x=-6$
④ $y=2$ ⑤ $3x+y=0$

24 연립방정식의 해와 그래프의 교점

두 일차함수 $y=-x+4$, $y=ax+b$의 그래프가 오른쪽 그림과 같을 때, $3a-2b$의 값은?

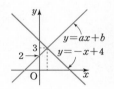

① -1 ② $-\dfrac{5}{2}$
③ -2 ④ $-\dfrac{3}{2}$
⑤ 1

25 연립방정식의 해의 개수와 그래프

연립방정식 $\begin{cases} ax+y=3 \\ 2y-x=7 \end{cases}$ 의 해가 없을 때, 상수 a의 값은?

① $-\dfrac{1}{2}$ ② $\dfrac{1}{2}$ ③ -1
④ 2 ⑤ -2

01 다음 중 미지수가 2개인 일차방정식에 관한 설명으로 옳은 것은?

① 해가 하나로 결정된다.
② $2x-y+6$은 미지수가 2개인 일차방정식이다.
③ $-2x+3y=-2x+5$는 미지수가 2개인 일차방정식이다.
④ 미지수가 2개인 일차방정식은 $ax+by+c=0(a, b, c$는 상수, $a \neq 0)$의 꼴로 나타내어진다.
⑤ 두 미지수 x, y에 관한 일차방정식을 참이 되게 하는 x, y의 값을 방정식의 해라 한다.

02 x, y에 관한 일차방정식 $2x+3y=13$의 한 해가 $(k, 3)$일 때, 상수 k의 값은?

① -4 ② -2 ③ 1
④ 2 ⑤ 4

03 x, y가 자연수일 때, 연립방정식 $\begin{cases} x+y=6 \\ x+2y=9 \end{cases}$의 해는?

① $(3, 3)$ ② $(1, 5)$ ③ $(4, 2)$
④ $(5, 2)$ ⑤ $(7, 1)$

04 연립방정식 $\begin{cases} ax+y=7 \\ -x+y=b \end{cases}$의 해가 $(2, 3)$일 때, 상수 a, b에 대하여 곱 ab의 값은?

① 4 ② 2 ③ 0
④ -2 ⑤ -4

05 연립방정식 $\begin{cases} y-x=-2 & \cdots \text{㉠} \\ x+2y=8 & \cdots \text{㉡} \end{cases}$의 해는?

① $(2, 4)$ ② $(-2, 4)$ ③ $(8, 4)$
④ $(4, 2)$ ⑤ $(2, -2)$

06 연립방정식 $\begin{cases} ax-by=-3 \\ bx+ay=1 \end{cases}$의 해가 $(1, -1)$일 때, 상수 a, b에 대하여 $2a-b$의 값을 구하여라.

07 연립방정식 $\begin{cases} \dfrac{3}{2}x+\dfrac{1}{8}y=-5 \\ \dfrac{1}{4}x+\dfrac{1}{6}y=\dfrac{1}{3} \end{cases}$의 해를 $x=a, y=b$라 할 때, $4a-b$의 값은?

① -24 ② -16 ③ 8
④ 16 ⑤ 32

08 $(x-1):(y-1)=2:3$이고 $4y-4=3x-9$일 때, $x-y$의 값은?

① -1 ② $\dfrac{1}{2}$ ③ 1

④ $\dfrac{3}{2}$ ⑤ 2

09 다음 연립방정식을 풀어라.

$$4x-3y-3=x+2y+1=3x+y-4$$

10 각 자리의 숫자의 합이 10인 두 자리의 자연수에서 십의 자리의 숫자의 2배가 일의 자리의 숫자의 3배와 같다고 할 때, 이 자연수를 구하여라.

11 가로의 길이가 세로의 길이의 3배보다 2m 짧은 직사각형 모양의 꽃밭이 있다. 이 꽃밭의 둘레가 28m일 때, 가로의 길이는?

① 7m   ② 8m   ③ 9m

④ 10m   ⑤ 11m

12 다음 중 y가 x의 함수가 <u>아닌</u> 것은?

① 10 %의 소금물 x g에 포함된 소금의 양 y g
② 반지름의 길이가 x cm인 원의 둘레의 길이 y cm
③ 가로의 길이가 8 cm이고, 세로의 길이가 x cm인 직사각형의 넓이 y cm^2
④ 한 개에 2000원인 과자 x개의 값 y원
⑤ 자연수 x의 약수 y

13 함수 $f(x)=-2x+5$에서 $f(a)=-5$일 때, 상수 a의 값은?

① -5 ② -3 ③ 1
④ 3 ⑤ 5

14 다음 중 y가 x에 관한 일차함수인 것을 모두 고르면?

(정답 2개)

① $y+5=0$

② $y=4-2x$

③ 가로의 길이가 x cm이고, 세로의 길이가 2 cm인 직사각형의 둘레의 길이는 y cm이다.

④ 한 변의 길이가 x cm인 정사각형의 넓이는 y cm²이다.

⑤ 시속 x km인 자동차로 80 km의 거리를 달리는 데 y시간이 걸렸다.

15 일차함수 $y=-2x+a$의 그래프를 y축의 방향으로 -3만큼 평행이동하였더니 일차함수 $y=-2x+3$의 그래프가 되었다. 이때 일차함수 $y=-2x+a$의 그래프를 y축의 방향으로 2만큼 평행이동한 그래프의 식은?

① $y=-2x+4$ ② $y=-2x+5$

③ $y=-2x+6$ ④ $y=-2x+7$

⑤ $y=-2x+8$

16 일차함수 $y=-\dfrac{2}{3}x+2$의 그래프의 x절편을 m, y절편을 n이라 할 때, $m+n$의 값은?

① 1   ② 3   ③ 5

④ 7   ⑤ 9

17 다음 중 점 $(4, -6)$을 지나고, 일차함수 $y=-3x+3$의 그래프와 평행한 직선을 그래프로 하는 일차함수의 식은?

① $y=3x+3$ ② $y=3x-18$

③ $y=-3x+6$ ④ $y=-3x+2$

⑤ $y=-3x+5$

18 일차함수 $y=ax+b$의 그래프가 오른쪽 그림과 같을 때, 다음 중 옳은 것은?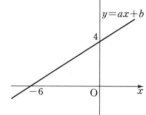

① 기울기는 $-\dfrac{2}{3}$이다.

② 점 $(-3, 2)$를 지난다.

③ 일차방정식 $2x+3y=2$의 그래프와 평행하다.

④ x의 값이 3만큼 증가할 때, y의 값은 -2만큼 증가한다.

⑤ $y=\dfrac{2}{3}x$의 그래프를 y축의 방향으로 -4만큼 평행이동한 것이다.

19 일차방정식 $3x+2y=4$의 그래프가 두 점 $(2, a)$, $(b, 5)$를 지나는 직선일 때, $a+b$의 값은?

① -2 ② -3 ③ -4

④ -5 ⑤ -6

20 연립방정식
$$\begin{cases} ax+2y=2 \\ -4x+by=-5 \end{cases}$$
를 이루

는 두 일차방정식의 그래프
가 오른쪽 그림과 같을 때,
$a+2b$의 값은?

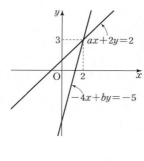

① -2 ② -1

③ 0 ④ 1

⑤ 2

21 다음 네 방정식의 그래프로 둘러싸인 도형의 넓이는?

$$x-1=0, \quad x=4, \quad y+4=0, \quad y=6$$

① 18 ② 20 ③ 24

④ 30 ⑤ 36

22 오른쪽 그림과 같이 일차
방정식 $3x-y+12=0$의
그래프와 x축, y축으로
둘러싸인 부분의 넓이가
직선 $y=ax$에 의하여 이
등분된다고 한다. 이때 상
수 a의 값은?

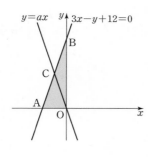

① -3 ② -2 ③ $-\dfrac{3}{2}$

④ -1 ⑤ $-\dfrac{1}{2}$

23 연립방정식
$$\begin{cases} ax+y=4 \\ 3x-y=-2 \end{cases}$$
를 만족하는 y의 값이 x의

값의 4배라고 할 때, 상수 a의 값을 구하여라. [7점]

24 진희는 아버지와 함께 등산을 하는데 올라갈 때는 시속
3 km로 걷고, 내려올 때는 시속 4 km로 걸어서 모두
3시간이 걸렸다. 등산로의 길이가 총 10 km일 때, 내
려올 때 걸은 거리를 구하여라. (단, 올라갈 때와 내려
올 때의 등산로는 서로 다른 길이다.) [8점]

25 2시간에 1.6 L의 석유를 사용하는 난로에 12 L의 석유
를 넣은 후에 x시간 동안 난로를 피웠다. 남은 석유의
양을 y L라 할 때, 하루에 5시간씩 난로를 피운다면 며
칠 동안 난로를 사용할 수 있겠는지 구하여라. [8점]

01 다음 일차방정식 중 $(2, 0)$, $(0, -1)$을 해로 가지는 것은?

① $x - 2y = 2$ ② $x + 2y = 4$ ③ $x - 2y = 3$

④ $2x - y = 1$ ⑤ $2x + y = 2$

02 '솔별이는 수학 시험에서 4점짜리 x개, 3점짜리 y개를 맞아서 총 86점이 되었다. 이때 3점짜리 문제를 4점짜리 문제보다 3문제 더 맞았다.'를 x, y에 관한 연립방정식으로 나타내면 $\begin{cases} ax + 3y = b \\ x - y = c \end{cases}$ 이다. 이때 상수 a, b, c에 대하여 $b - ac$의 값을 구하여라.

03 연립방정식 $\begin{cases} ax + y = 4 \\ 3x + ay = b \end{cases}$ 의 해가 $x = 1$, $y = 2$일 때, $a + b$의 값은?

① 3   ② 5   ③ 7

④ 9   ⑤ 12

04 연립방정식 $\begin{cases} 2x - y = 1 \\ ax + y = 2 \end{cases}$ 의 해가 방정식 $12x - 5y = 7$ 을 만족할 때, 상수 a의 값은?

① -2 ② -1 ③ 1

④ 2   ⑤ 3

05 연립방정식 $\begin{cases} 2x + y = 10 \\ x + 3y = a + 11 \end{cases}$ 을 만족하는 x의 값이 y의 값의 2배일 때, a의 값은?

① -3 ② -2 ③ -1

④ 2   ⑤ 5

06 다음 방정식을 풀면 $x = a$, $y = b$이다. $a + b$의 값은?

$$\begin{cases} 0.3x - 0.5y = 1.9 \\ \dfrac{x}{2} + \dfrac{y}{3} = \dfrac{5}{6} \end{cases}$$

① -2 ② -1 ③ 0

④ 1   ⑤ 2

07 연립방정식 $\begin{cases} 3x - y = 5 \\ ax + 4y = -2 \end{cases}$의 해가 없을 때, 상수 a의 값은?

① -12 ② -9 ③ -6

④ -3 ⑤ 3

08 서로 다른 두 수가 있다. 큰 수를 작은 수로 나누면 몫은 7이고 나머지는 4이다. 또, 큰 수의 2배를 작은 수로 나누면 몫은 15이고 나머지는 2이다. 이 두 수의 합은?

① 36   ② 42   ③ 48

④ 52   ⑤ 62

09 일정한 속력으로 달리는 기차가 길이가 900 m인 터널을 통과하는 데 1분, 길이가 1900 m인 다리를 건너는 데 2분이 걸린다고 한다. 이때 기차의 속력은?

① 분속 800 m   ② 분속 1000 m

③ 분속 1200 m   ④ 분속 1400 m

⑤ 분속 1600 m

10 다음 중 $y = \dfrac{a}{x}\,(a \neq 0)$와 같은 관계식을 가지는 함수는?

① 시속 60 km로 x시간 동안 달린 거리 y km

② $x\,\%$의 소금물 200 g에 녹아 있는 소금의 양 y g

③ 넓이가 15 cm²인 평행사변형의 밑변의 길이가 x cm, 높이가 y cm

④ 한 변의 길이가 x cm인 정삼각형의 둘레의 길이 y cm

⑤ x원짜리 아이스크림 30개의 값 y원

11 함수 $f(x) = x + 2$일 때, 다음 중 옳지 <u>않은</u> 것은?

① $f(-3) = 1$ ② $f(-2) = 0$ ③ $f(0) = 2$

④ $f(2) = 4$ ⑤ $f(3) = 5$

12 함수 $f(x) = -2x + 3$에 대하여 $f(a) = 15$일 때, a의 값은?

① 6   ② 4   ③ -2

④ -4 ⑤ -6

13 함수 $f(x)=-2x+1$, $g(x)=\dfrac{5}{x}+1$에 대하여 $f(-1)+g(1)$의 값을 구하여라.

14 일차함수 $y=-3x+2$의 그래프를 y축의 방향으로 k 만큼 평행이동하면 점 $(2, -5)$를 지난다고 한다. 이때 상수 k의 값을 구하여라.

15 일차함수 $y=-4x+7$의 그래프와 평행하고 점 $(2, -3)$ 을 지나는 직선을 그래프로 하는 일차함수의 식은?

① $y=-4x+3$　　　② $y=-4x-3$

③ $y=4x+7$　　　④ $y=4x-5$

⑤ $y=-4x+5$

16 일차함수 $y=ax+4\,(a>0)$의 그래프와 x축, y축으로 둘러싸인 삼각형의 넓이가 8일 때, 상수 a의 값은?

① $\dfrac{1}{2}$　　② 1　　③ $\dfrac{3}{2}$

④ 2　　⑤ 4

17 다음 일차함수 중 x의 값이 3만큼 증가할 때, y의 값은 6만큼 감소하는 것은?

① $y=-2x+3$　　　② $y=-4x+1$

③ $y=\dfrac{1}{2}x+5$　　　④ $y=2x-3$

⑤ $y=4x-1$

18 두 점 $(-2, 9)$, $(3, -1)$을 지나는 직선을 그래프로 하는 일차함수의 식을 $y=ax+b$라 할 때, $a+b$의 값은? (단, a, b는 상수)

① 3　　　② 4　　　③ 6

④ 8　　　⑤ 10

19 길이가 12 cm인 용수철이 있다. 여기에 10 g짜리 추를 달 때마다 2 cm씩 늘어난다고 한다. x g짜리 추를 달았을 때의 용수철의 길이를 y cm라 할 때, y를 x에 관한 식으로 나타내어라.

20 다음 일차방정식의 그래프 중에서 오른쪽 그래프와 x축 위에서 만나는 것은?

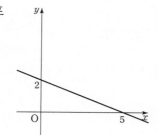

① $5x-2y+10=0$

② $5x-3y-10=0$

③ $4x+5y+8=0$

④ $-2x-y+10=0$

⑤ $3x-y-12=0$

21 두 점 $(2a,\ -3)$, $(5a+6,\ 2)$를 지나는 직선이 y축과 평행할 때, 직선의 방정식을 구하여라.

22 일차함수 $y=2x+a$의 그래프가 두 직선 $2x-3y=-6$, $3x+4y=8$의 교점을 지날 때, 상수 a의 값은?

① 2 ② 3 ③ 4

④ 5 ⑤ 6

23 $(a, 2)$, $(-1, b)$가 일차방정식 $2x-3y=4$의 해일 때, 상수 a, b에 대하여 $a-b$의 값을 구하여라. [7점]

24 다음 두 연립방정식의 해가 같을 때, $a-b$의 값을 구하여라. [8점]

$$\begin{cases} 6x-5y=-4 \\ -bx+(a+2)y=12 \end{cases} \qquad \begin{cases} 3x+2y=7 \\ 2ax+by=2 \end{cases}$$

25 두 직선 $y=x+4$, $2x+3y-7=0$과 x축으로 둘러싸인 삼각형의 넓이를 구하여라. [8점]

01 다음 중 미지수가 2개인 일차방정식을 모두 고르면?

(정답 2개)

① $3x+2y=-4+3x$ ② $2y=-3x+6$
③ $-x+3xy=0$ ④ $2x^2=-3+4y$
⑤ $x+2y=y-x$

02 일차방정식 $2x+ay=-1$의 한 해가 $(1, -3)$일 때, 상수 a의 값은?

① -2 ② -1 ③ $\frac{1}{2}$
④ 1 ⑤ 2

03 x, y가 자연수일 때, $\begin{cases} x+2y=7 \\ 3x+y=11 \end{cases}$ 의 해는?

① $(1, 3)$ ② $(1, 8)$ ③ $(2, 5)$
④ $(3, 2)$ ⑤ $(5, 1)$

04 연립방정식 $\begin{cases} 2x+y=-6 \\ x+2y=3 \end{cases}$ 의 해가 (a, b)일 때, $a+3b$의 값을 구하여라.

05 연립방정식 $\begin{cases} ax-by=-1 \\ bx+y=2a \end{cases}$ 의 해가 $x=1, y=3$일 때, 상수 a, b에 대하여 $a+b$의 값은?

① 1 ② 2 ③ 3
④ 4 ⑤ 5

06 연립방정식 $\begin{cases} \dfrac{x}{2}-\dfrac{y}{3}=\dfrac{4}{3} \\ 2x-ay=3 \end{cases}$ 을 만족하는 x, y가 $x:y=2:1$을 만족할 때, $x+a$의 값을 구하여라.

07 연립방정식 $\begin{cases} ax+2y=6 \\ -4x+y=-1 \end{cases}$ 의 해가 없을 때, 상수 a의 값은?

① -8 ② -6 ③ -2
④ 4 ⑤ 8

08 연립방정식 $\begin{cases} \frac{4}{5}x - \frac{3}{4}y = 1 & \cdots \text{㉠} \\ 0.12x + 0.3y = 1.8 & \cdots \text{㉡} \end{cases}$ 의 해가 $x=a$, $y=b$일 때, ab의 값은?

① -15 ② -10 ③ 18
④ 20 ⑤ 25

09 현재 아버지와 아들의 나이의 합은 46살이고 지금부터 12년 후의 아버지의 나이는 아들의 나이의 $\frac{5}{2}$배가 된다. 현재 아들의 나이는?

① 8살 ② 9살 ③ 10살
④ 11살 ⑤ 12살

10 둘레의 길이가 4 km인 호수가 있다. 상호와 해안이가 같은 지점에서 서로 반대 방향으로 호수의 둘레를 따라 일정한 속력으로 뛰기 시작하여 상호와 해안이가 두 번째 만나는데 걸린 시간이 40분이라 한다. 상호가 해안이보다 2 km를 더 달렸을 때, 상호의 속력은?

① 시속 6 km ② 시속 6.5 km ③ 시속 7 km
④ 시속 7.5 km ⑤ 시속 8 km

11 함수 $f(x) = \frac{4}{3}x$에 대하여 $2f(3) - 6f(-2)$의 값은?

① -7 ② -10 ③ 14
④ 21 ⑤ 24

12 다음 보기에서 일차함수인 것을 모두 골라라.

◀ 보기 ▶
ㄱ. $y = 2x + 3$　　　ㄴ. $y = -x^2 + 3x - 5$
ㄷ. $y = \frac{1}{x} - 2$　　　ㄹ. $-x^2 + y = x + 4 - x^2$

13 일차함수 $y = -x + 3$의 그래프에 대한 설명으로 옳지 <u>않은</u> 것은?

① 기울기는 -1이다.
② x절편과 y절편이 같다.
③ 제3사분면을 지나지 않는다.
④ 일차함수 $y = 3x - 1$의 그래프와 평행한다.
⑤ x의 값이 증가할 때, y의 값은 감소한다.

14 일차함수 $y=f(x)$에 대하여 $f(x)=ax-2$라 할 때, $f\left(-\dfrac{1}{3}\right)=0$, $f(b)=4$를 만족한다. 이때 상수 a, b에 대하여 $a+b$의 값은?

① -7 ② -6 ③ -5
④ 5 ⑤ 7

15 일차함수 $y=\dfrac{1}{2}x-3$의 그래프의 x절편을 m, y절편을 n이라 할 때, $m+n$의 값은?

① -9 ② -6 ③ -3
④ 3 ⑤ 6

16 일차함수 $y=ax-\dfrac{b}{a}$의 그래프가 오른쪽 그림과 같을 때, 다음 중 옳은 것은?

① $a>0$, $b>0$
② $a>0$, $b<0$
③ $a<0$, $b>0$
④ $a<0$, $b<0$
⑤ $a>0$, $b=0$

17 다음 중 두 점 $(-3, 5)$, $(1, -3)$을 지나는 일차함수의 그래프의 식은?

① $y=2x-1$ ② $y=-2x-1$
③ $y=2x+1$ ④ $y=-2x+3$
⑤ $y=-2x+2$

18 그래프가 오른쪽 그림과 같은 일차함수의 식은?

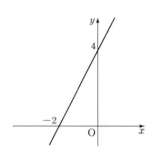

① $y=2x+2$
② $y=x+4$
③ $y=2x+4$
④ $y=x+2$
⑤ $y=-2x+4$

19 길이가 36 cm인 양초가 있다. 이 양초에 불을 붙이면 30분에 12 cm씩 짧아진다고 한다. x분 후의 남은 양초의 길이를 y cm라 할 때, 다음 물음에 답하여라.

(1) y를 x에 관한 식으로 나타내어라.
(2) 양초가 모두 다 타는 데 걸리는 시간을 구하여라.

20 일차방정식 $2x-y-4=0$의 그래프에 대한 설명 중 옳은 것을 모두 고른 것은?

> ㄱ. $y=2x-4$의 그래프와 평행하다.
> ㄴ. 제2사분면을 지나지 않는다.
> ㄷ. x절편과 y절편의 합은 4이다.
> ㄹ. x의 값이 2만큼 증가할 때, y의 값은 4만큼 증가한다.

① ㄱ, ㄴ ② ㄴ, ㄹ ③ ㄱ, ㄷ, ㄹ
④ ㄴ, ㄷ, ㄹ ⑤ ㄱ, ㄴ, ㄷ, ㄹ

21 오른쪽 그림은 연립방정식 $\begin{cases} x+y=5 \\ 3x-4y=8 \end{cases}$ 을 이루는 두 일차방정식의 그래프를 각각 나타낸 것이다. 이때 두 직선의 교점의 좌표는?

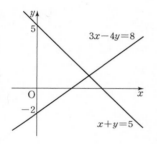

① $(4, 1)$ ② $(3, 2)$
③ $(5, 2)$ ④ $(6, 4)$
⑤ $(7, 3)$

22 연립방정식 $\begin{cases} x-y=-2 \\ -2x+ay=b \end{cases}$ 의 해가 무수히 많을 때, $y=ax+b$의 그래프가 지나지 <u>않는</u> 사분면은?

① 제1사분면 ② 제2사분면 ③ 제3사분면
④ 제4사분면 ⑤ 제1, 3사분면

23 $(2, -1)$이 연립방정식 $\begin{cases} mx-3y=7 \cdots ㉠ \\ 2x-ny=2 \cdots ㉡ \end{cases}$ 의 해가 되도록 m, n의 값을 구할 때, $m+n$의 값을 구하여라.

[7점]

24 2학년 전체 학생수가 330명인 어느 중학교에서 남학생의 $\frac{1}{5}$과 여학생의 $\frac{1}{6}$이 댄스동아리에 가입하였다. 동아리에 가입한 2학년 학생이 2학년 전체 학생의 $\frac{2}{11}$일 때, 이 학교 2학년의 남학생 수와 여학생 수의 차를 구하여라. [8점]

25 일차함수 $y=\frac{1}{2}x$의 그래프를 y축의 방향으로 a만큼 평행이동한 그래프가 세 점 $(2, 4)$, $(-4, b)$, $(c, 0)$를 지난다고 한다. 이때 $a+b+c$의 값을 구하여라. [8점]

01 x, y가 자연수일 때, 일차방정식 $4x+y=20$의 해는 모두 몇 개인가?

① 1개 　　② 2개 　　③ 3개

④ 4개 　　⑤ 5개

02 다음 일차방정식 중 $(1, 7)$, $(4, 1)$을 해로 가지는 것은?

① $2x+y-9=0$ 　　② $2x+3y-15=0$

③ $x+3y-7=0$ 　　④ $x-3y-15=0$

⑤ $3x+y-13=0$

03 일차방정식 $3x+2y=18$의 한 해가 $(k, 3)$일 때, 상수 k의 값은?

① -2 　　② -1 　　③ 1

④ 2 　　⑤ 4

04 순서쌍 $(a-1, 3-a)$가 연립방정식 $\begin{cases} -3x+y=-2 \\ 6x-by=5 \end{cases}$ 의 해일 때, 상수 a, b에 대하여 $a-b$의 값은?

① -3 　　② -1 　　③ 0

④ 1 　　⑤ 3

05 연립방정식 $\begin{cases} ax-by=5 \\ bx+ay=5 \end{cases}$ 를 잘못하여 a, b를 바꾸어 놓고 풀었더니 $x=3$, $y=1$이 되었다. 처음 연립방정식의 해를 구하여라.

06 다음 두 연립방정식이 같은 해를 가질 때, $a-b$의 값을 구하여라.

$$\begin{cases} x+y=4 \\ x+2y=a \end{cases} \qquad \begin{cases} -x+2y=2 \\ bx+2y=8 \end{cases}$$

07 연립방정식 $x+1=\dfrac{4x-y}{2}=\dfrac{4x+y}{3}$ 의 해는?

① $x=3$, $y=\dfrac{12}{5}$ 　　② $x=\dfrac{5}{3}$, $y=\dfrac{4}{3}$

③ $x=3$, $y=-\dfrac{12}{5}$ 　　④ $x=-3$, $y=-\dfrac{12}{5}$

⑤ $x=\dfrac{5}{3}$, $y=\dfrac{12}{5}$

08 연립방정식 $\begin{cases} 2(x+4)=13+x-y \\ ax-2y=11 \end{cases}$ 의 해가 일차방정식 $x=3(y-1)$을 만족할 때, 상수 a의 값을 구하여라.

09 연립방정식 $\begin{cases} x+2y=b \\ ax-4y=8 \end{cases}$ 의 해가 무수히 많을 때, $a-b$의 값은?

① 1   ② 2   ③ 3
④ 4   ⑤ 5

10 어느 미술관의 입장료가 성인은 13000원, 청소년은 7000원이다. 성인과 청소년을 합하여 14명이 입장하였을 때, 총 입장료가 122000원이었다. 이때 미술관에 입장한 성인은 몇 명입니까?

① 4명   ② 5명   ③ 6명
④ 7명   ⑤ 8명

11 다음 중 y가 x의 함수가 <u>아닌</u> 것은?

① 1자루에 300원인 볼펜 x자루의 가격 y원
② 한 변의 길이가 x cm인 정삼각형의 둘레의 길이 y cm
③ 시속 x km로 15 km를 걷는 데 걸린 시간 y시간
④ 자연수 x에 대하여 x보다 작은 소수 y
⑤ 높이가 4 cm, 밑변의 길이가 x cm인 삼각형의 넓이 y cm^2

12 함수 $f(x)=-2x-5$에 대하여 $f(-1)-f(1)$의 값은?

① -7 ② -4 ③ -1
④ 4   ⑤ 7

13 함수 $f(x)=ax-6$에 대하여 $f(2)=4$일 때, $f(-1)+f(3)$의 값은?

① -3 ② -2 ③ -1
④ 2   ⑤ 3

14 일차함수 $y=2x-3$의 그래프를 y축의 방향으로 6만큼 평행이동한 그래프는 점 $(2, k)$를 지난다. 이때 k의 값은?

① -1　　　　② 1　　　　③ 3

④ 5　　　　⑤ 7

15 일차함수 $y=-2x+3$에서 x의 값이 2에서 6까지 변할 때, y의 값의 증가량은?

① -8　　　　② -4　　　　③ -2

④ 2　　　　⑤ 4

16 일차함수 $y=ax+b$의 그래프가 오른쪽 그림과 같을 때, 일차함수 $y=-ax+b$의 그래프가 지나지 <u>않는</u> 사분면은?

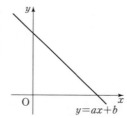

① 제1사분면
② 제2사분면
③ 제3사분면
④ 제4사분면
⑤ 제1, 3사분면

17 다음 설명 중 옳은 것은?

① 기울기가 4이고, x절편이 2인 일차함수의 그래프의 식은 $y=4x+2$이다.
② 점 $(2, 3)$을 지나고, 직선 $y=-2x+1$과 평행한 직선을 그래프로 하는 일차함수의 식은 $y=-2x+7$이다.
③ 두 점 $(0, 4)$, $(2, 0)$을 지나는 직선을 그래프로 하는 일차함수의 식은 $y=2x+4$이다.
④ x의 값이 3만큼 증가할 때, y의 값이 6만큼 감소하는 그래프는 일차함수 $y=-\dfrac{1}{2}x-1$의 그래프와 평행하다.
⑤ 일차함수 $y=-\dfrac{2}{3}x+5$의 그래프는 오른쪽 위를 향하는 직선이다.

18 점 $(3, 2)$를 지나고, $y=-x+6$의 그래프와 평행한 직선을 나타내는 일차함수의 식은?

① $y=x+5$　　② $y=-x+5$　　③ $y=-x-5$

④ $y=x-5$　　⑤ $y=-x+3$

19 다음 중 직선 $2x-3y=-6$에 대한 설명으로 옳지 <u>않은</u> 것은?

① 점 $(0, 2)$를 지난다.
② 제3사분면을 지나지 않는다.
③ x의 값이 증가할 때, y의 값도 증가한다.
④ $y=\dfrac{2}{3}x+1$의 그래프와 평행하다.
⑤ x축과 만나는 점의 x좌표는 음수이다.

20 오른쪽 그림은 일차방정식 $ax+y+b=0$의 그래프이다. 이때 a, b의 부호는?

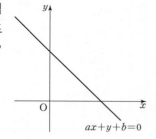

① $a<0$, $b<0$
② $a<0$, $b>0$
③ $a>0$, $b<0$
④ $a>0$, $b>0$
⑤ $a>0$, $b=0$

21 오른쪽 그림은 연립방정식 $\begin{cases} ax-y=3 \\ x+3y=5 \end{cases}$ 를 이루는 두 일차방정식의 그래프이다. 이때 상수 a의 값은?

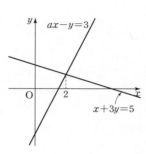

① 2   ② 1
③ -1 ④ -2
⑤ -3

22 오른쪽 그림에서 일차함수 $y=ax$의 그래프가 $\overline{AB}$와 만나도록 하는 a의 값의 범위는?

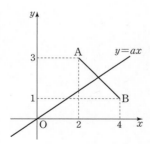

① $\dfrac{1}{2} \le a \le \dfrac{3}{2}$

② $\dfrac{1}{3} \le a \le \dfrac{3}{2}$

③ $\dfrac{1}{4} \le a \le \dfrac{1}{3}$

④ $\dfrac{1}{4} \le a \le \dfrac{3}{2}$

⑤ $\dfrac{3}{2} \le a \le 2$

서술형 문제

23 각 자리의 숫자의 합이 9인 두 자리의 자연수가 있다. 이 수의 십의 자리의 숫자와 일의 자리의 숫자를 바꾼 수는 처음 수보다 27이 더 크다고 한다. 이 자연수를 구하여라. [7점]

24 7 %의 소금물과 13 %의 소금물을 섞어서 8 %의 소금물 600 g을 만들려고 한다. 7 %의 소금물을 몇 g 섞어야 하는지 구하여라. [8점]

25 오른쪽 그림과 같은 직사각형 ABCD에서 $\overline{CD}$ 위의 점 P에 대하여 $\overline{CP}=x$ cm, $\triangle$APD의 넓이를 y cm^{2}라고 할 때,

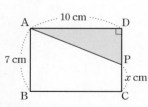

x, y 사이의 관계식을 구하고, $\triangle$APD의 넓이가 20 cm^{2}일 때의 $\overline{PD}$의 길이를 구하여라. [8점]

MEMO

새로운 개정 교육과정 반영

BEST 유형 + BEST 기출 총망라

내신 UP

중학 수학 2·1

기말고사
정답 및 해설

(주)에듀왕
www.왕수학.com

중학 수학 **2**·1 기말고사 대비

정답 & 해설

5. 연립방정식과 그 해

예제 1   답 $a \neq 3$, $b \neq -1$

주어진 식을 정리하면 $(a-3)x-(b+1)y+3=0$이므로

구하는 조건은 $a \neq 3$, $b \neq -1$

예제 2   답 $(1, 6)$, $(2, 4)$, $(3, 2)$

$x=1$일 때, $y=8-2=6$

$x=2$일 때, $y=8-4=4$

$x=3$일 때, $y=8-6=2$

$x=4$일 때, $y=8-8=0$

따라서 구하는 해는 $(1, 6)$, $(2, 4)$, $(3, 2)$이다.

예제 3   답 $x=2$, $y=2$

$x+y=4$를 만족하는 자연수 x, y의 순서쌍은 $(1, 3)$, $(2, 2)$, $(3, 1)$

$4x+y=10$을 만족하는 자연수 x, y의 순서쌍은 $(1, 6)$, $(2, 2)$

따라서 구하는 해는 $x=2$, $y=2$이다.

---

01 ④	02 ②	03 ③	04 ②	05 ②	06 ③
07 ③	08 ②	09 ②	10 ②	11 ④	
12 ②, ④	13 7, 5, 3, 1, -1 / $(7, 1)$, $(5, 2)$, $(3, 3)$, $(1, 4)$				
14 ③	15 ⑤	16 ⑤	17 ②	18 ⑤	19 ②
20 ⑤	21 ③	22 2	23 ②	24 ⑤	25 ③
26 ①	27 ①	28 ③	29 ①	30 ④	31 ①
32 ③	33 ①	34 ②	35 4	36 ③	37 ②
38 ④	39 ③	40 어른 : 2명, 어린이 : 4명			41 ③
42 ②	43 ③	44 ④	45 ③	46 ④	47 ③
48 ④	49 ④	50 ②	51 ③	52 ①	53 ⑤
54 $(-3, -4)$, $(-2, -2)$		55 ②	56 ④		
57 $x=3$, $y=3$		58 ⑤	59 ⑤		

01 ④ $3x+4=-y+5$, $3x+y-1=0$

∴ 미지수가 2개인 일차방정식

02 ② $x+2y=-x+2y+1$, $2x-1=0$

04 ② $x=5y-1$

05 ㄱ. $3x=y$, $3x-y=0$ ∴ 미지수가 2개인 일차방정식

ㄴ. $3y-2x=5$, $-2x+3y-5=0$

    ∴ 미지수가 2개인 일차방정식

ㄷ. $3(x-y)=2x-3y+4$, $3x-3y=2x-3y+4$, $x-4=0$

ㄹ. $-x(x-y)=5$, $-x^2+xy-5=0$

ㅁ. $y(y-3)=2x$, $-2x+y^2-3y=0$

ㅂ. $-2x+y=3x-6$, $-5x+y+6=0$

    ∴ 미지수가 2개인 일차방정식

따라서 구하는 개수는 ㄱ, ㄴ, ㅂ의 3개이다.

06 $-5x+2y=3$에서 $5x-2y+3=0$이므로

$a=5$, $b=-2$, $c=3$ ∴ $a+b+c=6$

07 ③ $x=\dfrac{3}{5}$, $y=-4$를 $-5x+2y=1$에 대입하면

③ $-5 \times \dfrac{3}{5}+2 \times (-4)=-3-8=-11 \neq 1$

08 각 방정식에 $x=1$, $y=3$을 대입하면

① $2-9=-7 \neq 10$ ② $-1+15=14$

③ $-4+3=-1 \neq -5$ ④ $1+6=7 \neq 4$

⑤ $5+1=6 \neq 7$

09 ① $1+8=9 \neq -6$ ② $2-8=-6$

③ $3-24=-21 \neq -6$ ④ $4-12=-8 \neq -6$

⑤ $5-56=-51 \neq -6$

10 ② $2x+3y=10$에서 $x=-2$, $y=4$를 대입하면

    $-4+12=8 \neq 10$

11 ④ $x=1$을 대입하면 $-3 \times 1+y=6$에서 $y=6-(-3)=9$이므로

    해는 $(1, 9)$이다.

12 ① $3 \times (-2)+2 \times 10=14 \neq 20$ ② $3 \times \left(-\dfrac{2}{3}\right)+2 \times 11=20$

③ $3 \times 1+2 \times 8=19 \neq 20$ ④ $3 \times 7+2 \times \left(-\dfrac{1}{2}\right)=20$

⑤ $3 \times 6+2 \times 2=22 \neq 20$

13 $x+2y=9$에서

$y=1$일 때, $x=9-2=7$, $y=2$일 때, $x=9-4=5$

$y=3$일 때, $x=9-6=3$, $y=4$일 때, $x=9-8=1$

$y=5$일 때, $x=9-10=-1$

x, y가 자연수이므로 일차방정식 $x+2y=9$의 해는

$(7, 1)$, $(5, 2)$, $(3, 3)$, $(1, 4)$이다.

14 $x=1$일 때, $y=9-3=6$

$x=2$일 때, $y=9-6=3$

$x=3$일 때, $y=9-9=0$

따라서 구하는 개수는 $(1, 6)$, $(2, 3)$의 2개이다.

15 해의 개수는 $(2, 6)$, $(4, 9)$의 2개이다.

16 (x, y)는 $(5, 0)$, $(4, 2)$, $(3, 4)$, $(2, 6)$, $(1, 8)$, $(0, 10)$이므로

모두 6개입니다.

17 ② x, y가 자연수일 때, 해는 $(1, 2)$, $(4, 1)$로 2개이다.

18 $x=2$, $y=1$을 $-3x+ay=-2$에 대입하면

$-3 \times 2+a \times 1=-2$, $-6+a=-2$ ∴ $a=4$

19 $x=3$, $y=a$를 $-x+2y=5$에 대입하면

$-3+2a=5$, $2a=8$ ∴ $a=4$

20 $x=2$, $y=2$를 대입하면 $2a-2=4$, $2a=6$, $a=3$ ∴ $3x-y=4$

$y=5$일 때, $3x-5=4$, $3x=9$ ∴ $x=3$

21 $ax+2y=15$에서 $x=-3$, $y=12$를 대입하면
$-3a+24=15$, $-3a=-9$ $\therefore a=3$
$3x+2y=15$에서 $x=3$, $y=b$를 대입하면
$9+2b=15$, $2b=6$ $\therefore b=3$

22 $x=2$, $y=a$를 $2x-3y=10$에 대입하면
$4-3a=10$, $-3a=6$ $\therefore a=-2$
$x=b$, $y=-4$를 $2x-3y=10$에 대입하면
$2b+12=10$, $2b=-2$ $\therefore b=-1$
$\therefore ab=(-2)\times(-1)=2$

23 $-x+3y=-9$에서 $x=a$, $y=-4$를 대입하면
$-a-12=-9$, $-a=3$ $\therefore a=-3$
$-x+3y=-9$에서 $x=3$, $y=b$를 대입하면
$-3+3b=-9$, $3b=-6$ $\therefore b=-2$
$-2x-3y=4$에서 $x=1$을 대입하면
$-2-3y=4$, $-3y=6$ $\therefore y=-2$

24 $2x+3y-23=0$에서 $x=k$, $y=2k-3$을 대입하면
$2k+3(2k-3)-23=0$, $8k=32$ $\therefore k=4$

25 $x=a-3$, $y=2+a$를 $4x-3y=-12$에 대입하면
$4(a-3)-3(2+a)=-12$, $4a-12-6-3a=-12$
$\therefore a=6$

26 $3x-2y=6$에서 $x=a$, $y=3a$를 대입하면
$3a-6a=6$, $-3a=6$ $\therefore a=-2$
$3x-2y=6$에서 $x=-2$, $y=b$를 대입하면
$-6-2b=6$, $-2b=12$ $\therefore b=-6$
$\therefore a+b=-8$

27 (전체 개수)$=9$(개), (전체 가격)$=3300$(원)이므로
$\begin{cases} x+y=9 \\ 300x+500y=3300 \end{cases}$

28 $\begin{cases} (\text{개의 수})+(\text{닭의 수})=10 \\ (\text{개의 다리 수})+(\text{닭의 다리 수})=26 \end{cases}$

29 $\begin{cases} (\text{맞힌 객관식 문항 수})+(\text{맞힌 주관식 문항 수})=18 \\ (\text{객관식 점수})+(\text{주관식 점수})=76 \end{cases}$

30 (공책의 개수)$+$(볼펜의 개수)$=4$이므로 $x+y=4$, $y=4-x$
(공책의 값)$+$(볼펜의 값)$=2200$이므로 $700x+400y=2200$,
$7x+4y=22$

31 150원짜리 우표와 300원짜리 우표 개수는 7개이므로
$x+y=7$, $y=7-x$
전체 우표의 가격은 $150x+300y=1800$

32 자전거와 자동차를 합하여 13대 있으므로
$x+y=13$ 즉, $y=13-x$ $\therefore a=-1$
세발자전거와 자동차의 바퀴수의 합이 45개이므로
$3x+4y=45$ $\therefore b=3$, $c=4$
$\therefore a-b+c=-1-3+4=0$

33 2점 슛 x개, 3점 슛 y개를 넣어 총 92점을 득점하였으므로
$2x+3y=92$
이때 3점 슛이 2점 슛보다 4개 더 많으므로 $y=x+4$
$\therefore x-y=-4$
$a=2$, $b=92$, $c=-4$
$\therefore a+b+c=90$

34 $\begin{cases} (\text{큰 말의 수})+(\text{조랑말의 수})=9 \\ (\text{큰 말에 탄 사람 수})+(\text{조랑말에 탄 사람 수})=12 \end{cases}$
$\therefore \begin{cases} x+y=9 \\ 2x+y=12 \end{cases}$
따라서 $a=9$, $b=2$, $c=12$이므로
$a+b-c=9+2-12=-1$

35 $a=-1$, $b=-1$, $c=2$이므로
$c-b-a=2-(-1)-(-1)=4$

36 ① $-9-12=-21\neq15$, $-12+6=-6$
② $-3+6=3\neq6$, $-6-6=-12\neq-6$
③ $-6-6=-12$, $-9+24=15$
④ $-3+6=3\neq-9$, $-6+18=12$
⑤ $-9+6=-3\neq3$, $-3-12=-15\neq-5$

37 ㉠을 만족하는 자연수 x, y의 순서쌍은 $(8, 1)$, $(5, 3)$, $(2, 5)$이고,
㉡을 만족하는 자연수 x, y의 순서쌍은 $(2, 5)$, $(6, 6)$, $(10, 7)$, $\cdots$
이다.
따라서 ㉠과 ㉡의 공통인 해는 $(2, 5)$이다.

38 $x+y=5$의 해는 $(1, 4)$, $(2, 3)$, $(3, 2)$, $(4, 1)$이고
이 중에서 $3x-y=11$을 만족하는 해는 $(4, 1)$이다.

39 각 일차방정식에 $x=-3$, $y=1$을 대입하면
① $\begin{cases} -9+4=-5 \\ -6+3=-3\neq8 \end{cases}$ ② $\begin{cases} -6+7=1\neq3 \\ 15-4=11\neq19 \end{cases}$
③ $\begin{cases} 3+5=8 \\ 9+7=16 \end{cases}$ ④ $\begin{cases} -6+5=-1\neq8 \\ 9+4=13 \end{cases}$
⑤ $\begin{cases} 12-5=7\neq3 \\ -3+5=2 \end{cases}$

40 연립방정식을 세우면 $\begin{cases} x+y=6 \\ 3000x+1500y=12000 \end{cases} \rightarrow \begin{cases} x+y=6 \\ 2x+y=8 \end{cases}$
$x+y=6$의 해는 $(0, 6)$, $(1, 5)$, $(2, 4)$, $(3, 3)$. $(4, 2)$, $(5, 1)$,
$(6, 0)$이고, $2x+y=8$의 해는 $(0, 8)$, $(1, 6)$, $(2, 4)$, $(3, 2)$, $(4, 0)$
이다.
따라서 연립방정식의 해는 $(2, 4)$이므로 어른은 2명, 어린이는 4명이
입장하였다.

41 연립방정식을 세우면 $\begin{cases} a+b=8 \\ 500a+1200b=7500 \end{cases} \rightarrow \begin{cases} a+b=8 \\ 5a+12b=75 \end{cases}$
$a+b=8$의 해는 $(0, 8)$, $(1, 7)$, $(2, 6)$, $(3, 5)$, $(4, 4)$, $(5, 3)$,
$(6, 2)$, $(7, 1)$, $(8, 0)$이고 그중에서 $5a+12b=75$를 만족하는 해는
$(3, 5)$이다.
따라서 배의 개수는 5개이다.

42 $3a+2b=20$을 만족하는 자연수인 해는 $(6, 1)$, $(4, 4)$, $(2, 7)$이므로 ab의 최댓값은 $(4, 4)$일 때이다. 즉 $a=4$, $b=4$

$$\begin{cases} 4x+4y=12 \\ -x+3y=5 \end{cases} \rightarrow \begin{cases} x+y=3 \\ -x+3y=5 \end{cases}$$

에서 $x+y=3$을 만족하는 자연수인 해는 $(1, 2)$, $(2, 1)$이고 그중에서 $-x+3y=5$를 만족하는 해는 $(1, 2)$이다.

43 ㄱ. $x=-2$, $y=1$을 $2x-y=-5$에 대입하면 $-4-1=-5$
ㄴ. $x=-2$, $y=1$을 $3x+2y=4$에 대입하면 $-6+2=-4\neq4$
ㄷ. $x=-2$, $y=1$을 $5x=-2y-8$에 대입하면
$\qquad -10=-2-8=-10$
ㄹ. $x=-2$, $y=1$을 $4x+5y+1=0$에 대입하면
$\qquad -8+5+1=-2\neq0$
따라서 $(-2, 1)$은 연립방정식 $\begin{cases} ㄱ \\ ㄷ \end{cases}$ 의 해이다.

44 $x=2$, $y=b$를 $4x+3y=-1$에 대입하면
$8+3b=-1$, $3b=-9$ $\quad \therefore b=-3$
$x=2$, $y=-3$을 $ax-2y=16$에 대입하면
$2a+6=16$, $2a=10$ $\quad \therefore a=5$
$\therefore ab=5\times(-3)=-15$

45 $x=-1$, $y=2$를 각 방정식에 대입하면
$$\begin{cases} -a+6=7 \\ 1+2b=5 \end{cases} \quad \therefore a=-1, b=2$$
$\therefore a+b=-1+2=1$

46 ㄱ. $x=a$, $y=b$를 대입하면 $b=7a-9$ $\quad \therefore 7a-b=9$
ㄴ. $x=a$, $y=b$를 대입하면 $3a=-5b-7$ $\quad \therefore 3a+5b=-7$
ㄹ. 연립방정식의 해는 $x=1$, $y=-2$이다.

47 $x=a$, $y=1$을 $-2x+3y=5$에 대입하면
$-2a+3=5$ $\quad \therefore a=-1$
$x=-1$, $y=1$을 $bx+4y=1$에 대입하면
$-b+4=1$ $\quad \therefore b=3$
$\therefore a-b=-4$

48 $x=b$, $y=1$을 $-x-3y=-7$에 대입하면
$-b-3=-7$, $-b=-4$ $\quad \therefore b=4$
$x=4$, $y=1$을 $ax+y=9$에 대입하면
$4a+1=9$, $4a=8$ $\quad \therefore a=2$
$\therefore a+2b=2+8=10$

49 $y=-3$을 $3x+2y=3$에 대입하면
$3x-6=3$, $3x=9$ $\quad \therefore x=3$
$x=3$, $y=-3$을 $7x-a=-3y+8$에 대입하면
$21-a=9+8$ $\quad \therefore a=4$

50 $x=3$을 $4x-2y=8$에 대입하면 $12-2y=8$, $-2y=-4$
$\qquad \therefore y=2$
$x=3$, $y=2$를 $3x-a=12-ay$에 대입하면
$9-a=12-2a$
$\therefore a=3$

51 $x=2$, $y=a$를 $2x-y=4$에 대입하면
$4-a=4$ $\quad \therefore a=0$
$x=2$, $y=0$을 $bx-2y=6$에 대입하면 $2b=6$ $\quad \therefore b=3$
$x=d$, $y=-1$을 $5x+2y=8$에 대입하면 $5d-2=8$,
$5d=10$ $\quad \therefore d=2$
$x=2$, $y=-1$을 $cx+3y=-11$에 대입하면
$2c-3=-11$, $2c=-8$ $\quad \therefore c=-4$
$\therefore a+b+c+d=0+3+(-4)+2=1$

52 $x=b$, $y=2b$를 $4x+3y-20=0$에 대입하면
$4b+6b-20=0$, $10b-20=0$ $\quad \therefore b=2$
$x=2$, $y=4$를 $2x+y-4a=0$에 대입하면
$4+4-4a=0$ $\quad \therefore a=2$
$\therefore a+b=2+2=4$

53 $x=k$, $y=-2k$를 $-2x+y=4$에 대입하면
$-2k-2k=4$, $-4k=4$ $\quad \therefore k=-1$
$y=-1$을 $x-2y=10$에 대입하면
$x+2=10$ $\quad \therefore x=8$
$x=8$, $y=-1$을 $4x+7y=a$에 대입하면
$32-7=a$ $\quad \therefore a=25$

54 x, y는 $|x|\leq4$, $|y|\leq4$를 만족하는 정수이므로
일차방정식 $2x-y+2=0$의 해는
$(-3, -4)$, $(-2, -2)$, $(-1, 0)$, $(0, 2)$, $(1, 4)$이다.
따라서 이 중 $x\geq y$인 것은 $(-3, -4)$, $(-2, -2)$이다.

55 주어진 일차방정식을 정리하면 $\dfrac{1}{3}x-\dfrac{10}{9}y=\dfrac{7}{3}$이므로
$x=a$, $y=-3$을 대입하면 $\dfrac{1}{3}a+\dfrac{10}{3}=\dfrac{7}{3}$, $\dfrac{1}{3}a=-1$
$\therefore a=-3$

56 주어진 조건에서 $(10A+B)-(20+A)=10B+A$
이것을 정리하면 $8A-9B=20$
이때 A, B는 한 자리의 자연수이므로 $A=7$, $B=4$
$\therefore A-B=3$

57 연립방정식을 세우면
$$\begin{cases} 2+x+y=8 \\ 2\times500+1000x+800y=10000-3600 \end{cases} \rightarrow \begin{cases} x+y=6 \\ 5x+4y=27 \end{cases}$$
$x+y=6$의 해는 $(0, 6)$, $(1, 5)$, $(2, 4)$, $(3, 3)$, $(4, 2)$, $(5, 1)$,
$(6, 0)$이고, $5x+4y=27$의 해는 $(3, 3)$이다.
따라서 연립방정식의 해는 $(3, 3)$이므로 $x=3$, $y=3$

58 x, y가 자연수일 때,
연립방정식 $\begin{cases} x+2y=5 \\ 2x+y=7 \end{cases}$ 의 해가 $x=a$, $y=b$이다.
x, y가 자연수일 때, 일차방정식 $x+2y=5$의 해는 $(1, 2)$, $(3, 1)$이고, 일차방정식 $2x+y=7$의 해는 $(1, 5)$, $(2, 3)$, $(3, 1)$이므로
주어진 연립방정식의 해는 $(3, 1)$이다.
$x=3$, $y=1$을 $2x-5y=k$에 대입하면 $k=6-5=1$
따라서 $a=3$, $b=1$, $k=1$이므로 $a+b+k=5$

59 x, y가 자연수일 때,

연립방정식 $\begin{cases} 2x+y=11 \\ x+3y=13 \end{cases}$ 의 해가 $x=a$ $y=b$이다.

x, y가 자연수일 때, 일차방정식 $2x+y=11$의 해는 $(1, 9)$, $(2, 7)$, $(3, 5)$, $(4, 3)$, $(5, 1)$이고, 일차방정식 $x+3y=13$의 해는 $(1, 4)$, $(4, 3)$, $(7, 2)$, $(10, 1)$이므로 주어진 연립방정식의 해는 $(4, 3)$이다.

$x=4$, $y=3$을 $3x+ky=6$에 대입하면 $12+3k=6$, $3k=-6$

$\therefore k=-2$

따라서 $a=4$, $b=3$. $k=-2$이므로 $a-b-k=4-3+2=3$

학교 시험 100점맞기

16쪽~19쪽

01 ⑤	02 ②	03 ②	04 ①	05 ②	06 ②
07 ④	08 ①	09 ⑤	10 ⑤	11 ③	12 ③

13 2, 6, -1, 4, 3 / 당신이 원하는 것을 할 때 당신은 성공한 것이다.   14 ④   15 ⑤   16 ⑤   17 ②   18 ①

19 0	20 ⑤	21 ③	22 4	23 $x=4$, $y=1$
24 25	25 5			

01 ⑤ xy항이 있으므로 두 미지수 x, y에 관한 일차방정식이 아니다.

02 ② $x=-1$, $y=-\dfrac{5}{2}$ 를 $3x-2y=4$에 대입하면

$-3+5=2\neq4$

03 ① $4+9=13\neq12$ ② $-2+15=13$

③ $-8+3=-5\neq-6$ ④ $2+3=5\neq6$

⑤ $10+1=11\neq7$

04 $x=-5$, $y=2$를 $2x-3y-k=0$에 대입하면

$-10-6-k=0$ $\therefore k=-16$

05 (x, y)는 $(0, 6)$, $(4, 3)$, $(8, 0)$이므로 모두 3개입니다.

06 ② x, y가 자연수일 때, 해는 $(1, 2)$이므로 1개이다.

07 ① $8+0=8\neq4$ ② $4+1=5\neq4$ ③ $0+2=2\neq4$

④ $2+2=4$ ⑤ $2+3=5\neq4$

08 $x=-3$, $y=5$를 $x+ay+8=0$에 대입하면

$-3+5a+8=0$ $\therefore a=-1$

$y=4$를 $x-y+8=0$에 대입하면

$x-4+8=0$ $\therefore x=-4$

09 $x=2$, $y=a$를 $-3x+2y=6$에 대입하면

$-6+2a=6$ $\therefore a=6$

$x=b$, $y=6$을 $-3x+2y=6$에 대입하면

$-3b+12=6$ $\therefore b=2$

$\therefore a+b=6+2=8$

10 ① $4+2=6\neq-3$, $12+4=16\neq7$

② $12-4=8\neq3$, $16-6=10\neq9$

③ $4\neq4+5=9$, $16-10=6$

④ $12+14=26\neq9$, $8+10=18\neq7$

⑤ $-2=-6+4=-2$, $16-10=6$

11 $x=-3$, $y=-1$을 각 방정식에 대입하면

$\begin{cases} -3a+3=-3 \\ -3-b=-10 \end{cases}$

$-3a+3=-3$ $\therefore a=2$

$-3-b=-10$ $\therefore b=7$

$\therefore a-b=2-7=-5$

12 $x+y=7$의 해는 $(1, 6)$, $(2, 5)$, $(3, 4)$, $(4, 3)$, $(5, 2)$, $(6, 1)$이고 이 중에서 $-4x+5y=8$을 만족하는 해는 $(3, 4)$이다.

14 $x=-3$, $y=b$를 $-2x+y=4$에 대입하면

$6+b=4$ $\therefore b=-2$

$x=-3$, $y=-2$를 $7x+ay=-13$에 대입하면

$-21-2a=-13$, $-2a=8$ $\therefore a=-4$

$\therefore ab=8$

15 $x=a-2$, $y=5-a$를 $-5x+6y=-15$에 대입하면

$-5(a-2)+6(5-a)=-15$,

$-5a+10+30-6a=-15$

$-11a=-55$ $\therefore a=5$

16 ⑤ $4x+3y=12$의 해를 구하면

x	3	2	1	0
y	0	$\dfrac{4}{3}$	$\dfrac{8}{3}$	4

따라서 x, y가 자연수일 때는 해가 없다.

17 $x=b$, $y=3b$를 $5x-4y-7=0$에 대입하면

$5b-12b-7=0$, $-7b=7$ $\therefore b=-1$

$x=-1$, $y=-3$을 $3x+2y+3a=0$에 대입하면

$-3-6+3a=0$, $3a=9$ $\therefore a=3$

$\therefore b-a=-1-3=-4$

18 전체 소금물의 양은 $x+y=900$이다.

(소금의 양)$=\dfrac{(농도)}{100}\times$(소금물의 양)이므로

$\dfrac{6}{100}\times x+\dfrac{15}{100}\times y=\dfrac{10}{100}\times900$

$\therefore \begin{cases} x+y=900 \\ 2x+5y=3000 \end{cases}$

19 민정이는 계수 b를 바로 보았으므로

$x=3$, $y=-2$를 $bx-y=5$에 대입하면

$3b+2=5$, $b=1$

진희는 상수항 a를 바로 보았으므로

$x=4$, $y=3$을 $-x+y=a$에 대입하면

$-4+3=a$, $a=-1$ $\therefore a+b=-1+1=0$

20 $(x-2)\odot(y+1)=3(x-2)+4(y+1)=18$

$\therefore 3x+4y=20$

x, y가 자연수이므로 $3x+4y=20$의 해는 $(4, 2)$이다.

따라서 $m=4, n=2$이므로 $mn=4\times2=8$

21 x, y가 자연수일 때, 연립방정식 $\begin{cases} x+y=6 \\ x+2y=8 \end{cases}$의 해가

$x=a, y=b$이다.

x, y가 자연수일 때, 일차방정식 $x+y=6$의 해는 $(1, 5)$, $(2, 4)$,

$(3, 3)$, $(4, 2)$, $(5, 1)$이고, 일차방정식 $x+2y=8$의 해는 $(2, 3)$,

$(4, 2)$, $(6, 1)$이므로 주어진 연립방정식의 해는 $(4, 2)$이다.

$x=4, y=2$를 $2x-7y=k$에 대입하면 $k=8-14=-6$

따라서 $a=4, b=2, k=-6$이므로 $a+b+k=0$

22 (1단계) $x=1, y=2$를 $ax+3y=7$에 대입하면

$\quad\quad a+6=7 \quad \therefore a=1$

(2단계) $x=-2, y=b$를 $x+3y=7$에 대입하면

$\quad\quad -2+3b=7, 3b=9 \quad \therefore b=3$

(3단계) $a+b=1+3=4$

23 (1단계) $(1, 4)$, $(2, 3)$, $(3, 2)$, $(4, 1)$

(2단계) $(1, 7)$, $(2, 5)$, $(3, 3)$, $(4, 1)$

(3단계) 공통인 해는 $(4, 1)$이므로 주어진 연립방정식의 해는

$\quad\quad x=4, y=1$이다.

24 연립방정식을 세우면 $\begin{cases} x+y=7 \\ 3x+2y=16 \end{cases}$이므로 $\quad\quad$ ……❶

$a=7, b=2, c=16 \quad\quad$ ……❷

$\therefore a+b+c=7+2+16=25 \quad\quad$ ……❸

채점 기준	배점
❶ 연립방정식 세우기	3점
❷ a, b, c의 값 구하기	3점
❸ $a+b+c$의 값 구하기	1점

25 $x=2, y=-2$를 각 방정식에 대입하면 $\begin{cases} 2\times2+2a=6 \\ 3\times2-2=b \end{cases}$

$2a=6-4, a=1 \quad\quad$ ……❶

$6-2=b, b=4 \quad\quad$ ……❷

$\therefore a+b=5 \quad\quad$ ……❸

채점 기준	배점
❶ a의 값 구하기	3점
❷ b의 값 구하기	3점
❸ $a+b$의 값 구하기	1점

6. 연립방정식의 풀이와 활용

시험에 꼭 나오는 핵심개념
20쪽~21쪽

예제 **1** 답 $x=-1, y=3$

㉠$\times4-$㉡을 하면 $5y=15 \quad \therefore y=3$

$y=3$을 ㉠에 대입하면 $x+6=5 \quad \therefore x=-1$

$\therefore x=-1, y=3$

예제 **2** 답 $x=-2, y=5$

㉡에서 $y=x+7 \cdots$㉢

㉢을 ㉠에 대입하면 $2x+x+7=1, 3x=-6 \quad \therefore x=-2$

$x=-2$를 ㉢에 대입하면 $y=-2+7=5$

$\therefore x=-2, y=5$

예제 **3** 답 (1) $x=3, y=-1$ (2) $x=1, y=2$

(1) $\begin{cases} x+4y=-1 \\ 2(x-2)+y=1 \end{cases} \rightarrow \begin{cases} x+4y=-1 \cdots ㉠ \\ 2x+y=5 \cdots ㉡ \end{cases}$

㉠$\times2-$㉡을 하면 $7y=-7 \quad \therefore y=-1$

$y=-1$을 ㉠에 대입하면

$x-4=-1 \quad \therefore x=3$

$\therefore x=3, y=-1$

(2) $\begin{cases} 0.4x-0.3y=-0.2 \\ \dfrac{1}{2}x+\dfrac{2}{3}y=\dfrac{11}{6} \end{cases} \rightarrow \begin{cases} 4x-3y=-2 \cdots ㉠ \\ 3x+4y=11 \cdots ㉡ \end{cases}$

㉠$\times4+$㉡$\times3$을 하면 $25x=25 \quad \therefore x=1$

$x=1$을 ㉡에 대입하면 $3+4y=11, 4y=8 \quad \therefore y=2$

$\therefore x=1, y=2$

예제 **4** 답 $x=2, y=4$

$-3x+5y=-x+4y=14 \rightarrow \begin{cases} -3x+5y=14 \cdots ㉠ \\ -x+4y=14 \cdots ㉡ \end{cases}$

㉠$-$㉡$\times3$을 하면 $-7y=-28 \quad \therefore y=4$

$y=4$를 ㉡에 대입하면 $-x+16=14 \quad \therefore x=2$

$\therefore x=2, y=4$

예제 **5** 답 (1) 2 (2) $a\neq6, b=-6$

(1) $\begin{cases} 2x+y=6 \\ 4x+ay=12 \end{cases} \rightarrow \begin{cases} 4x+2y=12 \\ 4x+ay=12 \end{cases}$

$\therefore a=2$

(2) $\begin{cases} 3x-2y=a \\ 9x+by=18 \end{cases} \rightarrow \begin{cases} 9x-6y=3a \\ 9x+by=18 \end{cases}$

$-6=b, 3a\neq18 \quad \therefore a\neq6, b=-6$

예제 **6** 답 $x=8, y=9$

연립방정식을 세우면

$\begin{cases} x+y=17 \\ 2x=y+7 \end{cases} \rightarrow \begin{cases} x+y=17 \cdots ㉠ \\ 2x-y=7 \cdots ㉡ \end{cases}$

㉠$+$㉡을 하면 $3x=24 \quad \therefore x=8$

$x=8$을 ㉠에 대입하면 $8+y=17 \quad \therefore y=9$

$\therefore x=8, y=9$

예제 7 **달** 9 km

올라간 거리를 x km, 내려온 거리를 y km라 하면

$\begin{cases} y=x+3 \\ \dfrac{x}{2}+\dfrac{y}{3}=6 \end{cases} \rightarrow \begin{cases} y=x+3 & \cdots \text{㉠} \\ 3x+2y=36 & \cdots \text{㉡} \end{cases}$

㉠을 ㉡에 대입하여 풀면 $x=6$

$x=6$을 ㉠에 대입하면 $y=9$

따라서 내려온 거리는 9 km이다.

유형 격파 ★ 기출 문제　　　　　　**22쪽~35쪽**

01 ③	02 ④	03 $x=3, y=-2$	04 ①	05 2
06 ②	07 $2x+1, -3, -2, -2, -3, -2, -3$			08 -21
09 ②	10 ④	11 ③	12 5	13 ①	14 ④
15 ④	16 5	17 ⑤	18 ①	19 ③	20 ③
21 ④	22 3	23 ④	24 ①		
25 $a=-\dfrac{1}{5}, b=-\dfrac{8}{5}$ 26 0		27 ②	28 $x=\dfrac{11}{5}, y=\dfrac{2}{5}$		
29 11	30 ①	31 ④	32 $x=3, y=-1$	33 ⑤
34 ⑤	35 ②	36 ④	37 ⑤	38 $x=2, y=\dfrac{1}{2}$
39 ②	40 ②	41 ②	42 ④	43 ③	44 $\dfrac{2}{3}$
45 5	46 $x=-1, y=-2$	47 ②	48 ①	49 ③
50 ②	51 ②	52 ④	53 ⑤	54 ⑤	55 ④
56 ⑤	57 15	58 240	59 ③	60 34	61 85
62 $a=5, b=2$	63 1500원		64 700원	65 4
66 닭 : 10마리, 개 : 6마리		67 11대	68 16대
69 형 : 19살, 동생 : 16살		70 47살	71 ④
72 A : 6일, B : 4일	73 ②	74 ⑤		75 21 km
76 ③	77 ②	78 분속 180 m	79 ②
80 강물 : 시속 2.5 km, 보트 : 시속 7.5 km	81 ⑤		82 ⑤
83 ④	84 16회	85 15회	86 400 g	87 25 g	88 ⑤
89 520명	90 ②	91 A : 408000원, B : 312000원		
92 분속 500 m	93 ②	94 ④		
95 A : 15 kg, B : 30 kg		96 ③	97 400 g

01 ㉠+㉡×2를 하면 $7x=-14$

$\therefore x=-2$

$x=-2$를 ㉠에 대입하면

$-6+2y=-4$　$\therefore y=1$

02 ㉠×3−㉡×2를 하면 $17y=51$이 되어 x가 없어진다.

03 $\begin{cases} 5x+4y=7 \\ 3x-2y=13 \end{cases} \rightarrow \begin{cases} 5x+4y=7 \\ 6x-4y=26 \end{cases}$

각 변을 더하면 $11x=33$　$\therefore x=3$

$x=3$을 $3x-2y=13$에 대입하면

$9-2y=13$　$\therefore y=-2$

04 $\begin{cases} 5x+3y=7 \\ x-y=3 \end{cases} \rightarrow \begin{cases} 5x+3y=7 \\ 3x-3y=9 \end{cases}$

각 변을 더하면 $8x=16$

$\therefore x=2$

$x=2$를 $x-y=3$에 대입하면 $y=-1$

따라서 $a=2, b=-1$이므로 $ab=-2$

05 $\begin{cases} 6x-5y=11 \\ 2x+3y=-1 \end{cases} \rightarrow \begin{cases} 6x-5y=11 \\ 6x+9y=-3 \end{cases}$

각 변을 빼면 $-14y=14$

$\therefore y=-1$

$y=-1$을 $2x+3y=-1$에 대입하면 $x=1$

따라서 $a=1, b=-1$이므로 $a-b=2$

06 $x+2y=8$에서 $x=8-2y$이므로

$x=8-2y$를 $2x+3y=14$에 대입하면

$2(8-2y)+3y=14, 16-4y+3y=14$　$\therefore y=2$

$y=2$를 $x=8-2y$에 대입하면 $x=4$

07 ㉠을 ㉡에 대입하면

$x-2(2x+1)=4, -3x-2=4$

$\therefore x=-2 \cdots ㉢$

㉢을 ㉠에 대입하면 $y=2\times(-2)+1=-3$

따라서 연립방정식의 해는 $x=-2, y=-3$

08 $2(13-3y)-y=5, 26-6y-y=5$,

$-7y=-21$　$\therefore a=-21$

09 $2x=3+y$를 $2x-3y=7$에 대입하면

$3+y-3y=7, -2y=4$　$\therefore y=-2$

$y=-2$를 $2x=3+y$에 대입하면 $x=\dfrac{1}{2}$　$\left(\dfrac{1}{2}, -2\right)$

10 $3y=2-4x$를 $6x+3y=4$에 대입하면

$6x+2-4x=4, 2x=2$　$\therefore x=1$

$x=1$을 $3y=2-4x$에 대입하면

$3y=-2$　$\therefore y=-\dfrac{2}{3}$

$\therefore \left(1, -\dfrac{2}{3}\right)$

11 $x=1, y=2$를 각 방정식에 대입하여 정리하면 $\begin{cases} a+2b=1 & \cdots ㉠ \\ -2a+b=3 & \cdots ㉡ \end{cases}$

㉠×2+㉡을 하면 $5b=5$　$\therefore b=1$

$b=1$을 ㉠에 대입하면 $a=-1$　$\therefore a+b=0$

12 $x=-1, y=5$를 각 방정식에 대입하여 정리하면

$\begin{cases} -a+5b=7 & \cdots ㉠ \\ 5a-b=13 & \cdots ㉡ \end{cases}$

㉠×5+㉡을 하면 $24b=48$　$\therefore b=2$

$b=2$를 ㉠에 대입하면 $a=3$　$\therefore a+b=5$

13 $x=3$, $y=-4$를 각 방정식에 대입하여 정리하면

$$\begin{cases} 3a-4b=1 & \cdots \text{㉠} \\ 4a+6b=24 & \cdots \text{㉡} \end{cases}$$

㉠$\times 4-$㉡$\times 3$을 하면 $-34b=-68$ ∴ $b=2$

$b=2$를 ㉠에 대입하면 $a=3$ ∴ $a-b=1$

14 $x=2$, $y=4$를 각 방정식에 대입하여 정리하면 $\begin{cases} 4a-2b=-2 & \cdots \text{㉠} \\ 4a+2b=10 & \cdots \text{㉡} \end{cases}$

㉠$+$㉡을 하면 $8a=8$ ∴ $a=1$

$a=1$을 ㉠에 대입하면 $b=3$ ∴ $a+b=4$

15 $x=-1$, $y=b$를 각 방정식에 대입하여 정리하면 $\begin{cases} -a+b=1 & \cdots \text{㉠} \\ a+b=-5 & \cdots \text{㉡} \end{cases}$

㉠$+$㉡을 하면 $2b=-4$ ∴ $b=-2$

$b=-2$를 ㉡에 대입하면 $a=-3$ ∴ $ab=6$

16 $x=1$, $y=3$을 각 방정식에 대입하여 정리하면 $\begin{cases} a-b=-3 & \cdots \text{㉠} \\ -3a+b=1 & \cdots \text{㉡} \end{cases}$

㉠$+$㉡을 하면 $-2a=-2$ ∴ $a=1$

$a=1$을 ㉠에 대입하면 $b=4$ ∴ $a+b=5$

17 $x=3$, $y=-2$를 각 방정식에 대입하여 정리하면

$$\begin{cases} 4a-3b=5 & \cdots \text{㉠} \\ -2a+3b=-13 & \cdots \text{㉡} \end{cases}$$

㉠$+$㉡을 하면 $2a=-8$ ∴ $a=-4$

$a=-4$를 ㉠에 대입하면 $b=-7$ ∴ $ab=28$

18 x의 값이 y의 값의 2배이므로 $x=2y$

$$\begin{cases} 6x+3y=-15 \\ x=2y \end{cases}$$ 를 풀면 $x=-2$, $y=-1$

$x=-2$, $y=-1$을 ㉡에 대입하면

$-2+4=a$ ∴ $a=2$

19 y의 값이 x의 값의 3배이므로 $y=3x$

$$\begin{cases} y=3x \\ 5x-2y=-1 \end{cases}$$ 을 풀면 $x=1$, $y=3$

$x=1$, $y=3$을 ㉠에 대입하면

$6+3a=18$, $3a=12$ ∴ $a=4$

20 $\begin{cases} x+5y=-7 \\ 2x-3y=-1 \end{cases}$ 을 풀면 $x=-2$, $y=-1$

$x=-2$, $y=-1$을 $ax-4y=5$에 대입하면

$-2a+4=5$ ∴ $a=-\dfrac{1}{2}$

21 $\begin{cases} -x+y=1 \\ 2x+y=4 \end{cases}$ 를 풀면 $x=1$, $y=2$

$x=1$, $y=2$를 $3x+ay=5$에 대입하면

$3+2a=5$ ∴ $a=1$

22 $\begin{cases} 4x+5y=2 \\ 2x+7y=10 \end{cases}$ 을 풀면 $x=-2$, $y=2$

$x=-2$, $y=2$를 $ax+10y=14$에 대입하면

$-2a+20=14$ ∴ $a=3$

23 $\begin{cases} x+3y=11 \\ 2x-3y=-5 \end{cases}$ 를 풀면 $x=2$, $y=3$이므로

이것을 나머지 두 방정식에 대입하여 연립방정식을 만들면

$$\begin{cases} 2a+3b=-4 \\ 2a-6b=5 \end{cases}$$ 이다.

따라서 연립방정식을 풀면 $a=-\dfrac{1}{2}$, $b=-1$

24 $\begin{cases} 2x-y=7 \\ 3x+3y=-12 \end{cases}$ 를 풀면 $x=1$, $y=-5$

$x=1$, $y=-5$를 $x+2y=a$, $4x+by=-1$에 각각 대입하면

$a=-9$, $b=1$ ∴ $ab=-9$

25 $\begin{cases} 3x+2y=-1 \\ 3x+y=1 \end{cases}$ 을 풀면 $x=1$, $y=-2$이므로

이것을 나머지 두 방정식에 대입하여 연립방정식을 만들면

$$\begin{cases} a-2b=3 \\ 2a+b=-2 \end{cases}$$ 이다.

따라서 연립방정식을 풀면 $a=-\dfrac{1}{5}$, $b=-\dfrac{8}{5}$

26 $\begin{cases} 6x-y=9 \\ 5x-y=7 \end{cases}$ 을 풀면 $x=2$, $y=3$이므로

이것을 나머지 두 방정식에 대입하여

연립방정식을 만들면 $\begin{cases} 4a+9b=-5 \\ 2a+15b=-13 \end{cases}$ 이다.

따라서 연립방정식을 풀면 $a=1$, $b=-1$이므로

$a+b=0$

27 a, b를 바꾸면 $\begin{cases} bx+ay=1 \\ ax+by=-5 \end{cases}$ 이므로

$x=3$, $y=1$을 대입하면 $\begin{cases} a+3b=1 \\ 3a+b=-5 \end{cases}$

연립방정식을 풀면 $a=-2$, $b=1$

∴ $a+b=-2+1=-1$

28 a, b를 바꾸면 $\begin{cases} bx-ay=2 \\ ax+by=14 \end{cases}$ 이므로

$x=1$, $y=2$를 대입하면 $\begin{cases} -2a+b=2 \\ a+2b=14 \end{cases}$

연립방정식을 풀면 $a=2$, $b=6$

따라서 처음 연립방정식은 $\begin{cases} 2x-6y=2 \\ 6x+2y=14 \end{cases}$ 이므로

연립방정식을 풀면 $x=\dfrac{11}{5}$, $y=\dfrac{2}{5}$

29 $y=-3$을 ㉡에 대입하면

$2x-3=7$, $2x=10$ ∴ $x=5$

㉠의 상수항 1을 a로 잘못 보았으므로 $x-2y=a$

$x=5$, $y=-3$을 $x-2y=a$에 대입하면 $a=11$

30 $3x-y=2$를 바르게 보고 푼 것이므로 $x=3$을 대입하면 $y=7$
$2x+3y=-8$에서 3을 p로 잘못 보았다고 하면 $2x+py=-8$
$x=3$, $y=7$을 대입하면 $6+7p=-8$ $\therefore p=-2$
따라서 y의 계수 3을 -2로 잘못 보고 푼 것이다.

31 $\begin{cases} x-4+4(y-2)=8 \\ 3(x+3)-2y=13 \end{cases} \rightarrow \begin{cases} x+4y=20 & \cdots \text{㉠} \\ 3x-2y=4 & \cdots \text{㉡} \end{cases}$
㉠$+$㉡$\times 2$를 하면 $7x=28$ $\therefore x=4$
$x=4$를 ㉡에 대입하면 $y=4$

32 $\begin{cases} 3x-4(x+2y)=5 \\ 2(x-y)=3-5y \end{cases} \rightarrow \begin{cases} 3x-4x-8y=5 \\ 2x-2y=3-5y \end{cases}$
$\rightarrow \begin{cases} -x-8y=5 & \cdots \text{㉠} \\ 2x+3y=3 & \cdots \text{㉡} \end{cases}$
㉠$\times 2+$㉡을 하면 $y=-1$
$y=-1$을 ㉠에 대입하면 $x=3$

33 $\begin{cases} 8x+4y-9y=7 \\ 3x-2x-2y=5 \end{cases} \rightarrow \begin{cases} 8x-5y=7 & \cdots \text{㉠} \\ x-2y=5 & \cdots \text{㉡} \end{cases}$
㉠$-$㉡$\times 8$을 하면 $11y=-33$, $y=-3$
$y=-3$을 ㉡에 대입하면 $x=-1$
따라서 $a=-1$, $b=-3$이므로 $a+b=-4$

34 $\begin{cases} 5x=3(x-y) \\ 4x=5(x+y)+7 \end{cases} \rightarrow \begin{cases} 2x+3y=0 & \cdots \text{㉠} \\ -x-5y=7 & \cdots \text{㉡} \end{cases}$
㉠$+$㉡$\times 2$를 하면 $-7y=14$, $y=-2$
$y=-2$를 ㉡에 대입하면
$-x+10=7$, $x=3$ $\therefore a=3$, $b=-2$
$\therefore a-b=5$

35 $\begin{cases} \dfrac{3}{4}x-\dfrac{3}{2}y=\dfrac{21}{4} \\ 3x-2(x-y)=-1 \end{cases} \rightarrow \begin{cases} 3x-6y=21 \\ 3x-2x+2y=-1 \end{cases}$
$\rightarrow \begin{cases} x-2y=7 & \cdots \text{㉠} \\ x+2y=-1 & \cdots \text{㉡} \end{cases}$
㉠$+$㉡을 하면 $x=3$
$x=3$을 ㉠에 대입하면 $y=-2$

36 $\begin{cases} 5x-2(3x-y)=-4 \\ \dfrac{x}{6}-\dfrac{2}{9}y=1 \end{cases} \rightarrow \begin{cases} 5x-6x+2y=-4 \\ 3x-4y=18 \end{cases}$
$\rightarrow \begin{cases} -x+2y=-4 & \cdots \text{㉠} \\ 3x-4y=18 & \cdots \text{㉡} \end{cases}$
㉠$\times 2+$㉡을 하면 $x=10$이므로 $a=10$
$x=10$을 ㉠에 대입하면 $y=3$이므로 $b=3$
$\therefore a+b=13$

37 $\begin{cases} \dfrac{2}{3}x-\dfrac{y-3}{4}=5 \\ \dfrac{5}{3}x-\dfrac{y}{2}=\dfrac{21}{2} \end{cases} \rightarrow \begin{cases} 8x-3y+9=60 \\ 10x-3y=63 \end{cases} \rightarrow \begin{cases} 8x-3y=51 & \cdots \text{㉠} \\ 10x-3y=63 & \cdots \text{㉡} \end{cases}$
㉠$-$㉡을 하면 $-2x=-12$, $x=6$
$x=6$을 ㉠에 대입하면 $y=-1$ $\therefore a=6$, $b=-1$
$\therefore a-b=7$

38 $\begin{cases} 0.03x-0.02y=0.05 \\ 0.1x+0.2y=0.3 \end{cases} \rightarrow \begin{cases} 3x-2y=5 & \cdots \text{㉠} \\ x+2y=3 & \cdots \text{㉡} \end{cases}$
㉠$+$㉡을 하면 $x=2$
$x=2$를 ㉡에 대입하면 $y=\dfrac{1}{2}$

39 $\begin{cases} 0.02x+0.05y=0.06 \\ 0.2x+y=1.6 \end{cases} \rightarrow \begin{cases} 2x+5y=6 & \cdots \text{㉠} \\ 2x+10y=16 & \cdots \text{㉡} \end{cases}$
㉠$-$㉡을 하면 $-5y=-10$, $y=2$
$y=2$를 ㉠에 대입하면 $x=-2$
$\therefore x+y=-2+2=0$

40 $\begin{cases} 0.6x-0.8y=-2.6 \\ -0.25x+0.75y=1.5 \end{cases} \rightarrow \begin{cases} 6x-8y=-26 \\ -25x+75y=150 \end{cases}$
$\rightarrow \begin{cases} 3x-4y=-13 & \cdots \text{㉠} \\ -x+3y=6 & \cdots \text{㉡} \end{cases}$
㉠$+$㉡$\times 3$을 하면 $y=1$
$y=1$을 ㉡에 대입하면 $x=-3$
따라서 $x+3y=0$

41 $\begin{cases} 0.3x-y=1.9 \\ 0.5\dot{x}+1.\dot{3}y=0.\dot{3} \end{cases} \rightarrow \begin{cases} 3x-10y=19 \\ \dfrac{5}{9}x+\dfrac{12}{9}y=\dfrac{3}{9} \end{cases}$
$\rightarrow \begin{cases} 3x-10y=19 & \cdots \text{㉠} \\ 5x+12y=3 & \cdots \text{㉡} \end{cases}$
㉠$\times 5-$㉡$\times 3$을 하면 $y=-1$
$y=-1$을 ㉠에 대입하면 $x=3$
따라서 $a=3$, $b=-1$이므로 $ab^3=3\times(-1)^3=-3$

42 x와 y의 값의 비가 $2:1$이므로 $x:y=2:1$, $x=2y$
$\begin{cases} x=2y & \cdots \text{㉠} \\ \dfrac{x}{2}+y=12 & \cdots \text{㉡} \end{cases}$
㉠을 ㉡에 대입하면 $\dfrac{2y}{2}+y=12$ $\therefore y=6$
$y=6$을 ㉠에 대입하면 $x=12$
$\therefore x+y=12+6=18$

43 $(x-1):(y+1)=5:3$이므로
$5(y+1)=3(x-1)$, $-3x+5y=-8$
$\begin{cases} -3x+5y=-8 & \cdots \text{㉠} \\ 2x-3y=6 & \cdots \text{㉡} \end{cases}$
㉠$\times 2+$㉡$\times 3$을 하면 $y=2$
$y=2$를 ㉡에 대입하면 $x=6$

44 x와 y의 값의 비가 $1:3$이므로 $x:y=1:3$, $y=3x$
$\begin{cases} y=3x & \cdots \text{㉠} \\ 2x+y=10 & \cdots \text{㉡} \end{cases}$
㉠을 ㉡에 대입하면 $x=2$
$x=2$를 ㉠에 대입하면 $y=6$
$x=2$, $y=6$을 $3x-ay=2$에 대입하면
$6-6a=2$ $\therefore a=\dfrac{2}{3}$

45 $\begin{cases} 2x+y=3 \\ (x+1):(y+5)=1:3 \end{cases} \rightarrow \begin{cases} 2x+y=3 \cdots ㉠ \\ 3x-y=2 \cdots ㉡ \end{cases}$

㉠+㉡을 하면 $5x=5$, $x=1$

$x=1$을 ㉠에 대입하면 $y=1$

$x=1$, $y=1$을 $ax-y=4$에 대입하면 $a=5$

46 $x+2y=-x+3y=-5 \rightarrow \begin{cases} x+2y=-5 \cdots ㉠ \\ -x+3y=-5 \cdots ㉡ \end{cases}$

㉠+㉡을 하면 $y=-2$

$y=-2$를 ㉠에 대입하면 $x=-1$

47 $4x-3=5x-2y=6x-3y+2$

$\rightarrow \begin{cases} 4x-3=5x-2y \\ 5x-2y=6x-3y+2 \end{cases} \rightarrow \begin{cases} -x+2y=3 \cdots ㉠ \\ -x+y=2 \cdots ㉡ \end{cases}$

㉠-㉡을 하면 $y=1$

$y=1$을 ㉠에 대입하면 $x=-1$

48 $\dfrac{y-2x}{3}=\dfrac{-3x-y}{2}=5 \rightarrow \begin{cases} \dfrac{y-2x}{3}=5 \\ \dfrac{-3x-y}{2}=5 \end{cases}$

$\rightarrow \begin{cases} -2x+y=15 \cdots ㉠ \\ -3x-y=10 \cdots ㉡ \end{cases}$

㉠+㉡을 하면 $-5x=25$, $x=-5$

$x=-5$를 ㉠에 대입하면 $y=5$ $\quad \therefore a-b=-10$

49 $\begin{cases} x-\dfrac{y}{3}=\dfrac{x+y}{2} \\ \dfrac{x+y}{2}=\dfrac{3x+2}{5} \end{cases} \rightarrow \begin{cases} 6x-2y=3x+3y \\ 5x+5y=6x+4 \end{cases} \rightarrow \begin{cases} 3x-5y=0 \cdots ㉠ \\ -x+5y=4 \cdots ㉡ \end{cases}$

㉠+㉡을 하면 $2x=4$, $x=2$

$x=2$를 ㉠에 대입하면 $6-5y=0$, $y=\dfrac{6}{5}$

50 ② $\begin{cases} x-2y=1 \cdots ㉠ \\ 3x-6y=3 \cdots ㉡ \end{cases}$ 에서 ㉠×3을 하면 $\begin{cases} 3x-6y=3 \\ 3x-6y=3 \end{cases}$

따라서 두 방정식은 x, y의 계수, 상수항까지 모두 일치하므로 해가 무수히 많다.

51 $\begin{cases} ax-y=3 \cdots ㉠ \\ 2x-3y=9 \cdots ㉡ \end{cases}$ 에서 ㉠×3을 하면 $\begin{cases} 3ax-3y=9 \\ 2x-3y=9 \end{cases}$

해가 무수히 많으므로 $3a=2$, $a=\dfrac{2}{3}$

52 $\begin{cases} -4x+ay=-2 \cdots ㉠ \\ 2x+3y=b \cdots ㉡ \end{cases}$ 에서 ㉡×(-2)를 하면

$\begin{cases} -4x+ay=-2 \\ -4x-6y=-2b \end{cases}$

해가 무수히 많으므로 $a=-6$, $-2=-2b$

따라서 $a=-6$, $b=1$이므로 $a-b=-6-1=-7$

53 ⑤ $\begin{cases} x-y=2 \cdots ㉠ \\ 3x-3y=2 \cdots ㉡ \end{cases}$ 에서 ㉠×3을 하면 $\begin{cases} 3x-3y=6 \\ 3x-3y=2 \end{cases}$ 이므로

x, y의 계수는 각각 같고 상수항은 다르다.

따라서 연립방정식의 해가 없다.

54 $\begin{cases} ax+2y=-4 \cdots ㉠ \\ 9x+6y=b \cdots ㉡ \end{cases}$ 에서 ㉠×3을 하면 $\begin{cases} 3ax+6y=-12 \\ 9x+6y=b \end{cases}$

해가 없을 조건은 x, y의 계수는 각각 같고, 상수항은 다른 경우이므로

$3a=9$, $b\neq-12$

$\therefore a=3$, $b\neq-12$

55 $\begin{cases} \dfrac{x}{4}+\dfrac{y}{6}=2 \cdots ㉠ \\ 3x+2y=6a \cdots ㉡ \end{cases}$ 에서 ㉠×12를 하면 $\begin{cases} 3x+2y=24 \\ 3x+2y=6a \end{cases}$

x, y의 계수는 각각 같고 상수항만 달라야 하므로 $6a\neq24$

$\therefore a\neq4$

따라서 a의 값으로 적당하지 않은 것은 ④ 4이다.

56 $\begin{cases} 2x+ay=-7 \cdots ㉠ \\ x-4y=3 \cdots ㉡ \end{cases}$ 에서 ㉡×2를 하면 $\begin{cases} 2x+ay=-7 \cdots ㉠ \\ 2x-8y=6 \cdots ㉡ \end{cases}$

해가 없어야 하므로 $a=-8$

57 $\begin{cases} x+y=27 \\ \dfrac{3}{2}y=x+3 \end{cases} \rightarrow \begin{cases} x+y=27 \\ -2x+3y=6 \end{cases} \rightarrow \begin{cases} 2x+2y=54 \cdots ㉠ \\ -2x+3y=6 \cdots ㉡ \end{cases}$

㉠+㉡을 하면 $5y=60$, $y=12$

$y=12$를 $x+y=27$에 대입하면 $x+12=27$, $x=15$

58 서로 다른 두 자연수를 x, y라 하면 (단, $x>y$) $\begin{cases} x+y=253 \cdots ㉠ \\ x=18y+6 \cdots ㉡ \end{cases}$

㉡을 ㉠에 대입하면 $18y+6+y=253$

$\therefore y=13$

$y=13$을 ㉠에 대입하면 $x=240$

따라서 두 수 중에서 큰 수는 240이다.

59 큰 수를 x, 작은 수를 y라고 하면

$\begin{cases} x+y=143 \cdots ㉠ \\ x-y=121 \cdots ㉡ \end{cases}$

㉠+㉡을 하면 $2x=264$, $x=132$

$x=132$를 ㉠에 대입하면 $132+y=143$, $y=11$

따라서 $132 \div 11 = 12$이다.

60 십의 자리의 숫자를 x, 일의 자리의 숫자를 y라 하면

$\begin{cases} 2x=y+2 \\ 10y+x=10x+y+9 \end{cases} \rightarrow \begin{cases} 2x-y=2 \\ -9x+9y=9 \end{cases} \rightarrow \begin{cases} 2x-y=2 \cdots ㉠ \\ x-y=-1 \cdots ㉡ \end{cases}$

㉠-㉡을 하면 $x=3$

$x=3$을 ㉠에 대입하면 $y=4$

따라서 두 자리의 자연수는 34이다.

61 십의 자리의 숫자를 x, 일의 자리의 숫자를 y라고 하면

$\begin{cases} x+y=13 \\ 10y+x=10x+y-27 \end{cases} \rightarrow \begin{cases} x+y=13 \\ -9x+9y=-27 \end{cases}$

$\rightarrow \begin{cases} x+y=13 \cdots ㉠ \\ x-y=3 \cdots ㉡ \end{cases}$

㉠+㉡을 하면 $2x=16$, $x=8$

$x=8$을 ㉠에 대입하면 $8+y=13$, $y=5$

따라서 두 자리의 자연수는 85이다.

62
$$\begin{cases} 3a+7b=29 \\ 9a+9b=63 \end{cases} \rightarrow \begin{cases} 3a+7b=29 & \cdots\text{㉠} \\ 3a+3b=21 & \cdots\text{㉡} \end{cases}$$

㉠−㉡을 하면 $4b=8$, $b=2$

$b=2$를 ㉡에 대입하면 $3a+6=21$, $a=5$

따라서 $a=5$, $b=2$이다.

63 연필 한 자루의 가격을 x원, 형광펜 한 자루의 가격을 y원이라 하면
$$\begin{cases} 3x=y & \cdots\text{㉠} \\ 12x+6y=15000 & \cdots\text{㉡} \end{cases}$$

㉠을 ㉡에 대입하면 $12x+18x=15000$ ∴ $x=500$

$x=500$을 ㉠에 대입하면 $y=1500$

따라서 형광펜 한 자루의 가격은 1500원이다.

64 A 파일 한 개의 가격을 x원, B 파일 한 개의 가격을 y원이라 하면
$$\begin{cases} 3x+4y=5200 & \cdots\text{㉠} \\ y=x-100 & \cdots\text{㉡} \end{cases}$$

㉡을 ㉠에 대입하면 $7x=5600$ ∴ $x=800$

$x=800$을 ㉡에 대입하면 $y=700$

따라서 B 파일 한 개의 가격은 700원이다.

65
$$\begin{cases} x+y=100 \\ 800x+1000y=84000 \end{cases} \rightarrow \begin{cases} x+y=100 & \cdots\text{㉠} \\ 8x+10y=840 & \cdots\text{㉡} \end{cases}$$

㉠$\times 10-$㉡을 하면 $2y=160$, $y=80$

$y=80$을 ㉠에 대입하면 $x+80=100$, $x=20$

따라서 $\dfrac{y}{x}=\dfrac{80}{20}=4$이다.

66 닭을 x마리, 개를 y마리라 하면
$$\begin{cases} x+y=16 \\ 2x+4y=44 \end{cases} \rightarrow \begin{cases} x+y=16 & \cdots\text{㉠} \\ x+2y=22 & \cdots\text{㉡} \end{cases}$$

㉡−㉠을 하면 $y=6$

$y=6$을 ㉠에 대입하면 $x=10$

따라서 닭은 10마리, 개는 6마리이다.

67 오토바이를 x대, 자동차를 y대라 하면
$$\begin{cases} x+y=26 \\ 2x+4y=74 \end{cases} \rightarrow \begin{cases} x+y=26 & \cdots\text{㉠} \\ x+2y=37 & \cdots\text{㉡} \end{cases}$$

㉡−㉠을 하면 $y=11$

따라서 자동차는 11대이다.

68 세발자전거를 x대, 두발자전거를 y대라고 하면
$$\begin{cases} x+y=25 & \cdots\text{㉠} \\ 3x+2y=66 & \cdots\text{㉡} \end{cases}$$ 에서 ㉠$\times 3-$㉡을 하면 $y=9$

$y=9$를 ㉠에 대입하면 $x=16$

따라서 세발자전거는 16대이다.

69 형의 나이를 x살, 동생의 나이를 y살이라 하면 $\begin{cases} x+y=35 & \cdots\text{㉠} \\ x=y+3 & \cdots\text{㉡} \end{cases}$

㉡을 ㉠에 대입하면 $(y+3)+y=35$, $2y+3=35$

∴ $y=16$

$y=16$을 ㉡에 대입하면 $x=19$

따라서 형의 나이는 19살, 동생의 나이는 16살이다.

70 현재 아버지의 나이를 x살, 딸의 나이를 y살이라 하면
$$\begin{cases} x-y=29 \\ x+15=2(y+15)+5 \end{cases} \rightarrow \begin{cases} x-y=29 & \cdots\text{㉠} \\ x-2y=20 & \cdots\text{㉡} \end{cases}$$

㉠−㉡을 하면 $y=9$

$y=9$를 ㉠에 대입하면 $x=38$

따라서 현재 아버지와 딸의 나이의 합을 구하면 47살이다.

71 현재 누나의 나이를 x살, 동생의 나이를 y살이라 하면
$$\begin{cases} (x-4)+(y-4)=50 \\ y+8=x \end{cases} \text{에서} \begin{cases} x+y=58 & \cdots\text{㉠} \\ -x+y=-8 & \cdots\text{㉡} \end{cases}$$

㉠+㉡을 하면 $2y=50$, $y=25$

$y=25$를 ㉠에 대입하면 $x+25=58$, $x=33$

따라서 현재 누나의 나이는 33살이다.

72 A, B가 1일간 할 수 있는 일의 양을 각각 x, y라 하면
$$\begin{cases} 3x+2y=1 \\ 2.4(x+y)=1 \end{cases} \rightarrow \begin{cases} 3x+2y=1 \\ 24x+24y=10 \end{cases} \rightarrow \begin{cases} 3x+2y=1 & \cdots\text{㉠} \\ 12x+12y=5 & \cdots\text{㉡} \end{cases}$$

㉠$\times 4-$㉡을 하면 $-4y=-1$ ∴ $y=\dfrac{1}{4}$

$y=\dfrac{1}{4}$을 ㉠에 대입하면 $3x+\dfrac{1}{2}=1$ ∴ $x=\dfrac{1}{6}$

따라서 A, B가 혼자서 일을 하면 각각 6일, 4일이 걸린다.

73 A가 1시간 동안 할 수 있는 일의 양을 x,
B가 1시간 동안 할 수 있는 일의 양을 y라고 하면
$$\begin{cases} 3.6(x+y)=1 \\ 3x+4y=1 \end{cases} \rightarrow \begin{cases} 36x+36y=10 \\ 3x+4y=1 \end{cases} \rightarrow \begin{cases} 18x+18y=5 & \cdots\text{㉠} \\ 3x+4y=1 & \cdots\text{㉡} \end{cases}$$

㉠$-$㉡$\times 6$을 하면 $-6y=-1$, $y=\dfrac{1}{6}$

따라서 B가 혼자서 페인트를 칠할 때 걸리는 시간은 6시간이다.

74 수조에 물을 가득 채웠을 때의 물의 양을 1로 놓고,
A, B 호스로 1분 동안 채울 수 있는 물의 양을 각각 x, y라 하면
$$\begin{cases} 2x+14y=1 \\ 6(x+y)=1 \end{cases} \rightarrow \begin{cases} 2x+14y=1 & \cdots\text{㉠} \\ 6x+6y=1 & \cdots\text{㉡} \end{cases}$$

㉠$\times 3-$㉡을 하면 $y=\dfrac{1}{18}$

$y=\dfrac{1}{18}$을 ㉡에 대입하면 $6x+\dfrac{1}{3}=1$ ∴ $x=\dfrac{1}{9}$

따라서 A 호스로만 수조를 가득 채우는 데는 9분이 걸린다.

75 올라간 거리를 x km, 내려온 거리를 y km라 하면
$$\begin{cases} y=x+3 \\ \dfrac{x}{3}+\dfrac{y}{4}=6 \end{cases} \rightarrow \begin{cases} y=x+3 & \cdots\text{㉠} \\ 4x+3y=72 & \cdots\text{㉡} \end{cases}$$

㉠을 ㉡에 대입하여 풀면 $x=9$

$x=9$를 ㉠에 대입하면 $y=12$

따라서 전체 걸은 거리는 $9+12=21$(km)

76 윤호가 걸은 속력을 분속 x m, 은지가 걸은 속력을 분속 y m라 하면
윤호가 360 m를 걷는 동안 은지는 288 m를 걸으므로

$x:y=360:288=5:4$, $4x=5y$ ㉠

(거리)=(속력)$\times$(시간)이므로 $2700=20x+20y$, $135=x+y$ $\cdots$㉡

㉠을 ㉡을 연립하여 풀면 $x=75$, $y=60$
따라서 윤호가 1분 동안 걸은 거리는 75 m이다.

77 지훈이와 민호가 만날 때까지 지훈이가 걸어간 시간은 x분, 민호가 자전거를 타고 간 시간을 y분이라 하면

$$\begin{cases} 50x=180y \\ x=y+26 \end{cases} \rightarrow \begin{cases} 5x=18y & \cdots ㉠ \\ 5x=5y+130 & \cdots ㉡ \end{cases}$$

㉠을 ㉡에 대입하면 $13y=130$, $y=10$
따라서 두 사람이 만나는 것은 민호가 출발한지 10분 후이다.

78 유빈이의 속력을 분속 x m, 상원이의 속력을 분속 y m라 하면

$$\begin{cases} 20x-20y=2400 \\ 10x+10y=2400 \end{cases} \rightarrow \begin{cases} x-y=120 \\ x+y=240 \end{cases}$$

따라서 연립방정식을 풀면 $x=180$, $y=60$이므로 유빈이의 속력은 분속 180 m이다.

79 지현이의 속력을 초속 x m, 진희의 속력을 초속 y m라 하면
$x:y=60:40$, $x:y=3:2$, $3y=2x$ $\cdots ㉠$
$20x+20y=400$, $x+y=20$ $\cdots ㉡$
㉠과 ㉡을 연립하여 풀면 $x=12$, $y=8$
따라서 지현이의 속력은 초속 12 m이다.

80 보트의 속력을 시속 x km, 강물의 속력을 시속 y km라 하면
(거리)=(속력)×(시간)이므로

$$\begin{cases} 5=(x-y)\times 1 \\ 5=(x+y)\times \frac{1}{2} \end{cases} \rightarrow \begin{cases} x-y=5 \\ x+y=10 \end{cases}$$

연립방정식을 풀면 $x=7.5$, $y=2.5$
따라서 강물의 속력은 시속 2.5 km, 보트의 속력은 시속 7.5 km이다.

81 배의 속력을 시속 x km, 강물의 속력을 시속 y km라 하면

$$\begin{cases} 6(x-y)=36 \\ 3(x+y)=36 \end{cases} \rightarrow \begin{cases} x-y=6 \\ x+y=12 \end{cases}$$

연립방정식을 풀면 $x=9$, $y=3$
따라서 배의 속력은 시속 9 km이다.

82 직사각형의 가로의 길이를 x cm,
세로의 길이를 y cm라고 하면

$$\begin{cases} x=2y-3 & \cdots ㉠ \\ 2(x+y)=66 & \cdots ㉡ \end{cases}$$

㉠을 ㉡에 대입하면 $2(3y-3)=66$, $6y=72$, $y=12$
$y=12$를 ㉠에 대입하면 $x=21$
따라서 직사각형의 가로의 길이는 21 cm이다.

83 직사각형의 가로의 길이를 x cm,
세로의 길이를 y cm라고 하면

$$\begin{cases} y=x+4 & \cdots ㉠ \\ 2(x+y)=32 & \cdots ㉡ \end{cases}$$

㉠을 ㉡에 대입하면 $2(2x+4)=32$, $4x=24$, $x=6$
$x=6$을 ㉠에 대입하면 $y=10$
따라서 직사각형의 넓이는 $10\times 6=60(cm^2)$이다.

84 A가 이긴 횟수를 x회, B가 이긴 횟수를 y회라 하면 $\begin{cases} 2x-y=20 \\ -x+2y=8 \end{cases}$

연립방정식을 풀면 $x=16$, $y=12$
따라서 A가 이긴 횟수는 16회이다.

85 지호가 이긴 횟수를 x회, 혜정이가 이긴 횟수를 y회라 하면

$$\begin{cases} 3x-2y=19 \\ -2x+3y=9 \end{cases}$$

연립방정식을 풀면 $x=15$, $y=13$
따라서 지호가 이긴 횟수는 15회이다.

86 8 %의 소금물의 양을 x g, 13 %의 소금물의 양을 y g이라 하면

$$\begin{cases} x+y=1000 \\ \frac{8}{100}x+\frac{13}{100}y=\frac{11}{100}\times 1000 \end{cases} \rightarrow \begin{cases} x+y=1000 \\ 8x+13y=11000 \end{cases}$$

연립방정식을 풀면 $x=400$, $y=600$
따라서 8 %의 소금물을 400 g 넣어야 한다.

87 $\begin{cases} x+y=150 \\ \frac{4}{100}x+y=\frac{20}{100}\times 150 \end{cases} \rightarrow \begin{cases} x+y=150 \\ x+25y=750 \end{cases}$

연립방정식을 풀면 $x=125$, $y=25$
따라서 더 넣은 설탕의 양은 25 g이다.

88 A, B 두 소금물의 농도를 각각 x %, y %라 하면

$$\begin{cases} \frac{x}{100}\times 100+\frac{y}{100}\times 200=\frac{5}{100}\times 300 \\ \frac{x}{100}\times 200+\frac{y}{100}\times 100=\frac{4}{100}\times 300 \end{cases} \rightarrow \begin{cases} x+2y=15 & \cdots ㉠ \\ 2x+y=12 & \cdots ㉡ \end{cases}$$

연립방정식을 풀면 $x=3$, $y=6$
따라서 B 소금물의 농도는 6 %이다.

89 작년의 남학생 수를 x 명, 작년의 여학생 수를 y 명이라 하면

$$\begin{cases} x+y=1050 \\ \frac{4}{100}x-\frac{2}{100}y=9 \end{cases} \rightarrow \begin{cases} x+y=1050 \\ 2x-y=450 \end{cases}$$

연립방정식을 풀면 $x=500$, $y=550$
따라서 금년의 남학생 수는 $500\times \left(1+\frac{4}{100}\right)=520$(명)

90 작년 남학생 수를 x명, 작년 여학생 수를 y명이라 하면
작년의 전체 학생 수는 625명이므로
$x+y=625$ $\cdots ㉠$
올해의 감소한 학생 수는 $625-608=17$(명)이므로

$-\frac{8}{100}x+\frac{3}{100}y=-17$ $\cdots ㉡$

㉠, ㉡을 연립하여 풀면 $x=325$, $y=300$
따라서 작년 여학생 수는 300명이다.

91 지난 달 A의 판매액을 x원, 지난 달 B의 판매액을 y원이라 하면

$$\begin{cases} x+y=700000 \\ \frac{2}{100}x+\frac{4}{100}y=20000 \end{cases} \rightarrow \begin{cases} x+y=700000 \\ x+2y=1000000 \end{cases}$$

연립방정식을 풀면 $x=400000$, $y=300000$

$\therefore$ (이번 달 A의 판매액)$=400000\times \left(1+\frac{2}{100}\right)=408000$(원),

(이번 달 B의 판매액)$=300000\times\left(1+\dfrac{4}{100}\right)=312000$(원)

92 기차의 속력을 분속 x m, 기차의 길이를 y m라 하면 $\begin{cases}1200+y=3x\\700+y=2x\end{cases}$

연립방정식을 풀면 $x=500,\ y=300$

따라서 기차의 속력은 분속 500 m이다.

93 화물열차의 속력을 초속 x m, 화물열차의 길이를 y m라 하면

$\begin{cases}570+y=50x\\570+(y-60)=23\times2x\end{cases}\rightarrow\begin{cases}570+y=50x\\510+y=46x\end{cases}$

연립방정식을 풀면 $x=15,\ y=180$

따라서 화물열차의 길이는 180 m이다.

94 다리의 길이를 x m, 화물열차의 속력을 초속 y m라 하면

$\begin{cases}210+x=55y\\120+x=26\times2y\end{cases}\rightarrow\begin{cases}210+x=55y\\120+x=52y\end{cases}$

연립방정식을 풀면 $x=1440,\ y=30$

따라서 다리의 길이는 1440 m, 즉 1.44 km이다.

95 합금 A의 양을 x kg, 합금 B의 양을 y kg이라 하면

$\begin{cases}0.9x+0.6y=0.7\times45\\x+y=45\end{cases}\rightarrow\begin{cases}3x+2y=105\\x+y=45\end{cases}$

연립방정식을 풀면 $x=15,\ y=30$

따라서 합금 A, B는 각각 15 kg, 30 kg씩 섞으면 된다.

96 합금 A의 양을 x g, 합금 B의 양을 y g이라 하면

$\begin{cases}\dfrac{10}{100}x+\dfrac{20}{100}y=100\\\dfrac{60}{100}x+\dfrac{20}{100}y=300\end{cases}\rightarrow\begin{cases}x+2y=1000\\3x+y=1500\end{cases}$

연립방정식을 풀면 $x=400,\ y=300$

따라서 필요한 합금 A의 양은 400 g이다.

97 섭취해야 할 식품 A의 양을 x g, 식품 B의 양을 y g이라 하면

$\begin{cases}\dfrac{15}{100}x+\dfrac{20}{100}y=65\\\dfrac{8}{100}x+\dfrac{5}{100}y=29\end{cases}\rightarrow\begin{cases}3x+4y=1300\\8x+5y=2900\end{cases}$

연립방정식을 풀면 $x=300,\ y=100$

따라서 식품 A, B를 합하여 $300+100=400$(g)을 섭취해야 한다.

학교 시험 100점맞기 36쪽~39쪽

01 ⑤	02 ③	03 ⑤	04 ④	05 ①	06 ④
07 ④	08 ②	09 ②	10 ④	11 ③	12 ①
13 ④	14 ③	15 ③	16 ④	17 시속 9 km	
18 2시간 후, 20 km	19 ③	20 ②			
21 $a=4,\ b=5,\ c=-2$		22 3	23 9	24 20	
25 24000원					

01 $㉠\times3+㉡\times2$를 하면 y가 없어지고 $-x=51$이 남는다.

02 $\begin{cases}3x-4y=2 &\cdots㉠\\2x-3y=-1 &\cdots㉡\end{cases}$에서 $㉠\times2-㉡\times3$을 하면 $y=7$

$y=7$을 ㉡에 대입하면 $x=10$

따라서 $a=10,\ b=7$이므로 $a-b=10-7=3$

03 $x=2,\ y=1$을 각 방정식에 대입하면

$\begin{cases}2a+b=8\\2b-a=1\end{cases}\rightarrow\begin{cases}2a+b=8 &\cdots㉠\\-a+2b=1 &\cdots㉡\end{cases}$

$㉠+㉡\times2$를 하면 $5b=10$ $\therefore b=2$

$b=2$를 ㉠에 대입하면 $a=3$ $\therefore ab=6$

04 $x=a,\ y=1$을 각 방정식에 대입하면

$\begin{cases}a+1=5+b\\a+b=5\end{cases}\rightarrow\begin{cases}a-b=4\\a+b=5\end{cases}$

연립방정식을 풀면 $a=\dfrac{9}{2},\ b=\dfrac{1}{2}$

$\therefore 2a-4b=2\times\dfrac{9}{2}-4\times\dfrac{1}{2}=9-2=7$

05 $\begin{cases}x+y=6\\3x-2y=-2\end{cases}$를 풀면 $x=2,\ y=4$

$x=2,\ y=4$를 $4x+ky=-4$에 대입하면

$8+4k=-4$ $\therefore k=-3$

06 $\begin{cases}3x+y=5\\2x-y=5\end{cases}$를 풀면 $x=2,\ y=-1$

$x=2,\ y=-1$을 나머지 식에 대입하면

$\begin{cases}4-b=6\\2a-2=4\end{cases}$ $\therefore a=3,\ b=-2$

$\therefore a+b=1$

07 $a,\ b$를 바꿔서 식을 세우면 $\begin{cases}bx-ay=2\\ax+by=19\end{cases}$

$x=1,\ y=2$를 대입하면 $\begin{cases}b-2a=2 &\cdots㉠\\a+2b=19 &\cdots㉡\end{cases}$

$㉠+㉡\times2$를 하면 $5b=40$ $\therefore b=8$

$b=8$을 ㉡에 대입하면 $a=3$ $\therefore ab=3\times8=24$

08 $\begin{cases}3y-x-y=3x\\5x+4x-6y=3\end{cases}\rightarrow\begin{cases}2y=4x\\9x-6y=3\end{cases}\rightarrow\begin{cases}y=2x &\cdots㉠\\3x-2y=1 &\cdots㉡\end{cases}$

㉠을 ㉡에 대입하면 $3x-4x=1$ $\therefore x=-1$

$x=-1$을 ㉠에 대입하면 $y=-2$

따라서 $a=-1,\ b=-2$이므로 $a+b=-3$

09 $\begin{cases}0.4x-0.3y=-1.7\\\dfrac{x}{4}-\dfrac{y}{6}=-1\end{cases}\rightarrow\begin{cases}4x-3y=-17 &\cdots㉠\\3x-2y=-12 &\cdots㉡\end{cases}$

$㉠\times2-㉡\times3$을 하면 $-x=2$ $\therefore x=-2$

$x=-2$를 ㉡에 대입하면 $y=3$

10 $\begin{cases}x-4y+10=6x-4\\6x-4=-x+3y+7\end{cases}\rightarrow\begin{cases}-5x-4y=-14 &\cdots㉠\\7x-3y=11 &\cdots㉡\end{cases}$

㉠×3−㉡×4를 하면 $-43x=-86$, $x=2$

$x=2$를 ㉡에 대입하면 $14-3y=11$, $y=1$

11 $\begin{cases} -3x+y=4 & \cdots㉠ \\ 3ax+by=-8 & \cdots㉡ \end{cases}$ 에서 ㉠×(−2)를 하면 $\begin{cases} 6x-2y=-8 \\ 3ax+by=-8 \end{cases}$

해가 무수히 많으려면 x, y의 계수, 상수항이 모두 같아야 하므로

$6=3a$, $-2=b$

따라서 $a=2$, $b=-2$이므로 $a+b=0$

12 ① $\begin{cases} y-2x=1 \\ 2y=4x+1 \end{cases} \rightarrow \begin{cases} 2y-4x=2 \\ 2y-4x=1 \end{cases}$

두 일차방정식은 x, y의 계수는 각각 같고, 상수항은 다르므로 해가 없다.

13 십의 자리의 숫자를 x, 일의 자리의 숫자를 y라 하면

$\begin{cases} x+y=7 \\ 10y+x=10x+y-9 \end{cases} \rightarrow \begin{cases} x+y=7 \\ -9x+9y=-9 \end{cases} \rightarrow \begin{cases} x+y=7 \\ x-y=1 \end{cases}$

연립방정식을 풀면 $x=4$, $y=3$

따라서 두 자리의 자연수는 43이다.

14 걸어간 거리를 x km, 뛰어간 거리를 y km라 하면

$\begin{cases} x+y=1.5 \\ \dfrac{x}{4}+\dfrac{y}{10}=\dfrac{18}{60} \end{cases} \rightarrow \begin{cases} 2x+2y=3 \\ 5x+2y=6 \end{cases}$

연립방정식을 풀면 $x=1$, $y=0.5$

따라서 걸어간 거리는 1 km, 뛰어간 거리는 0.5 km이다.

15 7 %의 소금물의 양을 x g, 14 %의 소금물의 양을 y g이라 하면

$\begin{cases} x+y=300 \\ \dfrac{7}{100}x+\dfrac{14}{100}y=28 \end{cases} \rightarrow \begin{cases} x+y=300 \\ x+2y=400 \end{cases}$

연립방정식을 풀면 $x=200$, $y=100$

따라서 7 %의 소금물은 200 g이다.

16 $x:y=4:3$, $4y=3x$

$\begin{cases} 4y=3x \\ \dfrac{x}{4}-\dfrac{y}{5}=2 \end{cases} \rightarrow \begin{cases} 4y=3x & \cdots㉠ \\ 5x-4y=40 & \cdots㉡ \end{cases}$

㉠을 ㉡에 대입하면 $2x=40$

∴ $x=20$

$x=20$을 ㉠에 대입하면 $y=15$

따라서 $x=20$, $y=15$를 $x+2y=k$에 대입하면 $k=50$

17 배의 속력을 시속 x km, 강물의 속력을 시속 y km라 하면

$\begin{cases} 12=(x-y)\times 2 \\ 12=(x+y)\times 1 \end{cases} \rightarrow \begin{cases} x-y=6 \\ x+y=12 \end{cases}$

연립방정식을 풀면 $x=9$, $y=3$

따라서 배의 속력은 시속 9 km이다.

18 지훈이와 혜진이가 만나는 지점까지 가는 데 걸린 시간을 각각 x시간, y시간이라 하면

$\begin{cases} y=x+\dfrac{1}{2} \\ 10x=8y \end{cases} \rightarrow \begin{cases} y=x+\dfrac{1}{2} \\ 5x=4y \end{cases}$

연립방정식을 풀면 $x=2$, $y=\dfrac{5}{2}$

따라서 지훈이가 자신의 집에서 출발한 지 2시간 후에 혜진이를 만나고, 두 사람이 만날 때까지 지훈이가 이동한 거리는 $10\times 2=20$(km)이다.

19 작년의 남학생 수를 x 명, 작년의 여학생 수를 y 명이라 하면

$\begin{cases} x+y=850 \\ -\dfrac{4}{100}x+\dfrac{5}{100}y=2 \end{cases} \rightarrow \begin{cases} x+y=850 \\ -4x+5y=200 \end{cases}$

연립방정식을 풀면 $x=450$, $y=400$

따라서 금년의 남학생 수는

$450\times\left(1-\dfrac{4}{100}\right)=450-18=432$(명)

20 x와 y의 차가 2이고 $x>y$이므로 $x=y+2$

$x=y+2$를 각 방정식에 대입하여 정리하면 $\begin{cases} 2y-a=6 & \cdots㉠ \\ y-a=1 & \cdots㉡ \end{cases}$

㉠−㉡을 하면 $y=5$

따라서 $y=5$를 ㉡에 대입하면 $a=4$

21 경훈이는 옳게 풀었으므로 $x=3$, $y=-2$를 각 방정식에 대입하면

$\begin{cases} 3a-2b=2 & \cdots㉠ \\ 3c+14=8 & \cdots㉡ \end{cases}$

㉡을 풀면 $c=-2$

수남이는 c를 잘못 보고 풀었으므로 $x=-2$, $y=2$를

$ax+by=2$에 대입한 것은 바른 식이다.

$-2a+2b=2$ $\cdots㉢$

㉠과 ㉢을 연립하여 풀면 $a=4$, $b=5$

22 [1단계] $\begin{cases} x+2y=5 & \cdots㉠ \\ 2x+3y=8 & \cdots㉡ \end{cases}$ 에서 ㉠×2−㉡을 하면 $y=2$

$y=2$를 ㉠에 대입하면 $x=1$

[2단계] $x=1$, $y=2$이므로 $a=1$, $b=2$

[3단계] $a+b=1+2=3$

23 [1단계] $x=1$, $y=2$를 대입하면 $\begin{cases} 2a-2=b+3 \\ a-2=b \end{cases} \rightarrow \begin{cases} 2a-b=5 \\ a-b=2 \end{cases}$

[2단계] $\begin{cases} 2a-b=5 & \cdots㉠ \\ a-b=2 & \cdots㉡ \end{cases}$ 에서 ㉠−㉡을 하면 $a=3$

$a=3$을 ㉡에 대입하면 $b=1$

[3단계] $2a+3b=2\times 3+3\times 1=9$

24 $\begin{cases} x+2y=10 & \cdots㉠ \\ y=-x+6 & \cdots㉡ \end{cases}$ 에서 ㉡을 ㉠에 대입하면

$x+2(-x+6)=10$ ∴ $x=2$

$x=2$를 ㉡에 대입하면 $y=4$ ······ ❶

따라서 $a=2$, $b=4$이므로 $a^2+b^2=2^2+4^2=20$ ······ ❷

채점 기준	배점
❶ 연립방정식의 해 구하기	4점
❷ a^2+b^2의 값 구하기	3점

25 혜미가 산 티셔츠의 가격을 x원, 치마의 가격을 y원이라 하면

$$\begin{cases} x+y=40000 \\ 0.2x+0.3y=40000-31000 \end{cases} \rightarrow \begin{cases} x+y=40000 \quad \cdots\cdots\text{㉠} \\ 2x+3y=90000 \quad \cdots\cdots\text{㉡} \end{cases} \cdots\cdots ❶$$

㉠$\times 2-$㉡를 하면 $-y=-10000$ $\quad \therefore y=10000$

$y=10000$을 ㉠에 대입하면

$x+10000=40000$ $\quad \therefore x=30000$ $\qquad\qquad \cdots\cdots ❷$

따라서 혜진이가 구입한 티셔츠의 할인된 가격은

$30000\times0.8=24000$(원) $\qquad\qquad\qquad\qquad \cdots\cdots ❸$

채점 기준	배점
❶ 연립방정식 세우기	3점
❷ 연립방정식의 해 구하기	2점
❸ 혜진이가 구입한 티셔츠의 할인된 가격 구하기	3점

7. 일차함수와 그래프

시험에 🐌 나오는 핵심개념
40쪽~44쪽

예제 1 답 (1) 4, 8, 12, 16 (2) y는 x의 함수이다. (3) $y=4x$

(2) x의 값이 정해짐에 따라 y의 값이 오직 하나만 대응하므로 y는 x의 함수이다.

(3) (정사각형의 둘레의 길이)$=4\times$(한 변의 길이)이므로 $y=4x$

예제 2 답 (1) 1 (2) 2

(1) $y=\dfrac{1}{3}\times3=1$ (2) $y=\dfrac{1}{3}\times6=2$

예제 3 답 ⑤

① 분모에 x가 있으므로 일차함수가 아니다.

② 3은 일차식이 아니므로 일차함수가 아니다.

③, ④ 우변이 이차식이므로 일차함수가 아니다.

예제 4 답 ④

④ 제2사분면과 제4사분면을 지난다.

예제 5 답 (1) $y=\dfrac{1}{2}x-2$ (2) $y=-3x+4$

$\qquad\qquad$ (3) $y=x+2$ (4) $y=-2x+4$

예제 6 답 1

$y=0$일 때, $0=\dfrac{2}{3}x-2$, $-\dfrac{2}{3}x=-2$, $x=3$이므로 x절편은 3이다.

$x=0$일 때, $y=\dfrac{2}{3}\times0-2=-2$이므로 y절편은 -2이다.

따라서 구하는 합은 $3+(-2)=1$

예제 7 답 (1) 2 (2) -10

(1) $\dfrac{(y\text{의 값의 증가량})}{4}=\dfrac{1}{2}$이므로 y의 값의 증가량은 2이다.

(2) $\dfrac{(y\text{의 값의 증가량})}{1-(-1)}=\dfrac{(y\text{의 값의 증가량})}{2}=-5$

이므로 y의 값의 증가량은 -10이다.

예제 8 답 (1) (2)

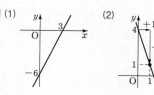

예제 9 답 $a<0$, $b<0$

(기울기)<0, (y절편)>0이므로 $a<0$, $-b>0$

$\therefore a<0$, $b<0$

예제 10 답 (1) $a=-6$, $b\neq-2$ (2) $a=-6$, $b=-2$ (3) $a\neq-6$

예제 11 답 $y=-8x-2$

기울기가 -8, y절편이 -2인 직선이므로 $y=-8x-2$

예제 12 답 $y=-x+2$

기울기가 $-\dfrac{3}{3}=-1$이므로 $y=-x+b$로 놓고

$x=2$, $y=0$을 대입하면 $0=-2+b$, $b=2$ $\quad \therefore y=-x+2$

예제 13 답 $y=-3x+10$

(기울기)$=\dfrac{-2-4}{4-2}=-3$이므로 $y=-3x+b$로 놓자.

$x=2$, $y=4$를 대입하면 $4=-6+b$, $b=10$ $\quad \therefore y=-3x+10$

예제 14 답 $y=-x-2$

$y=2x+4$의 그래프와 x절편이 같으므로 (x절편)$=-2$

(기울기)$=\dfrac{-2-0}{0-(-2)}=-1$ $\quad \therefore y=-x-2$

예제 15 답 (1) $y=12+6x$ (2) 30 ℃

(1) 1분마다 6 ℃씩 올라가므로 x분 후에는 $6x$ ℃가 올라간다.

따라서 x와 y 사이의 관계식은 $y=12+6x$

(2) $x=3$을 대입하면 $y=12+18=30$

따라서 3분 후의 물의 온도는 30 ℃이다.

유형 격파 ✚ 기출 문제
45쪽~61쪽

01 ①	02 ㄴ, ㄹ, ㅁ	03 ④	04 ③	05 ④
06 ②	07 ⑤	08 ④	09 ⑤	10 ②	11 ⑤
12 ④	13 8	14 6	15 36	16 ②	17 ②
18 ②	19 3	20 ⑤	21 ②	22 -11	23 -1
24 ①	25 ⑤	26 -3	27 24	28 -3	29 ③
30 ②	31 ⑤	32 ⑤	33 3	34 ③	35 ②, ③
36 ④	37 ④	38 ②, ③	39 ⑤	40 ③	41 ④
42 ④	43 ⑤	44 ③	45 ③	46 ④	47 ②
48 ④	49 0	50 ④	51 ②	52 ③	53 ①
54 ③	55 ②	56 ③	57 ①	58 ①	59 ②

60 ⑤	61 ③	62 ④	63 ④	64 ①	65 ③
66 ③	67 ③	68 ②	69 ③	70 ③	

71 제4사분면　　72 ④, ⑤　73 ②, ③　74 ④　　75 ③

76 (1) ㄱ, ㄷ, ㄹ　(2) ㄱ, ㄴ　(3) ㄷ, ㄹ　77 ④　78 ③

79 ①　80 ③　81 24　82 ④　83 ①　84 ②

85 -10　86 ②　87 ③　88 ⑤　89 ①　90 ②

91 ④　92 ④　93 ①　94 ②　95 ⑤

96 $y=-\dfrac{1}{2}x+\dfrac{7}{2}$　97 ②　98 9　99 $y=x-1$

100 ②　101 8　102 ①　103 $y=6x+18$　104 ⑤

105 ③　106 56분 후　107 6 ℃　108 30 cm

109 (1) $y=15+0.4x$　(2) 23 cm　110 20 ℃

111 (1) $y=40-2x$　(2) 6초 후　112 $y=20-0.2x$, 14 km

113 ④　114 4초 후　115 6초 후　116 ⑤

117 60 L　118 (1) 20분 후　(2) 5 km　119 ④

120 $y=35-10x$　121 20 km

122 A : $y=40-\dfrac{3}{5}x$, B : $y=46-x$, 15분 후

---

01 ① $y=300x$이므로 y가 x의 함수이다.

②, ③, ④, ⑤ x의 값이 정해짐에 따라 y의 값이 하나도 대응하지 않거나 두 개 이상 대응하므로 함수가 아니다.

02 ㄱ. 자연수 x의 배수는 무수히 많으므로 함수가 아니다.

ㄴ. $y=4x$이므로 y가 x의 함수이다.

ㄷ. 나이가 같아도 키는 다양하므로 함수가 아니다.

ㄹ. $y=5x$이므로 y가 x의 함수이다.

ㅁ. 자연수 x의 약수의 개수는 하나로 정해지므로 함수이다.

03 ① $y=3x$이므로 y가 x의 함수이다.

② $y=5x$이므로 y가 x의 함수이다.

③ $y=\pi \times 2x=2\pi x$이므로 y가 x의 함수이다.

④ 자연수 x와 서로소인 수는 하나로 정해지지 않으므로 함수가 아니다.

⑤ $y=2x$이므로 y가 x의 함수이다.

04 $2f(4)-\dfrac{1}{2}f(-2)=2\times 12-\dfrac{1}{2}\times(-6)$
$=24+3=27$

05 $f(-2)=-\dfrac{1}{2}\times(-2)=1$

06 $f(-4)=\dfrac{16}{-4}=-4$

07 $f(2)=3\times 2+1=7$

08 $f(-5)+f(1)=\dfrac{5}{-5}+\dfrac{5}{1}=-1+5=4$

09 $f(3)=\dfrac{1}{2}\times 3+3=\dfrac{9}{2}$, $f(-1)=\dfrac{1}{2}\times(-1)+3=\dfrac{5}{2}$

$2f(3)+4f(-1)=2\times \dfrac{9}{2}+4\times \dfrac{5}{2}=9+10=19$

10 $f(0)=-1$, $f(1)=-3$, $f(-1)=1$

$\therefore \dfrac{f(1)+f(-1)}{f(0)}=\dfrac{-3+1}{-1}=2$

11 $f(1)=3\times 1-1=2$이므로

$f(f(1))=f(2)=3\times 2-1=5$

12 8 이하의 소수는 2, 3, 5, 7이므로 $f(8)=4$

11 이하의 소수는 2, 3, 5, 7, 11이므로 $f(11)=5$

$\therefore f(8)+f(11)=4+5=9$

13 48, 49, 51을 5로 나눈 나머지는 각각 3, 4, 1이므로

$f(48)=3$, $f(49)=4$, $f(51)=1$

$\therefore f(48)+f(49)+f(51)=3+4+1=8$

14 $18=2\times 3^2$이므로 18의 약수의 개수는

$(1+1)\times(2+1)=6$(개)

$\therefore f(18)=6$

15 9와 서로소인 것은 1부터 8까지의 자연수 중에서 3과 6을 제외한 6개이므로 $f(9)=6$

11과 서로소인 것은 1부터 10까지의 자연수 모두 10개이므로

$f(11)=10$

25와 서로소인 것은 1부터 24까지의 자연수 중에서 5, 10, 15, 20을 제외한 20개이므로

$f(25)=20$

$\therefore f(9)+f(11)+f(25)=6+10+20=36$

16 $f(a)=11$에서 $3a+2=11$이므로 $a=3$

17 $f(a)=-3a+1=4$

$-3a=3$　$\therefore a=-1$

18 $f(a)=4a-1=-5$, $4a=-4$　$\therefore a=-1$

$f(2)=4\times 2-1=b$　$\therefore b=7$

$\therefore 2a-b=2\times(-1)-7=-9$

19 $f(a)=-\dfrac{18}{a}=-3$, $3a=18$　$\therefore a=6$

$f(b)=-\dfrac{18}{b}=6$, $6b=-18$　$\therefore b=-3$

$\therefore a+b=6+(-3)=3$

20 $f(1)=-2\times 1+5=3$, $g(2)=\dfrac{4}{2}+3=5$

$\therefore 3f(1)+2g(2)=3\times 3+2\times 5=9+10=19$

21 $f(-5)-g(2)=2\times(-5)-\dfrac{8}{2}=-14$

22 $f(3)=-\dfrac{12}{3}=-4$, $g(8)=\dfrac{3}{4}\times 8=6$

$\therefore 2f(3)-\dfrac{1}{2}g(8)=2\times(-4)-\dfrac{1}{2}\times 6=-8-3=-11$

23 $g\left(\dfrac{1}{3}\right)=-\dfrac{1}{2}\times \dfrac{1}{3}=-\dfrac{1}{6}$, $f\left(\dfrac{1}{2}\right)=\dfrac{2}{3}\times \dfrac{1}{2}-1=-\dfrac{2}{3}$

$2g\left(\dfrac{1}{3}\right)+f\left(\dfrac{1}{2}\right)=2\times\left(-\dfrac{1}{6}\right)+\left(-\dfrac{2}{3}\right)=-1$

24 $f(a)=-3a-2=-5$, $-3a=-3$　$\therefore a=1$

$\therefore g(a)=g(1)=1+1=2$

25 $f(k)=-2k+3=-k+4$　$\therefore k=-1$

$\therefore g(k)=g(-1)=3+1=4$

26 $f(a)=-2a+5=7$, $-2a=2$ $\quad\therefore a=-1$

$\quad g(-2)=\dfrac{6}{-2}+1=-2$ $\quad\therefore b=-2$

$\quad\therefore a+b=-1-2=-3$

27 $f(-2)=-6-4=-10$ $\quad\therefore a=-10$

$\quad g(b)=-\dfrac{1}{3}b-2=-10$이므로 $-\dfrac{1}{3}b=-8$ $\quad\therefore b=24$

28 $f(3)=3a=-9$ $\quad\therefore a=-3$

29 $f(1)=2+a=5$이므로 $a=3$ $\quad\therefore f(x)=2x+3$

$\quad\therefore f(3)=6+3=9$

30 $f(4)=-\dfrac{a}{4}+5=0$, $-\dfrac{a}{4}=-5$ $\quad\therefore a=20$

$\quad$ 따라서 $f(x)=-\dfrac{20}{x}+5$이므로

$\quad f(2)=-\dfrac{20}{2}+5=-10+5=-5$

31 $f(1)=a=4$이므로 $f(x)=4x$

$\quad f(b)=4b=2$ $\quad\therefore b=\dfrac{1}{2}$

32 $f(-1)=\dfrac{a}{-1}=-8$ $\quad\therefore a=8$

$\quad$ 따라서 $f(x)=\dfrac{8}{x}$이므로

$\quad f(b)=\dfrac{8}{b}=2$ $\quad\therefore b=4$

$\quad\therefore a+b=8+4=12$

33 $f(2)=2a+3=1$, $2a=-2$ $\quad\therefore a=-1$

$\quad$ 따라서 $f(x)=-x+3$이므로

$\quad a+f(-1)=-1+\{-(-1)+3\}=3$

34 $f(-2)=a(-2-1)=9$, $-3a=9$ $\quad\therefore a=-3$

$\quad f(3)=-3(3-1)=-6$ $\quad\therefore b=-6$

$\quad\therefore a-b=-3-(-6)=3$

35 ① 우변이 이차식이므로 일차함수가 아니다.

$\quad$②, ③ 일차함수

$\quad$④ 분모에 x가 있으므로 일차함수가 아니다.

$\quad$⑤ -3은 일차식이 아니므로 일차함수가 아니다.

36 ㄴ. $3x^2-4y=3x^2+x-8$, $-4y=x-8$ $\quad\therefore y=-\dfrac{1}{4}x+2$

$\quad$ㄹ. $3x=2y-x$, $2y=4x$ $\quad\therefore y=2x$

37 ① $y=x^2$ $\qquad$② $y=\pi x^2$ $\quad$③ $y=\dfrac{16}{x}$

$\quad$④ $y=5000-300x$ $\quad$⑤ $y=\dfrac{24}{x}$

38 ① $y=\dfrac{3}{2}x-\dfrac{1}{2}$ ② $y=\dfrac{4}{x}$ ③ $y=1$ ④ $y=x-3$

39 $f(-1)=a\times(-1)+3=-a+3=1$ $\quad\therefore a=2$

$\quad$ 따라서 $f(x)=2x+3$이므로 $f(5)=2\times5+3=13$

40 $f(-2)=-3\times(-2)-1=5$,

$\quad f(1)=-3\times1-1=-4$

$\quad f(-2)+2f(1)=5+2\times(-4)=-3$

41 $f(2)=2$, $f(-1)=5$이므로 $\begin{cases}2a+b=2\\-a+b=5\end{cases}$

$\quad$ 연립방정식을 풀면 $a=-1$, $b=4$

$\quad$ 따라서 $f(x)=-x+4$이므로 $f(-3)=-(-3)+4=7$

42 $f(-3)=8$이므로 $-3a+2=8$, $a=-2$ $\quad\therefore f(x)=-2x+2$

$\quad g(2)=1$이므로 $-3+b=1$, $b=4$ $\quad\therefore g(x)=-\dfrac{3}{2}x+4$

$\quad\therefore f(3)-g(8)=-4-(-8)=4$

43 일차함수 $y=-2x$의 그래프를 y축의 방향으로 -3만큼 평행이동한

$\quad$ 그래프의 식은 $y=-2x-3$

$\quad$ 따라서 $x=-6$, $y=m$을 대입하면 $m=-2\times(-6)-3=9$

45 일차함수 $y=-2x-3a+4$의 그래프를 y축의 방향으로 2만큼 평행

$\quad$ 이동한 그래프의 식은 $y=-2x-3a+6$이다.

$\quad$ 그런데 $y=bx$의 그래프와 겹쳐지므로

$\quad b=-2$, $-3a+6=0$에서 $a=2$ $\quad\therefore a+b=0$

46 ④ $x=4$, $y=-3$을 대입하면 $-3=(-2)\times4+5=-3$(참)

47 $x=-4$, $y=-2$를 대입하면

$\quad -2=\dfrac{1}{3}\times(-4)+b$ $\quad\therefore b=-\dfrac{2}{3}$

$\quad x=p$, $y=2$를 $y=\dfrac{1}{3}x-\dfrac{2}{3}$에 대입하면

$\quad 2=\dfrac{1}{3}p-\dfrac{2}{3}$ $\quad\therefore p=8$

48 일차함수 $y=-\dfrac{1}{2}x+1$의 그래프를 y축의 방향으로

$\quad n$만큼 평행이동한 그래프의 식은 $y=-\dfrac{1}{2}x+1+n$

$\quad x=-2$, $y=6$을 대입하면 $6=-\dfrac{1}{2}\times(-2)+1+n$

$\quad\therefore n=4$

49 y축의 방향으로 b만큼 평행이동하였으므로

$\quad$ 일차함수의 식은 $y=2x+b$

$\quad x=1$, $y=4$를 대입하면 $4=2+b$ $\quad\therefore b=2$

$\quad y=2x+2$에 $x=m$, $y=-2$를 대입하면

$\quad -2=2m+2$ $\quad\therefore m=-2$

$\quad\therefore b+m=2+(-2)=0$

50 $y=0$일 때, $0=-3x-6$, $x=-2$이므로 x절편은 -2이다.

$\quad x=0$일 때, $y=-3\times0-6=-6$이므로 y절편은 -6이다.

51 $x=0$일 때, $y=-\left(0+\dfrac{2}{3}\right)=-\dfrac{2}{3}$이므로 y절편은 $-\dfrac{2}{3}$이다.

52 $x=-2$, $y=3$을 대입하면 $-2a+1=3$ $\quad\therefore a=-1$

$\quad y=-x+1$이므로 $y=0$일 때, $0=-x+1$, $x=1$

$\quad$ 따라서 x절편은 1이다.

53 일차함수 $y=4x$의 그래프를 y축의 방향으로 -8만큼 평행이동한

$\quad$ 그래프의 식은 $y=4x-8$

$\quad y=0$일 때, $0=4x-8$, $x=2$이므로 x절편은 2이다.

$\quad x=0$일 때, $y=-8$이므로 y절편은 -8이다.

$\quad\therefore 2+(-8)=-6$

54 $(기울기) = \dfrac{-6}{5-2} = -2$

따라서 기울기가 -2인 그래프를 가지는 것은
③ $y = -2x+3$이다.

55 $(기울기) = \dfrac{3}{-4} = -\dfrac{3}{4}$

따라서 기울기가 $-\dfrac{3}{4}$인 그래프를 가지는 것은 ② $y = -\dfrac{3}{4}x+2$이다.

57 $\dfrac{f(3)-f(-2)}{3-(-2)} = \dfrac{(y의\ 값의\ 증가량)}{(x의\ 값의\ 증가량)} = (기울기) = -\dfrac{1}{3}$

58 $\dfrac{k-(-7)}{4-(-3)} = \dfrac{k+7}{7} = 2$ $\quad \therefore k = 7$

59 $(기울기) = \dfrac{8-1}{-4-3} = \dfrac{7}{-7} = -1$

60 $(기울기\ a) = \dfrac{7-(-5)}{2-(-1)} = \dfrac{12}{3} = 4$

61 주어진 그래프가 두 점 $(-3, 0)$, $(0, 9)$를 지나므로 기울기는

$\dfrac{9-0}{0-(-3)} = 3$

62 $\dfrac{a-(-4)}{3-0} = \dfrac{5-(-4)}{6-0}$, $\dfrac{a+4}{3} = \dfrac{9}{6}$ $\quad \therefore a = \dfrac{1}{2}$

63 $\dfrac{2-(-7)}{2-5} = \dfrac{p-2}{0-2}$, $\dfrac{9}{-3} = \dfrac{p-2}{-2}$ $\quad \therefore p = 8$

64 $\dfrac{2-(-1)}{2-a} = -\dfrac{1}{3}$, $\dfrac{3}{2-a} = -\dfrac{1}{3}$ $\quad \therefore a = 11$

$\dfrac{b-2}{8-2} = -\dfrac{1}{3}$, $\dfrac{b-2}{6} = -\dfrac{1}{3}$ $\quad \therefore b = 0$

$\therefore ab = 0$

65 $\dfrac{7-(-5)}{3-(-1)} = \dfrac{2m-7}{m-3}$, $3 = \dfrac{2m-7}{m-3}$,

$2m-7 = 3(m-3)$ $\quad \therefore m = 2$

66 $a = \dfrac{4}{3}$

$y = 0$일 때, $0 = \dfrac{4}{3}x-2$, $x = \dfrac{3}{2}$이므로 $b = \dfrac{3}{2}$

$x = 0$일 때, $y = -2$이므로 $c = -2$

$\therefore abc = \dfrac{4}{3} \times \dfrac{3}{2} \times (-2) = -4$

67 $y = 5x$의 그래프를 y축의 방향으로 -15만큼 평행이동한
그래프의 식은 $y = 5x-15$

$a = 5$

$y = 0$일 때, $0 = 5x-15$, $x = 3$이므로 $p = 3$

$x = 0$일 때, $y = -15$이므로 $q = -15$

$\therefore a+p+q = -7$

68 $y = x-2$의 그래프의 x절편이 2,

$y = -3x+1$의 그래프의 y절편이 1이므로

일차함수 $y = ax+b$의 그래프의 x절편은 2, y절편은 1이다.

따라서 두 점 $(2, 0)$, $(0, 1)$을 지나므로 구하는 기울기는

$\dfrac{1-0}{0-2} = -\dfrac{1}{2}$

69 일차함수 $y = -\dfrac{3}{2}x+3$에서

$x = 0$일 때 $y = 3$이므로 y절편은 3,

$y = 0$일 때 $x = 2$이므로 x절편은 2이다.

70 ③ $-\dfrac{1}{2}x+4$의 그래프의 y절편은 4, x절편은 8이다.

따라서 $y = -\dfrac{1}{2}x+4$의 그래프는 제1, 2, 4사분면을 지난다.

71 $y = 3x-2$를 y축의 방향으로 4만큼 평행이동한 그래프의 식은
$y = 3x+2$이다.

일차함수 $y = 3x+2$의 그래프의 x절편은 $-\dfrac{2}{3}$, y절편은 2이다.

따라서 제1, 2, 3사분면을 지난다.

> **다른 풀이** 일차함수 $y = 3x+2$의 그래프의 기울기는 양수, y절편은
> 양수이므로 제1, 2, 3사분면을 지난다.

72 ④ a의 절댓값이 클수록 y축에 가까워진다.

⑤ $a < 0$일 때, x의 값이 증가하면 y의 값은 감소한다.

73 $y = ax$의 그래프는 a의 절댓값이 클수록 y축에 가까워진다.

따라서 a의 값이 0보다 작고 -2보다 큰 것을 고르면 ②, ③이다.

74 ④ 제1, 2, 4사분면을 지난다.

75 ③ $x = -\dfrac{b}{a}$일 때, $y = a \times \left(-\dfrac{b}{a}\right) + b = 0$

76 (1) ㄱ. x절편 : $\dfrac{3}{4}$, ㄴ. x절편 : $-\dfrac{20}{3}$, ㄷ. x절편 : 2, ㄹ. x절편 : 20

(2) $(기울기) > 0$일 때, 그래프는 오른쪽 위로 향한다.

따라서 ㄱ, ㄴ이다.

(3) $(기울기) < 0$, $(y절편) > 0$일 때, 제1, 2, 4사분면을 지난다.

따라서 ㄷ, ㄹ이다.

77 $a > 0$에서 $-a < 0$이므로 그래프가 오른쪽 아래로 향한다.

$b < 0$이므로 y절편이 음수이다.

78 $-a > 0$, $b > 0$일 때, 제4사분면을 지나지 않는다. $\quad \therefore a < 0, b > 0$

79 그래프가 오른쪽 위로 향하므로 $a > 0$이다.

y절편이 음수이고 $a > 0$이므로 $-\dfrac{b}{a} < 0$, $\dfrac{b}{a} > 0$에서 $b > 0$이다.

80 그래프가 오른쪽 아래로 향하고 y절편이 음수이므로 $a < 0, b < 0$

$y = bx-2a$에서 $b < 0$, $-2a > 0$

따라서 $(기울기) < 0$, $(y절편) > 0$이므로 그래프는 제1, 2, 4사분면을
지난다.

81 $y = \dfrac{1}{3}x-4$의 그래프의 x절편은 12, y절편은 -4이다.

따라서 그래프와 x축, y축으로 둘러싸인 도형의 넓이는

$\dfrac{1}{2} \times 12 \times 4 = 24$

82 y절편은 -3, x절편은 $\dfrac{3}{a}\,(a > 0)$이므로

$(도형의\ 넓이) = \dfrac{1}{2} \times 3 \times \dfrac{3}{a} = 18$

$\dfrac{3}{2} \times \dfrac{3}{a} = 18$ $\quad \therefore a = \dfrac{1}{4}$

83 기울기가 같으면 평행하므로 $k=-4$

84 ② 직선 $y=\dfrac{1}{3}x$의 기울기는 $\dfrac{1}{3}$이다.

85 기울기와 y절편이 모두 같으면 일치하므로
$-a=5$에서 $a=-5$, $b=2$ ∴ $ab=-10$

86 주어진 직선은 두 점 $(-2,\,0)$, $(0,\,3)$을 지나므로
직선의 기울기는 $\dfrac{3-0}{0-(-2)}=\dfrac{3}{2}$
따라서 평행한 직선은 기울기가 $\dfrac{3}{2}$이므로 ② $y=\dfrac{3}{2}x+\dfrac{1}{2}$이다.

87 일차함수 $y=3ax-b$의 그래프를 y축의 방향으로 5만큼 평행이동한
그래프의 식은 $y=3ax-b+5$이다.
그런데 $y=-6x+3$의 그래프와 일치하므로
$3a=-6$에서 $a=-2$, $-b+5=3$에서 $b=2$ ∴ $a+b=0$

88 직선 $y=4x-1$에 평행하므로 기울기는 4이다.
$4=\dfrac{-a+5-3a-1}{-2-3}=\dfrac{-4a+4}{-5}$ ∴ $a=6$

89 ② 기울기가 다르므로 평행하지 않다.
③ 제3사분면을 지나지 않는다.
④ x절편은 8, y절편은 4이다.
⑤ x의 값이 증가할 때, y의 값은 감소한다.

90 $y=\dfrac{1}{2}x$의 그래프를 y축의 방향으로 b만큼 평행이동한 그래프의 식은
$y=\dfrac{1}{2}x+b$
$x=4$, $y=5$를 대입하면 $5=2+b$, $b=3$ ∴ $y=\dfrac{1}{2}x+3$
② $y=0$일 때, $0=\dfrac{1}{2}x+3$, $x=-6$이므로 x절편은 -6이다.

91 ㄴ. $y=-\dfrac{3}{4}x+\dfrac{1}{2}$과 $y=\dfrac{3}{2}x-1$의 그래프의 x절편은 $\dfrac{2}{3}$이다.
ㄷ. 제1, 2, 4사분면을 지난다.
ㄹ. $y=-\dfrac{3}{4}x-\dfrac{3}{2}$의 그래프를 y축의 방향으로 2만큼 평행이동한
그래프의 식은 $y=-\dfrac{3}{4}x+\dfrac{1}{2}$

92 $y=2x+4$의 그래프와 평행하므로 기울기는 2이고,
점 $(0,\,3)$을 지나므로 y절편은 3이다.
∴ $y=2x+3$

93 주어진 그래프의 기울기는 $\dfrac{0-2}{1-0}=-2$이므로 $a=-2$
y절편이 -2이므로 $-b=-2$, $b=2$ ∴ $ab=-2\times2=-4$

94 $y=-\dfrac{1}{3}x+5$의 그래프와 평행하므로 기울기는 $-\dfrac{1}{3}$이다.
이때 y절편이 -2이므로 $y=-\dfrac{1}{3}x-2$
따라서 $y=0$일 때, $x=-6$이므로 x절편은 -6이다.

95 $y=-3x+b$로 놓고 $x=-2$, $y=5$를 대입하면
$5=-3\times(-2)+b$, $b=-1$
∴ $y=-3x-1$

96 주어진 그래프의 기울기는 $\dfrac{-2-0}{0-(-4)}=-\dfrac{1}{2}$이므로
$y=-\dfrac{1}{2}x+b$로 놓자.
$x=-1$, $y=4$를 대입하면 $4=\dfrac{1}{2}+b$, $b=\dfrac{7}{2}$
∴ $y=-\dfrac{1}{2}x+\dfrac{7}{2}$

97 $y=\dfrac{1}{2}x+b$로 놓고 $x=-4$, $y=2$를 대입하면
$2=-2+b$, $b=4$ ∴ $y=\dfrac{1}{2}x+4$
ㄴ. y절편은 4이다.
ㄹ. x절편은 -8이다.

98 $y=2x+b$로 놓고 $x=4$, $y=2$를 대입하면
$2=8+b$, $b=-6$ ∴ $y=2x-6$
따라서 x절편은 3, y절편은 -6이므로
(삼각형의 넓이)$=\dfrac{1}{2}\times3\times6=9$

99 두 점 $(-2,\,-3)$과 $(2,\,1)$을 지나므로 기울기는 $\dfrac{1-(-3)}{2-(-2)}=1$
$y=x+b$로 놓고 $x=2$, $y=1$을 대입하면
$1=2+b$, $b=-1$ ∴ $y=x-1$

100 (기울기)$=\dfrac{-7-3}{4-(-1)}=-2$이므로 $y=-2x+b$로 놓고
$x=-1$, $y=3$을 대입하면
$3=-2\times(-1)+b$, $b=1$ ∴ $y=-2x+1$
따라서 $a=-2$, $b=1$이므로 $a+b=-1$

101 (기울기)$=\dfrac{5-(-7)}{4-(-2)}=2$이므로 $y=2x+b$로 놓고 $x=4$,
$y=5$를 대입하면 $b=-3$ ∴ $y=2x-3$
따라서 $y=2x$의 그래프를 y축의 방향으로 -3만큼 평행이동한 것이
므로 $q=2$, $r=-3$
또, $x=6$, $y=p$를 대입하면 $p=2\times6-3=9$
∴ $p+q+r=9+2+(-3)=8$

102 두 점 $(0,\,-8)$, $(4,\,0)$을 지나므로
(기울기)$=\dfrac{0-(-8)}{4-0}=2$, (y절편)$=-8$
∴ $y=2x-8$

103 $y=-3x+18$의 그래프의 y절편은 18이므로 점 $(0,\,18)$을 지나고,
$y=\dfrac{1}{3}x+1$의 그래프의 x절편은 -3이므로 점 $(-3,\,0)$을 지난다.
(기울기)$=\dfrac{18-0}{0-(-3)}=6$
∴ $y=6x+18$

104 (기울기)$=\dfrac{-4-0}{0-3}=\dfrac{4}{3}$, ($y$절편)$=-4$ ∴ $y=\dfrac{4}{3}x-4$
① x절편은 3이다.
② (기울기)>0이므로 x의 값이 증가하면 y의 값도 증가한다.
③ $6\neq-8-4=-12$ ④ $\triangle$AOB$=\dfrac{1}{2}\times3\times4=6$

105 100 m씩 높아질 때, 0.6 ℃씩 내려가므로 1 m 높아질 때,

$\dfrac{0.6}{100}=0.006$(℃)씩 내려간다.

$\therefore y=18-0.006x$

$y=-6$일 때, $-6=18-0.006x$, $0.006x=24$ $\quad \therefore x=4000$

따라서 구하는 높이는 4000 m이다.

106 온도가 2분에 3 ℃씩 올라가므로 1분에 $\dfrac{3}{2}$ ℃씩 올라간다.

$\therefore y=16+\dfrac{3}{2}x$

물의 끓는점이 100 ℃이므로 $y=100$일 때, $100=16+\dfrac{3}{2}x$,

$84=\dfrac{3}{2}x$ $\quad \therefore x=56$

따라서 56분 후부터 물이 끓기 시작한다.

107 5 m 높아질 때마다 0.5 ℃씩 내려가므로 1 m 높아질 때마다

$\dfrac{0.5}{5}=0.1$(℃)씩 내려간다.

$\therefore y=21-0.1x$

$x=150$일 때, $y=21-0.1\times150=6$

따라서 150 m 올라갔을 때의 기온은 6 ℃이다.

108 20분에 2 cm씩 짧아지므로 1분에 $\dfrac{2}{20}=0.1$(cm)씩 짧아진다.

x분 후의 남아 있는 양초의 길이를 y cm라 하면

$y=60-0.1x$

$x=5\times60=300$일 때, $y=60-0.1\times300=30$

따라서 5시간 후 남아 있는 양초의 길이는 30 cm이다.

109 (1) 10 g인 물건을 달 때마다 길이가 4 cm씩 늘어나므로 1 g인 물건

을 달 때마다 길이가 $\dfrac{4}{10}=0.4$(cm)씩 늘어난다.

$\therefore y=15+0.4x$

(2) $x=20$일 때, $y=15+0.4\times20=15+8=23$

따라서 구하는 길이는 23 cm이다.

110 기온이 x ℃일 때의 소리의 속력을 초속 y m라 하면

x와 y 사이의 관계식은 $y=331+0.6x$

$y=343$일 때, $343=331+0.6x$, $0.6x=12$ $\quad \therefore x=20$

따라서 소리의 속력이 초속 343 m일 때의 기온은 20 ℃이다.

111 (1) x초 후에 엘리베이터는 $2x$ m 내려온다. $\quad \therefore y=40-2x$

(2) $y=28$일 때, $28=40-2x$, $2x=12$ $\quad \therefore x=6$

따라서 엘리베이터의 높이가 28 m 될 때에는 엘리베이터가 출발한 지 6초 후이다.

112 다희가 x분 동안 달린 거리는 $200x$ m, 즉 $0.2x$ km이므로

x와 y 사이의 관계식은 $y=20-0.2x$

$x=30$일 때, $y=20-0.2\times30=14$ km

따라서 출발한 지 30분 후의 다희의 위치와 결승점 사이의 거리는 14 km이다.

113 x초 후의 $\overline{\text{BP}}$의 길이는 $2x$ cm이므로

$\overline{\text{PC}}$의 길이는 $(40-2x)$ cm이다.

$\square$APCD의 넓이를 y cm²라 하면

$y=\dfrac{1}{2}\times(40+40-2x)\times20$ $\quad \therefore y=800-20x$

$x=16$일 때, $y=800-20\times16=480$

따라서 점 P가 점 B를 출발한 지 16초 후의 $\square$APCD의 넓이는 480 cm²이다.

114 x초 후의 $\overline{\text{AP}}$의 길이는 $2x$ cm이다.

$\triangle$PAC의 넓이를 y cm²라 하면

$y=\dfrac{1}{2}\times2x\times18$ $\quad \therefore y=18x$

$y=72$일 때, $72=18x$ $\quad \therefore x=4$

따라서 $\triangle$PAC의 넓이가 72 cm²가 되는 것은 4초 후이다.

115 x초 후의 $\overline{\text{PC}}$의 길이는 $3x$ cm이므로 $\overline{\text{BP}}=(30-3x)$ cm

$\triangle$ABP의 넓이를 y cm²라 하면 $y=\dfrac{1}{2}\times20\times(30-3x)$

$\therefore y=300-30x$

$y=120$일 때, $120=300-30x$, $30x=180$ $\quad \therefore x=6$

따라서 6초 후에 $\triangle$ABP의 넓이가 120 cm²가 된다.

116 $y=-10x+40$이므로 $x=2$일 때, $y=-10\times2+40=20$

따라서 불을 붙인 지 2시간 후에 남은 양초의 길이는 20 cm이다.

117 3분에 60 L의 비율이므로 1분에 20 L의 물이 흘러 나온다.

$\therefore y=300-20x$

$x=12$일 때, $y=300-20\times12=60$

따라서 12분 후에 남아 있는 물의 양은 60 L이다.

118 (1) 혜진 : $y=\dfrac{1}{4}x$, 지훈 : $y=x-15(x\geq15)$이므로

$\dfrac{1}{4}x=x-15$에서 $x=20$

따라서 혜진이가 출발한 지 20분 후에 혜진이와 지훈이가 만난다.

(2) $y=\dfrac{1}{4}x$에 $x=20$을 대입하면 $y=5$

따라서 학교로부터 5 km 떨어진 지점에서 만난다.

119 30분 동안 물의 높이가 24 cm 높아졌으므로

1분마다 $\dfrac{4}{5}$ cm씩 높아진다.

따라서 처음에 들어 있던 물의 높이를 h cm,

x분 후의 물의 높이를 y cm라 하면 $y=h+\dfrac{4}{5}x$

$x=20$, $y=50$을 대입하면 $50=h+\dfrac{4}{5}\times20$, $50=h+16$

$\therefore h=34$

따라서 이 물탱크에 처음에 들어 있던 물의 높이는 34 cm이다.

120 B자동차가 출발할 때, A자동차는 이미 35 km를 달렸으므로 B자동차가 출발한 지 x시간 후에 A자동차가 달린 거리는

$(35+70x)$ km, B자동차가 달린 거리는 $80x$ km이다.

따라서 x와 y 사이의 관계식은 $y=(35+70x)-80x=35-10x$

121 남자 선수가 출발한 지 x분 후에 여자 선수가 남자 선수보다 앞서 있는 거리를 y m라 하자. 남자 선수는 출발한 지 x분 후에 $250x$ m를 달렸고, 이때 여자 선수는 $200(20+x)$ m를 달렸으므로

$y=200(20+x)-250x=-50x+4000$

$y=0$을 대입하면 $0=-50x+4000$, $50x=4000$ $\therefore x=80$

따라서 남자 선수는 출발한 지 80분 후에 골인 지점에 도착했으므로

마라톤 코스의 길이는 $250 \times 80=20000$(m), 즉 20 km이다.

122 $A: y=40-\dfrac{3}{5}x$, $B: y=46-x$

$40-\dfrac{3}{5}x=46-x$, $\dfrac{2}{5}x=6$ $\therefore x=15$

따라서 A, B 두 물탱크에 남아 있는 물의 양이 같아지는 것은 15분 후이다.

학교 시험 100점맞기   **62쪽~65쪽**

01 ②	02 ③	03 ②	04 ④	05 ③	06 ④
07 ③	08 ⑤	09 ③	10 ⑤	11 ⑤	12 ①
13 ④	14 ②	15 ⑤	16 ②	17 ③	18 ⑤
19 ④	20 ③	21 $y=2x-10$		22 $\dfrac{25}{6}$	23 $\dfrac{3}{2}$

24 $y=30-\dfrac{1}{6}x$, 15 cm

01 ① $y=\pi x$ ② $\dfrac{x}{100} \times y=20$, $y=\dfrac{2000}{x}$

③ $y=4x$ ④ $y=3x$

⑤ $y=\dfrac{1}{2}(3+x) \times 6$, $y=9+3x$

02 일차함수 $y=-2x+3$의 그래프를 y축의 방향으로 -5만큼 평행이동한 그래프의 식은 $y=-2x-2$

따라서 $a=-2$, $b=-2$이므로 $a+b=-4$

03 ② $x=-1$, $y=7$을 $y=4x-3$에 대입하면

$7 \neq 4 \times (-1)-3=-7$

04 $y=0$일 때, $0=-\dfrac{1}{2}x-4$, $x=-8$ $\therefore m=-8$

$x=0$일 때, $y=-\dfrac{1}{2} \times 0-4=-4$ $\therefore n=-4$

$\therefore m+n=-8+(-4)=-12$

05 (기울기)$=\dfrac{(y\text{의 값의 증가량})}{(x\text{의 값의 증가량})}=\dfrac{(y\text{의 값의 증가량})}{5}=3$

$\therefore (y\text{의 값의 증가량})=15$

06 y절편이 6이므로 점 $(0,6)$을 지난다.

따라서 두 점 $(0,6)$, $(-3,4)$를 지나므로

(기울기)$=\dfrac{4-6}{-3-0}=\dfrac{-2}{-3}=\dfrac{2}{3}$

07 $\dfrac{-9-(-1)}{-3-(-1)}=\dfrac{-1-5}{-1-m}$, $\dfrac{-8}{-2}=4=\dfrac{-6}{-1-m}$ $\therefore m=\dfrac{1}{2}$

08 $y=\dfrac{1}{2}x-3$의 그래프의 x절편은 6, y절편은 -3이다.

09 ㄴ. x절편은 4이다.

ㄷ. 기울기가 2이므로 x가 2만큼 증가할 때, y는 4만큼 증가한다.

---

10 ⑤ $y=2x-4$의 그래프는 기울기가 양수이고,

y절편이 음수이므로 그래프의 모양은 오른쪽 그림과 같다.

11 $y=0$일 때, $0=-3x+12$, $x=4$이므로 x절편은 4이다.

$x=0$일 때, $y=-3 \times 0+12=12$이므로 y절편은 12이다.

$\therefore (\text{삼각형의 넓이})=\dfrac{1}{2} \times 4 \times 12=24$

12 $y=ax+3$과 $y=-2x+8$의 그래프가 평행하므로 $a=-2$

$y=-2x+3$에서 $y=0$일 때, $0=-2x+3$, $x=\dfrac{3}{2}$ $\therefore x$절편: $\dfrac{3}{2}$

$y=\dfrac{2}{3}x+b$의 그래프가 점 $\left(\dfrac{3}{2}, 0\right)$을 지나므로

$0=\dfrac{2}{3} \times \dfrac{3}{2}+b$ $\therefore b=-1$

$\therefore a+b=-2+(-1)=-3$

13 x절편은 2, y절편은 -5이므로 (기울기)$=\dfrac{-5-0}{0-2}=\dfrac{5}{2}$,

$y=\dfrac{5}{2}x-5$

따라서 $a=-\dfrac{5}{2}$, $b=5$이므로 $a+b=\dfrac{5}{2}$

14 10 g마다 1.2 cm씩 늘어나므로 1 g마다 0.12 cm씩 늘어난다.

무게가 x g인 물체를 달았을 때, 용수철의 길이를 y cm라 하면

$y=20+0.12x$

$x=50$일 때, $y=20+0.12 \times 50=26$

따라서 50 g인 물체를 달았을 때, 용수철의 길이는 26 cm이다.

15 기울기는 음수, y절편은 양수이므로

$-a<0$, $-b>0$ $\therefore a>0$, $b<0$

16 $ab>0$이므로 $\dfrac{b}{a}>0$

$ab>0$, $ac<0$에서 a와 c는 부호가 다르고

b와 c도 부호가 다르다. $\therefore \dfrac{c}{b}<0$

$y=\dfrac{b}{a}x+\dfrac{c}{b}$에서 기울기는 양수, y절편은 음수

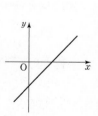

이므로 그래프의 모양은 오른쪽 그림과 같다.

따라서 그래프는 제1, 3, 4사분면을 지난다.

17 $y=ax+3$에서 x절편은 $-\dfrac{3}{a}$이다.

$(\text{삼각형의 넓이})=\dfrac{1}{2} \times \left(-\dfrac{3}{a}+3\right) \times 3=6$

$-\dfrac{3}{a}+3=4$ $\therefore a=-3$

18 두 직선이 서로 평행하므로 $-\dfrac{a}{b}=-\dfrac{b}{a}$, $\dfrac{1}{b} \neq \dfrac{3}{a}$

$\therefore a^2=b^2$, $a \neq 3b$

19 $y=ax+b$의 그래프의 x절편은 $-\dfrac{b}{a}$, y절편은 b이다.

x절편과 y절편은 절댓값이 같고,

부호가 반대이므로 $\dfrac{b}{a}=b$ $\therefore a=1$

$x=-3, y=3$을 대입하면 $3=-3a+b$, $3=-3+b$이므로 $b=6$

$\therefore y=x+6$

④ $x=2, y=8$을 $y=x+6$에 대입하면 $8=2+6$(참)

20 점 $(-1, -3)$을 지나고 제2사분면을 지나지
않으므로 오른쪽 그림과 같은 범위에 그래프가
와야 한다. (경계선 포함함)

따라서 최대 기울기는 두 점
$(0, 0)$, $(-1, -3)$을 지날 때이다.

$\therefore \dfrac{0-(-3)}{0-(-1)}=3$

21 ⟨1단계⟩ 일차함수 $y=2x+b$의 그래프를 y축의 방향으로 3만큼 평행이
동한 그래프의 식은 $y=2x+b+3$이므로 $b+3=-2$에서
$b=-5$

⟨2단계⟩ $y=2x-5$의 그래프를 y축의 방향으로 -5만큼 평행이동한
그래프의 식은 $y=2x-5-5$에서 $y=2x-10$

22 ⟨1단계⟩ 직선 $y=3x-3$과 평행하므로 기울기는 3이다. $y=3x+b$로
놓고 $x=-1$, $y=2$를 대입하면 $2=-3+b$,
$b=5$ $\therefore y=3x+5$

⟨2단계⟩ $y=0$일 때, $0=3x+5$, $x=-\dfrac{5}{3}$이므로 x절편은 $-\dfrac{5}{3}$이다.

$x=0$일 때, $y=3\times0+5=5$이므로 y절편은 5이다.

⟨3단계⟩ x절편은 $-\dfrac{5}{3}$, y절편은 5이므로

(색칠한 부분의 넓이)$=\dfrac{1}{2}\times\dfrac{5}{3}\times5=\dfrac{25}{6}$

23 주어진 그래프는 두 점 $(-4, 0)$, $(0, -2)$를 지나므로

(기울기)$=\dfrac{-2-0}{0-(-4)}=-\dfrac{1}{2}$

$y=ax+b$의 그래프와 평행하므로 $a=-\dfrac{1}{2}$ ······ ❶

$y=-\dfrac{1}{2}x+b$에서 y절편이 2이므로 $b=2$ ······ ❷

$\therefore a+b=-\dfrac{1}{2}+2=\dfrac{3}{2}$ ······ ❸

채점 기준	배점
❶ a의 값 구하기	2점
❷ b의 값 구하기	2점
❸ $a+b$의 값 구하기	1점

24 30분마다 5 cm씩 짧아지므로 1분에 $\dfrac{5}{30}=\dfrac{1}{6}$(cm)씩 짧아진다.

$\therefore y=30-\dfrac{1}{6}x$ ······ ❶

$x=90$을 대입하면 $y=30-\dfrac{1}{6}\times90=30-15=15$

따라서 불을 붙인 지 1시간 30분 후의 양초의 길이는 15 cm이다.

······ ❷

채점 기준	배점
❶ 관계식 구하기	3점
❷ 불을 붙인 지 1시간 30분 후의 양초의 길이 구하기	2점

8. 일차함수와 일차방정식의 관계

시험에 나오는 핵심개념

66쪽~67쪽

예제 1 답 (1) 2 (2) 4

(1) $4x+ay-8=0$을 y에 관하여 풀면

$y=-\dfrac{4}{a}x+\dfrac{8}{a}$이므로 $-\dfrac{4}{a}=-2$ $\therefore a=2$

(2) (y절편)$=\dfrac{8}{a}=\dfrac{8}{2}=4$

예제 2 답 (1) $x=3$ (2) $y=-3$ (3) $y=4$ (4) $x=-3$

예제 3 답 $a=1$, $b=6$

$x=2$, $y=4$를 두 일차방정식에 각각 대입하면

$2a+4-6=0$, $2a=2$ $\therefore a=1$

$10-4-b=0$ $\therefore b=6$

예제 4 답 ②

해가 오직 한 쌍이면 두 직선이 한 점에서 만난다.

즉, 기울기가 달라야 한다.

① $\begin{cases} y=-2x+1 \\ y=-2x-1 \end{cases}$ ② $\begin{cases} y=3x-2 \\ y=-3x+2 \end{cases}$ ③ $\begin{cases} y=3x+4 \\ y=3x+4 \end{cases}$

④ $\begin{cases} y=2x+3 \\ y=2x+3 \end{cases}$ ⑤ $\begin{cases} y=2x-8 \\ y=2x+8 \end{cases}$

유형 격파 ✚기출 문제

68쪽~77쪽

01 ①	02 ③, ④	03 ①, ⑤	04 ②	05 ②, ③	06 ①
07 ③	08 ③	09 ②	10 ⑤	11 ⑤	12 ③
13 ②	14 ⑤	15 ③	16 ④	17 ①	18 0
19 ②	20 ④	21 $y=-\dfrac{1}{3}x+2$	22 ⑤	23 ③	
24 ④	25 ⑤	26 ③	27 ②, ④	28 제2사분면	
29 ④	30 ③	31 ⑤	32 ①	33 ②	34 ⑤
35 ②, ③	36 ④	37 ④	38 ②	39 ③	40 ②
41 ③	42 ②	43 ⑤	44 -1	45 ③	46 ④
47 ②	48 ③	49 ①	50 ⑤	51 ②	52 ①
53 ④	54 ①	55 $a=2, b\neq9$		56 ④	57 ④
58 ①	59 ⑤	60 $\dfrac{81}{2}$	61 ④	62 ④	63 ②
64 ④	65 $-1\leq a\leq-\dfrac{1}{6}$	66 $\dfrac{4}{3}$		67 -3	68 20

01 $y=\dfrac{1}{3}x-2$의 양변에 3을 곱하면 $3y=x-6$, $x-3y-6=0$

따라서 $a=-3$, $b=-6$이므로 $a+b=-9$

02 $x-4y+2=0$, $4y=x+2$, $y=\dfrac{1}{4}x+\dfrac{1}{2}$

① y절편은 $\dfrac{1}{2}$이다.　　　　② x절편은 -2이다.

⑤ $y=\dfrac{1}{4}x$의 그래프와 평행하다.

03 ① $x=3$, $y=6$을 $x+3y=15$에 대입하면 $3+3\times6\neq15$

② $(12,1)$, $(9,2)$, $(6,3)$, $(3,4)$이므로 4쌍이다.

⑤ 일차방정식 $x+3y=15$의 그래프는 제3사분면을 지나지 않는다.

04 $4x-y-2=0$, $y=4x-2$

$8x+ay-6=0$, $ay=-8x+6$, $y=-\dfrac{8}{a}x+\dfrac{6}{a}$

두 그래프가 서로 평행하므로 $-\dfrac{8}{a}=4$, $a=-2$

05 $y=-x+5$는 $x+y-5=0$ 또는 $-x-y+5=0$의 그래프와 일치한다.

06 $10x-2y+6=0$에서 $y=5x+3$

따라서 기울기는 5이므로 $a=5$

$y=0$일 때, $0=5x+3$, $x=-\dfrac{3}{5}$이므로 $p=-\dfrac{3}{5}$

$x=0$일 때, $y=3$이므로 $q=3$

$\therefore ap-q=5\times\left(-\dfrac{3}{5}\right)-3=-6$

07 $ax+by+c=0$, $by=-ax-c$, $y=-\dfrac{a}{b}x-\dfrac{c}{b}$

$ac<0$, $bc<0$이므로 a와 b의 부호는 서로 같다.

$\therefore -\dfrac{a}{b}<0$, $-\dfrac{c}{b}>0$

ㄷ, ㄹ. (기울기)<0, (y절편)>0이므로 제1, 2, 4사분면을 지난다.

ㅁ. (기울기)<0이므로 오른쪽 아래로 향하는 직선이다.

08 $ax-2y+3=0$에 $x=1$, $y=2$를 대입하면

$a-4+3=0$　　$\therefore a=1$

09 $3x+ay+4=0$에 $x=-1$, $y=-1$을 대입하면

$-3-a+4=0$　　$\therefore a=1$

따라서 $3x+y+4=0$에서 $y=-3x-4$이므로 기울기는 -3이다.

10 $x+ay+2=0$에 $x=4$, $y=-2$를 대입하면

$4-2a+2=0$, $-2a=-6$, $a=3$

따라서 $x+3y+2=0$에서 $y=-\dfrac{1}{3}x-\dfrac{2}{3}$이므로 y절편은 $-\dfrac{2}{3}$이다.

11 $5x-4y+3=0$에 $x=2k-1$, $y=7$을 대입하면

$5(2k-1)-28+3=0$, $10k=30$　　$\therefore k=3$

12 $x=3$, $y=\dfrac{5}{4}$를 $2x-ay-1=0$에 대입하면

$6-\dfrac{5}{4}a-1=0$, $-\dfrac{5}{4}a=-5$, $a=4$

$2x-4y-1=0$에서 $y=0$을 대입하면 x절편은 $\dfrac{1}{2}$이다.

즉 $b=\dfrac{1}{2}$　　$\therefore ab=2$

13 $3x-y-a=0$에 $x=-\dfrac{2}{3}$, $y=3a+6$을 대입하면

$3\times\left(-\dfrac{2}{3}\right)-(3a+6)-a=0$

$-2-3a-6-a=0$, $-4a=8$　　$\therefore a=-2$

14 x절편이 -4이므로 $x=-4$, $y=0$을 $ax-y-8=0$에 대입하면

$-4a-8=0$, $a=-2$

$-2x-y-8=0$에 $x=m$, $y=m$을 대입하면

$-3m=8$　　$\therefore m=-\dfrac{8}{3}$

15 기울기가 -5, y절편이 -2이므로

$y=-5x-2$, $5x+y+2=0$

양변에 -3을 곱하면 $-15x-3y-6=0$

따라서 $-2a-3=-15$, $a=6$, $b=-3$이므로 $a+b=3$이다.

16 기울기가 -2이고, y절편이 -3이므로

$y=-2x-3$에서 $2x+y+3=0$

$a=2$, $b=1$　　$\therefore ab=2$

17 $ax+by-12=0$, $by=-ax+12$, $y=-\dfrac{a}{b}x+\dfrac{12}{b}$

$2x-y-3=0$, $y=2x-3$

기울기는 2이고 y절편이 4이므로

$-\dfrac{a}{b}=2$, $\dfrac{12}{b}=4$　　$\therefore a=-6$, $b=3$

$\therefore a+b=-3$

18 $(2a-3b)x-2y+(a+4b)=0$, $y=\dfrac{2a-3b}{2}x+\dfrac{a+4b}{2}$

기울기가 5, y절편이 -3이므로 $\begin{cases}\dfrac{2a-3b}{2}=5\\[4pt]\dfrac{a+4b}{2}=-3\end{cases}\to\begin{cases}2a-3b=10\\a+4b=-6\end{cases}$

연립방정식을 풀면 $a=2$, $b=-2$　　$\therefore a+b=0$

19 일차방정식 $x-by+c=0$의 그래프는 두 점 $(4,0)$, $(0,-3)$을 지난다.

$x=4$, $y=0$을 대입하면 $4+c=0$, $c=-4$

$x=0$, $y=-3$을 대입하면 $3b-4=0$, $b=\dfrac{4}{3}$

$\therefore 3b+2c=3\times\dfrac{4}{3}+2\times(-4)=-4$

20 $x=0$, $y=-2$를 $3x-2y+a=0$에 대입하면 $a=-4$

$3x-2y-4=0$에서 $y=\dfrac{3}{2}x-2$

④ $x=-2$, $y=-5$를 $y=\dfrac{3}{2}x-2$에 대입하면 $-5=\dfrac{3}{2}\times(-2)-2$

21 $x+3y+4=0$, $y=-\dfrac{1}{3}x-\dfrac{4}{3}$

이 직선에 평행하므로 $y=-\dfrac{1}{3}x+b$라 놓고

점 $(6,0)$을 대입하면 $0=-\dfrac{1}{3}\times6+b$, $b=2$

따라서 구하는 일차함수의 식은 $y=-\dfrac{1}{3}x+2$이다.

22 $ax+5y+1=0$의 그래프가 점 $(-3,-2)$를 지나므로

$-3a-10+1=0$, $-3a=9$　　$\therefore a=-3$

$-3x+5y+1=0$의 그래프가 점 $(7,b)$를 지나므로

$-21+5b+1=0$, $5b=20$　　$\therefore b=4$

$\therefore a+b=1$

23 두 점 $\left(\dfrac{1}{2}, -3\right)$, $(3, 2)$를 지나므로 $\begin{cases} \dfrac{1}{2}a - 3b - 2 = 0 \cdots \textcircled{\small ㉠} \\ 3a + 2b - 2 = 0 \cdots \textcircled{\small ㉡} \end{cases}$

두 식 ㉠, ㉡을 연립방정식으로 풀면 $a = 1$, $b = -\dfrac{1}{2}$

$x - \dfrac{1}{2}y - 2 = 0$에 $(k, -2)$를 대입하면 $k + 1 - 2 = 0$ $\therefore k = 1$

24 $2x - ay = 3$에 $x = 2$, $y = 1$을 대입하면
$4 - a = 3$ $\therefore a = 1$

25 $ax + 2y + b = 0$에 $x = 0$, $y = -\dfrac{9}{2}$를 대입하면
$-9 + b = 0$ $\therefore b = 9$
$ax + 2y + 9 = 0$에 $x = -3$, $y = 0$을 대입하면
$-3a + 9 = 0$ $\therefore a = 3$
$\therefore b - a = 6$

26 그래프가 점 $(1, 3)$을 지나므로 $x = 1$, $y = 3$을 대입하면 참이 되고, y절편이 0보다 크고 3보다 작아야 한다. 따라서 조건을 만족하는 것은 ③ $2x - y = -1$이다.

27 $ax + by + c = 0$, $y = -\dfrac{a}{b}x - \dfrac{c}{b}$

기울기는 음수이므로 $-\dfrac{a}{b} < 0$, $\dfrac{a}{b} > 0 \to a$와 b는 서로 같은 부호

y절편은 양수이므로 $-\dfrac{c}{b} > 0$, $\dfrac{c}{b} < 0 \to b$와 c는 서로 다른 부호

따라서 a와 c는 서로 다른 부호이다.

28 두 점 $(-6, 1)$, $(2, -3)$을 지나는 일차함수를 $y = mx + n$이라 하면
$m = \dfrac{-3-1}{2-(-6)} = -\dfrac{1}{2}$,

$y = -\dfrac{1}{2}x + n$에서 $(2, -3)$을 대입하면

$-3 = -1 + n$, $n = -2$ $\therefore y = -\dfrac{1}{2}x - 2$

$y = -\dfrac{1}{2}x - 2$의 x절편과 y절편은 각각 -4, -2
이므로 $a = -4$, $b = -2$
일차방정식 $-4x + y + 2 = 0$의 그래프는 오른쪽
그림과 같으므로 제2사분면을 지나지 않는다.

29 두 점을 지나는 직선이 x축에 수직이므로
직선의 방정식은 $x = k$ (단, k는 상수)꼴이다.
$-a + 1 = -2a + 5$ $\therefore a = 4$

30 x축에 평행한 직선의 방정식은 $y = k$(단, k는 상수)의 꼴이다.
따라서 점 $(1, -3)$을 지나므로 $y = -3$

31 $ax + by - 4 = 0$에서 $y = -\dfrac{a}{b}x + \dfrac{4}{b}$

x축에 평행한 직선의 방정식은 $y = 2$이므로

$-\dfrac{a}{b} = 0$, $\dfrac{4}{b} = 2$에서 $a = 0$, $b = 2$이므로 $a + b = 2$

32 y축에 평행하므로 직선의 방정식은 $x = k$(단, k는 상수)의 꼴이다.
$3a - 4 = 5a + 6$, $-2a = 10$ $\therefore a = -5$

33 $4x - 5y - 10 = 0$, $y = \dfrac{4}{5}x - 2$
점 $(0, -2)$를 지나고 x축에 평행한 직선의 방정식은 $y = -2$이다.

34 ① ㄱ, ㅁ의 기울기는 다르므로 평행하지 않다.
⑤ ㄹ은 제1, 2, 4사분면을 지난다.

35 ② $x = 0$은 y축, $y = 0$은 x축을 나타내는 직선이다.
③ $y = k(k$는 상수)의 그래프는 x축과 평행인 직선이다.

36 네 직선으로 둘러싸인 도형은
오른쪽 그림과 같다.
따라서 넓이는 $3 \times 5 = 15$

37 네 직선의 방정식으로 만들어지는 사각형은
오른쪽 그림과 같다.
따라서 구하는 넓이는 $2 \times 3 = 6$이다.

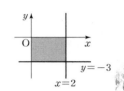

38 $y = \dfrac{7}{2}$, $x = -6$, $y = 1$, $x = -a$이므로
네 방정식의 그래프를 좌표평면 위에
나타내면 오른쪽 그림과 같다.
$(6 - a) \times \dfrac{5}{2} = 10$ $\therefore a = 2$

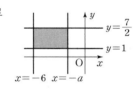

39 네 직선의 방정식으로 만들어지는
사각형은 오른쪽 그림과 같다.
따라서 넓이가 30이므로
$5 \times (2a - 1 - a + 4) = 30$
$a + 3 = 6$ $\therefore a = 3$

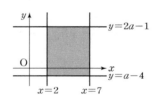

40 $x - y = -2$와 $y = -1$, $y = 3$과의
교점의 좌표는 각각 $(-3, -1)$, $(1, 3)$
이다.
따라서 사각형의 넓이는
$\dfrac{1}{2} \times (3 + 7) \times 4 = 20$

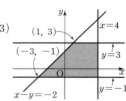

41 그래프의 교점의 좌표와 연립방정식의 해가 같으므로 연립방정식의 해는 $(2, 3)$이다.

42 $2x - 5y - 16 = 0$, $-2x + 3y + 12 = 0$을 연립하여 풀면
$x = 3$, $y = -2$
따라서 $a = 3$, $b = -2$이므로 $a + b = 3 + (-2) = 1$

43 $x = b$, $y = 10$을 $-4x + y + 2 = 0$에 대입하면
$-4b + 10 + 2 = 0$, $b = 3$
$x = 3$, $y = 10$을 $3x - ay + 1 = 0$에 대입하면
$9 - 10a + 1 = 0$, $a = 1$
$\therefore ab = 3$

44 $x = -3$, $y = 1$을 각 방정식에 대입하면
$-6 + a + 3 = 0$ $\therefore a = 3$

$-3b-4+7=0$ $\quad\therefore b=1$

$y=\dfrac{a}{b}x+a$는 $y=3x+3$이므로 $y=0$일 때, $0=3x+3$, $x=-1$

따라서 x절편은 -1이다.

45 $x=-1$, $y=4$를 $ax+y=2$에 대입하면

$-a+4=2$, $a=2$

$a=2$, $x=-1$, $y=4$를 $bx+ay=7$에 대입하면

$-b+8=7$, $b=1$

$\therefore a-b=1$

46 ㄱ. 직선 l은 두 점 $(0, 1)$, $(2, 0)$을 지나므로

$y=-\dfrac{1}{2}x+1$, $x+2y=2$

ㄴ. 직선 m은 두 점 $(0, -3)$, $(2, 0)$을 지나므로

$y=\dfrac{3}{2}x-3$, $3x-2y=6$

47 $2x-3y-8=0$, $3x+2y+1=0$을 연립하여 풀면 $x=1$, $y=-2$

직선 $3x+y=6$과 평행하므로 $y=-3x+b$로 놓고 $x=1$, $y=-2$를

대입하면 $-2=-3+b$ $\quad\therefore b=1$

따라서 $y=-3x+1$이므로 $3x+y-1=0$

48 $x+2y=4$, $2x-y=-2$를 연립하여 풀면 $x=0$, $y=2$

x절편이 4이므로 점 $(4, 0)$을 지난다.

두 점 $(0, 2)$, $(4, 0)$을 지나는 직선의 방정식은

$y=-\dfrac{1}{2}x+2$ $\quad\therefore -x-2y+4=0$

49 $2x-y=6$, $3x-4y=14$를 연립하여 풀면 $x=2$, $y=-2$

기울기가 $\dfrac{1}{2}$이고 점 $(2, -2)$를 지나는 직선의 방정식은 $y=\dfrac{1}{2}x-3$

$\therefore x-2y-6=0$

50 $x+y=-5$, $-2x+y=4$를 연립하여 풀면 $x=-3$, $y=-2$

$x=-3$, $y=-2$를 $5x-2y+a=0$에 대입하면

$-15+4+a=0$ $\quad\therefore a=11$

51 $2x-y=1$, $x+2y=8$을 연립하여 풀면 $x=2$, $y=3$

$x=2$, $y=3$을 $2ax+y=5a+1$에 대입하면

$4a+3=5a+1$ $\quad\therefore a=2$

52 $3x-y=1$, $x+2y=5$를 연립하여 풀면 $x=1$, $y=2$

$x=1$, $y=2$를 $(a+2)x-y=3$에 대입하면

$a+2-2=3$ $\quad\therefore a=3$

$a=3$을 $2x+ay+6=0$에 대입하면 $2x+3y+6=0$

직선 $2x+3y+6=0$에 $y=0$을 대입하면 $x=-3$

따라서 직선 $2x+3y+6=0$과 x축과의 교점은 -3이다.

53 해가 무수히 많으려면 기울기, y절편이 같아야 하므로

$\dfrac{1}{4}=\dfrac{a}{-8}=\dfrac{3}{b}$에서 $a=-2$, $b=12$

$\therefore a+b=10$

54 ㉠을 y에 관하여 풀면 $y=\dfrac{1}{3}x-2$

따라서 기울기와 y절편이 같으므로 교점의 개수는 무수히 많다.

55 두 직선의 교점이 존재하지 않을 조건은 $\dfrac{a}{-6}=\dfrac{-1}{3}$, $\dfrac{-1}{3}\neq\dfrac{-3}{b}$

$\therefore a=2$, $b\neq9$

56 $\dfrac{3+a}{2a}=\dfrac{4}{6}\neq\dfrac{6}{3}$, $6(3+a)=8a$, $a=9$

57 그래프의 교점이 1개 있으므로 연립방정식의 해가 한 쌍이다.

따라서 $\dfrac{5}{a}\neq\dfrac{4}{-2}$이므로 $a\neq-\dfrac{5}{2}$

58 두 직선 $ax-8y+2=0$, $2x-4y-b=0$의 교점이 무수히 많으므로

$\dfrac{a}{2}=\dfrac{-8}{-4}=\dfrac{2}{-b}$ $\quad\therefore a=4$, $b=-1$

연립방정식 $\begin{cases} 4x+y-2=0 \\ kx-2y+3=0 \end{cases}$ 의 해가 존재하지 않으려면

$\dfrac{k}{4}=\dfrac{-2}{1}\neq\dfrac{-3}{-2}$ $\quad\therefore k=-8$

59 $4x+3y=4$, $-x+y=2$를 연립하여 풀면 $x=-\dfrac{2}{7}$, $y=\dfrac{12}{7}$

$\therefore$ (넓이)$=\dfrac{1}{2}\times3\times\dfrac{12}{7}=\dfrac{18}{7}$

60 $2x+y=6$, $2x-y+12=0$을 연립하여 풀면

$x=-\dfrac{3}{2}$, $y=9$

$2x+y=6$의 x절편은 3이고

$2x-y+12=0$의 x절편은 -6이다.

따라서 그래프는 오른쪽 그림과 같으므로

구하는 넓이는 $\dfrac{1}{2}\times9\times9=\dfrac{81}{2}$

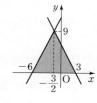

61 두 직선 $2x+y=8$, $-x+2y=-4$의

교점의 좌표는 $(4, 0)$

두 직선 $2x+y=8$, $x=2$의

교점의 좌표는 $(2, 4)$

두 직선 $-x+2y=-4$, $x=2$의

교점의 좌표는 $(2, -1)$

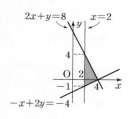

따라서 세 직선은 오른쪽 그림과 같으므로 구하는 넓이는 $\dfrac{1}{2}\times5\times2=5$

62 삼각형의 넓이가 10이므로

$\dfrac{1}{2}\times5\times$ (교점의 x좌표)$=10$

따라서 교점의 x좌표는 -4이다.

$x=-4$를 $y=-x-3$에 대입하면 $y=1$

$x=-4$, $y=1$을 $y=ax+2$에 대입하면 $1=-4a+2$ $\quad\therefore a=\dfrac{1}{4}$

63 $y=ax+1$의 그래프는 항상 점 $(0, 1)$을 지난다.

a는 기울기이므로 a의 값 중 가장 큰 값은 두 점 $(0, 1)$, $(2, 7)$을 지

나는 경우이고, 가장 작은 값은 두 점 $(0, 1)$, $(3, 3)$을 지나는 경우이다.

$\dfrac{3-1}{3-0}\leq a\leq\dfrac{7-1}{2-0}$ $\quad\therefore \dfrac{2}{3}\leq a\leq3$

64 $y=ax-3$의 그래프는 항상 점 $(0, -3)$을 지난다.

a는 기울기이므로 a의 값 중 가장 큰 값은 두 점 $(0, -3)$, $(3, 9)$를

지나는 경우이고, 가장 작은 값은 두 점 $(0, -3)$, $(5, 2)$를 지나는 경

우이다.

$$\frac{2-(-3)}{5-0} \leq a \leq \frac{9-(-3)}{3-0} \qquad \therefore 1 \leq a \leq 4$$

따라서 $p=1$, $q=4$이므로 $pq=4$

65 $y=ax+1$의 그래프는 항상 점 $(0, 1)$을 지난다.

기울기 a는 두 점 $(0, 1)$과 $(-3, 4)$를 지날 때 최소, 두 점 $(0, 1)$과 $(-6, 2)$를 지날 때 최대가 된다.

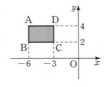

$$\frac{1-4}{0-(-3)} \leq a \leq \frac{1-2}{0-(-6)} \qquad \therefore -1 \leq a \leq -\frac{1}{6}$$

66 $y=-\frac{4}{3}x+8$의 그래프와 x축, y축으로 둘러싸인 부분의 넓이는

$$\frac{1}{2} \times 6 \times 8 = 24$$

$$\frac{1}{2} \times 24 = \frac{1}{2} \times 6 \times (\text{교점의 } y\text{좌표})$$이므로

교점의 y좌표는 4이다.

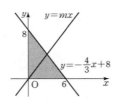

$y=4$를 $y=-\frac{4}{3}x+8$에 대입하면 $4=-\frac{4}{3}x+8$ $\qquad \therefore x=3$

따라서 $x=3$, $y=4$를 $y=mx$에 대입하면 $m=\frac{4}{3}$

67 오른쪽 그림에서 $\triangle OAB = \frac{1}{2} \times 2 \times 6 = 6$

점 C의 y좌표의 절댓값을 k라 하면

$$\frac{1}{2} \times 2 \times k = 3 \qquad \therefore k=3$$

$y=-3$을 $3x-y-6=0$에 대입하면

$3x+3-6=0 \qquad \therefore x=1$

따라서 $x=1$, $y=-3$을 $y=mx$에 대입하면 $m=-3$

68 연립방정식 $\begin{cases} y=2x \\ y=-x+12 \end{cases}$ 를 풀면 $x=4$, $y=8$

직선 $y=ax+b$가 점 $(4, 8)$을 지나므로 $4a+b=8$ $\cdots$ ㉠

$\triangle AOB = \frac{1}{2} \times 12 \times 8 = 48$이므로 점 C의 x좌표를 k라 하면

$$\triangle AOC = \frac{1}{2} \times k \times 8 = 24 \qquad \therefore k=6$$

직선 $y=ax+b$가 점 $(6, 0)$을 지나므로 $6a+b=0$ $\cdots$ ㉡

㉠, ㉡을 연립하여 풀면 $a=-4$, $b=24$ $\qquad \therefore a+b=20$

학교 시험 100점맞기

78쪽~81쪽

01 ⑤	02 ③	03 ③	04 ①	05 ④	06 ①
07 ③	08 ③	09 ②	10 ④	11 ④	12 ⑤
13 0	14 ①	15 ④	16 제4사분면		17 $\frac{4}{3}$
18 ②	19 2	20 ⑤	21 ②	22 -4	23 $\frac{15}{2}$
24 -3	25 9				

01 $2x+3y-6=0$, $y=-\frac{2}{3}x+2$

⑤ 기울기가 음수, y절편이 양수이므로 제1, 2, 4사분면을 지난다.

02 $x-y-2=0$, $y=x-2$

ㄱ. 기울기가 같고 y절편이 다르므로 서로 평행하다.

ㄴ. 제1, 3, 4사분면을 지난다.

ㄷ. x절편이 2, y절편이 -2이므로 $2+(-2)=0$

ㄹ. 기울기가 1이므로 x의 값이 2만큼 증가할 때, y의 값도 2만큼 증가한다.

03 $x+ay-b=0$, $ay=-x+b$, $y=-\frac{1}{a}x+\frac{b}{a}$

그래프가 제3사분면을 지나지 않으므로 (기울기)<0, (y절편)>0

$$-\frac{1}{a}<0 \qquad \therefore a>0$$

$$\frac{b}{a}>0, a>0 \qquad \therefore b>0$$

04 $ax+by=4$, $by=-ax+4$, $y=-\frac{a}{b}x+\frac{4}{b}$

기울기가 -2이므로 $-\frac{a}{b}=-2 \qquad \therefore a=2b \cdots$ ㉠

$x=2$, $y=-3$을 $ax+by=4$에 대입하면 $2a-3b=4 \cdots$ ㉡

㉠을 ㉡에 대입하면 $4b-3b=4 \qquad \therefore b=4$

$a=2b$이므로 $a=8 \qquad \therefore a+b=12$

05 두 점 $(0, 2)$, $(4, 0)$을 지나므로 $y=-\frac{1}{2}x+2$

$2y=-x+4 \qquad \therefore x+2y-4=0$

06 직선 $3x+y-2=0$과 평행하므로 기울기가 -3이다.

$y=-3x+b$에서 x절편이 $-\frac{4}{3}$이므로

$$0=-3 \times \left(-\frac{4}{3}\right)+b \qquad \therefore b=-4$$

$$\therefore y=-3x-4$$

07 P(m, m)이라 하면 $6m+3m+27=0$

$9m+27=0 \qquad \therefore m=-3$

따라서 P$(-3, -3)$이므로 제3사분면 위의 점이다.

08 x축에 수직인 직선의 방정식은 $x=k$(단, k는 상수)의 꼴이다.

09 네 일차방정식은

$x=1$, $x=3$, $y=2$, $y=4$이므로

그래프로 나타내면 오른쪽 그림과 같다.

따라서 넓이는 $2 \times 2 = 4$

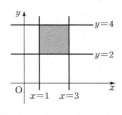

10 교점의 좌표가 $(-2, 3)$이므로 각각의 방정식에 대입하면

$$\begin{cases} -4+3a=8 \\ 2b+6=10 \end{cases}$$에서 $a=4$, $b=2$

$$\therefore 2a-b=6$$

11 연립방정식의 해는 그래프의 교점의 좌표이다.

따라서 그래프의 교점의 좌표는 $(3, 3)$이므로 연립방정식의 해는 $(3, 3)$이다.

12 $2x+y+5=0$, $x-2y+5=0$을 연립하여 풀면 $x=-3$, $y=1$

두 점 $(-3, 1)$, $(3, -7)$을 지나므로

$(기울기)=\dfrac{-7-1}{3-(-3)}=-\dfrac{4}{3}$ $\therefore y=-\dfrac{4}{3}x+b$

$x=3$, $y=-7$을 $y=-\dfrac{4}{3}x+b$에 대입하면 $b=-3$

$\therefore y=-\dfrac{4}{3}x-3$

$\therefore 4x+3y+9=0$

13 $2x+3y=a$, $3y=-2x+a$, $y=-\dfrac{2}{3}x+\dfrac{a}{3}$

$bx-6y=8$, $-6y=-bx+8$, $y=\dfrac{b}{6}x-\dfrac{4}{3}$

기울기와 y절편이 각각 같아야 하므로 $a=-4$, $b=-4$

$\therefore a-b=-4-(-4)=0$

[다른 풀이] $\dfrac{2}{b}=\dfrac{3}{-6}=\dfrac{a}{8}$에서 $a=-4$,

$b=-4$이므로 $a-b=0$

14 $3x-2y=1$, $-2y=-3x+1$, $y=\dfrac{3}{2}x-\dfrac{1}{2}$

$9x+my=-2$, $my=-9x-2$, $y=-\dfrac{9}{m}x-\dfrac{2}{m}$

기울기는 같고 y절편은 다르므로

$\dfrac{3}{2}=-\dfrac{9}{m}$, $3m=-18$

$\therefore m=-6$

[다른 풀이] $\dfrac{3}{9}=\dfrac{-2}{m}\neq\dfrac{1}{-2}$에서 $m=-6$

15 세 일차방정식의 그래프로 둘러싸인
도형은 오른쪽 그림과 같다.

따라서 도형의 넓이는 $\dfrac{1}{2}\times4\times4=8$

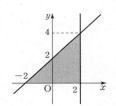

16 $ax+by+c=0$, $y=-\dfrac{a}{b}x-\dfrac{c}{b}$

$ab<0$에서 a와 b는 부호가 다르므로 $(기울기)=-\dfrac{a}{b}>0$

$ac>0$에서 a와 c는 부호가 같으므로 $(x절편)=-\dfrac{c}{a}<0$

따라서 주어진 일차방정식의 그래프는 제1, 2, 3사분면을 지난다.

즉, 제4사분면을 지나지 않는다.

17 직선 $\dfrac{x}{3}+\dfrac{y}{4}=1$의 x절편은 3,

y절편은 4이므로 직선의 모양은
오른쪽 그림과 같다.

$\dfrac{1}{2}\times6=\dfrac{1}{2}\times3\times(교점의 \, y좌표)$

이므로 교점의 y좌표는 2이다.

$y=2$일 때, $\dfrac{x}{3}+\dfrac{2}{4}=1$ $\therefore x=\dfrac{3}{2}$

$x=\dfrac{3}{2}$, $y=2$를 $y=mx$에 대입하면 $2=\dfrac{3}{2}m$ $\therefore m=\dfrac{4}{3}$

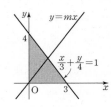

18 $\begin{cases} x+2ay=2 \\ -2x+3y=3b \end{cases}$ 의 해가 무수히 많으므로

$-\dfrac{1}{2}=\dfrac{2a}{3}=\dfrac{2}{3b}$에서 $a=-\dfrac{3}{4}$, $b=-\dfrac{4}{3}$

$a=-\dfrac{3}{4}$, $b=-\dfrac{4}{3}$를 $4ax+y-3b=0$에 대입하면

$-3x+y+4=0$

$\begin{cases} -3x+y+4=0 \\ x+ky=2 \end{cases} \rightarrow \begin{cases} y=3x-4 \\ y=-\dfrac{1}{k}x+\dfrac{2}{k} \end{cases}$

두 그래프가 평행하므로 $3=-\dfrac{1}{k}$ $\therefore k=-\dfrac{1}{3}$

19 4개의 그래프를 그리면 오른쪽 그림과 같고,
4개의 그래프로 둘러싸인 도형은 마름모이다.

따라서 넓이는 $2\times2\times\dfrac{1}{2}=2$

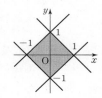

20 일차함수 $y=ax+4$의 그래프는 항상
점 $(0, 4)$를 지나고,
두 점 $(-1, 2)$, $(3, 2)$를 이은 선분과
만나지 않으므로 오른쪽 그림과 같은
범위에 그래프가 와야 한다.
(경계선은 포함하지 않음)

이때 두 점 $(0, 4)$, $(-1, 2)$를 지나는

직선의 기울기는 $\dfrac{4-2}{0-(-1)}=2$

두 점 $(0, 4)$, $(3, 2)$를 지나는 직선의 기울기는 $\dfrac{4-2}{0-3}=-\dfrac{2}{3}$

$\therefore -\dfrac{2}{3}<a<2$

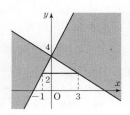

21 $y=mx-1$에 $x=4$, $y=7$을 대입하면 $m=2$ $\therefore y=2x-1$

삼각형이 생기지 않으려면 직선 $y=ax+5$가 두 직선 $y=x+3$,
$y=2x-1$ 중 한 직선과 평행하면 되므로 $a=1$ 또는 $a=2$

또, 직선 $y=ax+5$가 점 $(4, 7)$을 지나도 삼각형이 생기지 않으므로

$7=4a+5$ $\therefore a=\dfrac{1}{2}$

따라서 a의 값들의 합은 $\dfrac{7}{2}$이다.

22 [1단계] $4x-y=0$에서 $y=4x$이므로 $(기울기)=4$

$y=4x+k$로 놓고 $x=1$, $y=-3$을 대입하면

$-3=4+k$, $k=-7$ $\therefore (y절편)=-7$

[2단계] $y=4x-7$에서 $4x-y-7=0$

[3단계] $a=4$, $b=-1$이므로 $ab=4\times(-1)=-4$

23 [1단계] 교점의 x좌표가 -1이므로

$x-y=-4$에 $x=-1$을 대입하면 $y=3$

따라서 교점의 좌표는 $(-1, 3)$이다.

[2단계] $x=-1$, $y=3$을 $ax+4y=6$에 대입하면

$-a+12=6$ $\therefore a=6$

따라서 $6x+4y=6$이므로 x절편은 1이다.

[3단계] $(도형의 \, 넓이)=\dfrac{1}{2}\times5\times3=\dfrac{15}{2}$

24 연립방정식 $\begin{cases} x-y+3=0 & \cdots \text{㉠} \\ x+3y-5=0 & \cdots \text{㉡} \end{cases}$ 에서

㉠-㉡을 하면 $-4y+8=0$ $\therefore y=2$

㉠에 $y=2$를 대입하면 $x-2+3=0$ $\therefore x=-1$

따라서 교점의 좌표는 $(-1, 2)$이므로 $b=-1$, $c=2$ ...... ❶

$ax-y-2=0$에 $x=-1$, $y=2$를 대입하면

$-a-2-2=0$ $\therefore a=-4$ ...... ❷

$\therefore a+b+c=-4+(-1)+2=-3$ ...... ❸

채점 기준	배점
❶ 교점의 좌표 구하기	3점
❷ 상수 a의 값 구하기	3점
❸ $a+b+c$의 값 구하기	1점

25 $B(a, 0)$, $C(b, 0)$이라 하면 $A(a, 3a)$, $D(b, -2b+11)$ ...... ❶

사각형 ABCD가 정사각형이므로 $3a=b-a=-2b+11$

$\begin{cases} 3a=b-a \\ 3a=-2b+11 \end{cases} \rightarrow \begin{cases} b=4a \\ 3a+2b=11 \end{cases}$

연립방정식을 풀면 $a=1$, $b=4$ ...... ❷

따라서 정사각형 ABCD의 넓이는 $3\times3=9$ ...... ❸

채점 기준	배점
❶ 네 점 A, B, C, D의 좌표를 미지수로 나타내기	3점
❷ 미지수의 값 구하기	3점
❸ 정사각형 ABCD의 넓이 구하기	2점

싹쓸이 핵심 기출 문제

84쪽~87쪽

01 ③	02 ⑤	03 ⑤	04 ②	05 ③	06 -4
07 ④	08 $x=2$, $y=-7$	09 ④	10 12대	11 8 km	
12 ⑤	13 ①	14 ②	15 ④	16 ①	17 5
18 -12	19 ④	20 ①	21 ①	22 ③	23 ②
24 ②	25 ③				

01 x, y가 자연수이므로 $(1, 5)$, $(2, 3)$, $(3, 1)$이 해가 된다.

따라서 구하는 해의 개수는 3개이다.

02 $x=3$, $y=2$를 대입하면 $6+2a-12=0$, $2a=6$

$\therefore a=3$

03 x, y가 자연수일 때 $x+3y=7$의 해는 $(1, 2)$, $(4, 1)$이고

$2x+y=9$의 해는 $(1, 7)$, $(2, 5)$, $(3, 3)$, $(4, 1)$이다.

따라서 구하는 해는 $(4, 1)$이다.

04 $x=-1$, $y=2$를 각 방정식에 대입하면

$-a+2=1$ $\therefore a=1$

$-b-2a=-4$, $-b-2=-4$ $\therefore b=2$

$\therefore a-b=1-2=-1$

05 $\begin{cases} 2x-y=5 & \cdots \text{㉠} \\ 3x+2y=4 & \cdots \text{㉡} \end{cases}$

㉠$\times2$+㉡을 하면 $7x=14$ $\therefore x=2$

$x=2$를 ㉠에 대입하면 $2\times2-y=5$ $\therefore y=-1$

06 $\begin{cases} x+3y=9 \\ 2x-3y=-18 \end{cases}$ 을 풀면 $x=-3$, $y=4$

이를 나머지 두 식에 대입하면 $-3+4a=1$, $a=1$

$-3a+8=b$, $-3+8=b$, $b=5$ $\therefore a-b=-4$

07 $\begin{cases} 0.3x+0.4y=1.7 & \cdots \text{㉠} \\ \dfrac{2}{3}x-\dfrac{1}{2}y=1 & \cdots \text{㉡} \end{cases}$ 에서

㉠$\times10$, ㉡$\times6$을 하면 $\begin{cases} 3x+4y=17 & \cdots \text{㉢} \\ 4x-3y=6 & \cdots \text{㉣} \end{cases}$

㉢$\times4$-㉣$\times3$을 하면 $25y=50$, $y=2$

$y=2$를 ㉢에 대입하면 $x=3$

따라서 $a=3$, $b=2$이므로 $3a+b=3\times3+2=11$

08 $4x+y=2x-y-10=x-1$에서

$\begin{cases} 4x+y=x-1 \\ 2x-y-10=x-1 \end{cases} \rightarrow \begin{cases} 3x+y=-1 & \cdots \text{㉠} \\ x-y=9 & \cdots \text{㉡} \end{cases}$

㉠+㉡을 하면 $4x=8$, $x=2$

$x=2$를 ㉡에 대입하면 $2-y=9$, $y=-7$

$\therefore x=2$, $y=-7$

09 ④ $\begin{cases} 2x-2y=4 & \cdots \text{㉠} \\ 6x-6y=8 & \cdots \text{㉡} \end{cases}$ 에서 ㉠$\times3$을 하면 $\begin{cases} 6x-6y=12 \\ 6x-6y=8 \end{cases}$

10 두발자전거를 x대, 세발자전거를 y대라 하면

$\begin{cases} x+y=27 & \cdots \text{㉠} \\ 2x+3y=69 & \cdots \text{㉡} \end{cases}$ 에서 ㉠$\times3$-㉡을 하면 $x=12$

$x=12$를 ㉠에 대입하면 $y=15$

따라서 두발자전거는 12대이다.

11 A 코스의 거리를 x km, B 코스의 거리를 y km라 하면

$\begin{cases} x+y=13 \\ \dfrac{x}{2}+\dfrac{y}{4}=\dfrac{9}{2} \end{cases} \rightarrow \begin{cases} x+y=13 & \cdots \text{㉠} \\ 2x+y=18 & \cdots \text{㉡} \end{cases}$

㉠-㉡을 하면 $-x=-5$ $\therefore x=5$

$x=5$를 ㉠에 대입하면 $y=8$

따라서 B 코스의 거리는 8 km이다.

12 ① $y=500x$이므로 함수이다.

② $y=(1-0.2)x=0.8x$이므로 함수이다.

③ $y=\dfrac{7}{100}x$이므로 함수이다.

④ $y=\dfrac{10}{x}$이므로 함수이다.

⑤ 절댓값이 $x(x>0)$인 수는 x, $-x$의 2개이므로 y의 값이 하나로

정해지지 않는다.

따라서 y가 x의 함수가 아니다.

13 $f(0)=-\dfrac{1}{2}\times0=0$, $f(2)=-\dfrac{1}{2}\times2=-1$,

$$f(4)=-\frac{1}{2}\times 4=-2$$
$$\therefore f(0)+f(2)+f(4)=0+(-1)+(-2)=-3$$

14 $f(2)=\frac{2}{2}-1=0,\ g(2)=-2\times 2+3=-1$
$$\therefore f(2)+g(2)=0-1=-1$$

15 $f(2)=\frac{a}{2}=-6$　　$\therefore a=-12$

따라서 $f(x)=-\frac{12}{x}$이므로 $f(-4)=3$

16 일차함수 $y=-3x$의 그래프를 y축의 방향으로 b만큼 평행이동한
그래프의 식은 $y=-3x+b$
$x=2,\ y=-2$를 대입하면 $-2=-3\times 2+b$　　$\therefore b=4$

17 $y=0$일 때, $0=-\frac{3}{2}x+3,\ x=2$　　$\therefore x$절편 : 2
$x=0$일 때, $y=-\frac{3}{2}\times 0+3=3$　　$\therefore y$절편 : 3
따라서 $m=2,\ n=3$이므로 $m+n=5$

18 (기울기)$=\dfrac{(y\text{의 값의 증가량})}{(x\text{의 값의 증가량})}=\dfrac{(y\text{의 값의 증가량})}{3}=-4$
$$\therefore (y\text{의 값의 증가량})=-12$$

19 ② 기울기가 음수이므로 x의 값이 증가하면 y의 값은 감소한다.
④ 기울기가 음수이므로 함수의 그래프는 오른쪽 아래로 향하는 직선
이다.

20 $y=0$일 때, $0=-2x-4,\ x=-2$　　$\therefore x$절편 : -2
$x=0$일 때, $y=-2\times 0-4=-4$　　$\therefore y$절편 : -4
$$\therefore (\text{넓이})=\frac{1}{2}\times 2\times 4=4$$

21 $a=(\text{기울기})=\dfrac{0-(-6)}{2-0}=3$
$y=3x+b$에 $x=3,\ y=2$를 대입하면 $2=9+b$　　$\therefore b=-7$
$$\therefore a+b=3+(-7)=-4$$

22 $1\,^\circ\mathrm{C}$씩 올라갈 때마다 초속 $0.6\,\mathrm{m}$씩 속력이 증가하므로
$$y=331+0.6x$$
$y=340$일 때, $340=331+0.6x,\ 9=0.6x$　　$\therefore x=15$
따라서 소리의 속력이 초속 $340\,\mathrm{m}$일 때의 기온은 $15\,^\circ\mathrm{C}$이다.

23 x축에 평행한 직선의 방정식은 $y=k$(단, k는 상수)의 꼴이다.
그런데 점 $(3,\ -5)$를 지나므로 $y=-5$

24 교점의 x좌표가 2이므로 $x=2$를 $x+y=4$에 대입하면 $y=2$
$x=2,\ y=2$를 $ax-2y=-1$에 대입하면
$2a-4=-1$　　$\therefore a=\frac{3}{2}$

25 $\begin{cases}ax+3y=-4\\4x-6y=b\end{cases}\rightarrow\begin{cases}y=-\dfrac{a}{3}x-\dfrac{4}{3}\\[4pt]y=\dfrac{2}{3}x-\dfrac{b}{6}\end{cases}$

기울기와 y절편이 각각 같아야 하므로
$$-\frac{a}{3}=\frac{2}{3},\ -\frac{4}{3}=-\frac{b}{6}\qquad\therefore a=-2,\ b=8$$
$$\therefore a+b=-2+8=6$$

01 ④	02 2	03 ①	04 ②	05 ①	06 ④
07 $x=\frac{5}{2},\ y=\frac{37}{4}$		08 ③	09 ④	10 11대	11 4 km
12 ③	13 ②	14 ③	15 ①	16 ④	17 ②
18 3	19 ②	20 ④	21 ③	22 ②	23 ①
24 ①	25 ①				

01 $x,\ y$가 자연수이므로 $(12,\ 1),\ (9,\ 2),\ (6,\ 3),\ (3,\ 4)$가 해가 된다.
따라서 해는 모두 4개이다.

02 $x=1,\ y=2$를 대입하면
$a+2=4$　　$\therefore a=2$

03 $x,\ y$가 자연수일 때, $x+3y=10$의 해는 $(1,\ 3),\ (4,\ 2),\ (7,\ 1)$이고,
$4x-y=1$의 해는 $(1,\ 3),\ (2,\ 7),\ (3,\ 11),\ \cdots$이다.
따라서 구하는 해는 $(1,\ 3)$이다.

04 $x=-1,\ y=3$을 각 방정식에 대입하면 $-a+3=1$　　$\therefore a=2$
$-1-3b=8,\ -3b=9$　　$\therefore b=-3$
$$\therefore a+b=2+(-3)=-1$$

05 $y=3x+1$을 $-3x+2y=17$에 대입하면
$-3x+2(3x+1)=17,\ 3x=15$　　$\therefore x=5$
$x=5$를 $y=3x+1$에 대입하면 $y=3\times 5+1=16$

06 $\begin{cases}2x+y=4\\3x+y=7\end{cases}$을 풀면 $x=3,\ y=-2$

이를 나머지 두 식에 대입하면 $\begin{cases}3a-2b=5&\cdots\ \text{㉠}\\2a+3b=12&\cdots\ \text{㉡}\end{cases}$

㉠$\times 3$+㉡$\times 2$를 하면 $13a=39,\ a=3$
$a=3$을 ㉠에 대입하면 $9-2b=5,\ b=2$
$$\therefore a-b=1$$

07 $\begin{cases}0.3x-0.2y=-1.1\\[2pt]\dfrac{2-x}{4}-\dfrac{7-y}{2}=1\end{cases}\rightarrow\begin{cases}3x-2y=-11\\2-x-14+2y=4\end{cases}$

$\rightarrow\begin{cases}3x-2y=-11&\cdots\ \text{㉠}\\-x+2y=16&\cdots\ \text{㉡}\end{cases}$

㉠$+$㉡을 하면 $2x=5,\ x=\dfrac{5}{2}$

$x=\dfrac{5}{2}$를 ㉡에 대입하면 $y=\dfrac{37}{4}$

08 $\dfrac{x-y}{4}=\dfrac{x-3y}{6}=\dfrac{1}{2}$에서 $\begin{cases}\dfrac{x-y}{4}=\dfrac{1}{2}&\cdots\ \text{㉠}\\[4pt]\dfrac{x-3y}{6}=\dfrac{1}{2}&\cdots\ \text{㉡}\end{cases}$

㉠$\times 4$, ㉡$\times 6$을 하면 $\begin{cases}x-y=2&\cdots\ \text{㉢}\\x-3y=3&\cdots\ \text{㉣}\end{cases}$

㉢$-$㉣을 하면 $2y=-1,\ y=-\dfrac{1}{2}$

$y=-\dfrac{1}{2}$을 ㉢에 대입하면 $x+\dfrac{1}{2}=2,\ x=\dfrac{3}{2}$

따라서 $a=\dfrac{3}{2},\ b=-\dfrac{1}{2}$이므로 $a+b=1$

09 $\begin{cases} 2x-3y=2 & \cdots\text{㉠} \\ -4x+6y=a & \cdots\text{㉡} \end{cases}$ 에서 ㉠$\times(-2)$를 하면 $\begin{cases} -4x+6y=-4 \\ -4x+6y=a \end{cases}$

따라서 두 방정식이 일치할 때, 무수히 많은 해를 가지므로 $a=-4$

10 오토바이를 x대, 자동차를 y대라 하면

$\begin{cases} x+y=20 & \cdots\text{㉠} \\ 2x+4y=58 & \cdots\text{㉡} \end{cases}$ 에서 ㉠$\times2-$㉡을 하면

$-2y=-18,\ y=9$

$y=9$를 ㉠에 대입하면 $x=11$

따라서 오토바이의 수는 11대이다.

11 올라간 거리를 x km, 내려온 거리를 y km라 하면

$\begin{cases} x+y=16 \\ \dfrac{x}{3}+\dfrac{y}{4}=5 \end{cases} \rightarrow \begin{cases} x+y=16 & \cdots\text{㉠} \\ 4x+3y=60 & \cdots\text{㉡} \end{cases}$

㉠$\times3-$㉡을 하면 $-x=-12$ $\therefore x=12$

$x=12$를 ㉠에 대입하면 $y=4$

따라서 내려온 거리는 4 km이다.

12 ①, ②, ④, ⑤ x의 값이 정해짐에 따라 y의 값이 오직 하나씩 정해지므로 y가 x의 함수이다.

③ 자연수 x보다 작은 자연수는 $(x-1)$개 있으므로 y의 값이 하나로 정해지지 않는다.

따라서 y가 x의 함수가 아니다.

13 $f(6)=-1,\ f(-3)=2$

$\therefore f(6)-2f(-3)=-1-2\times2=-5$

14 $f(a)=g(a)$이므로 $3a-4=-a+2,\ 4a=6$ $\therefore a=\dfrac{3}{2}$

15 $f(-2)=-2a-5=-9$ $\therefore a=2$

따라서 $f(x)=2x-5$이므로 $f(3)=2\times3-5=1$

16 일차함수 $y=-3x+1$의 그래프를 y축의 방향으로 -3만큼 평행이동한 그래프의 식은 $y=-3x+1-3$

$\therefore y=-3x-2$

17 $y=0$일 때, $0=4x+8,\ x=-2$ $\therefore x$절편 : -2

$x=0$일 때, $y=4\times0+8=8$ $\therefore y$절편 : 8

따라서 x절편과 y절편의 합은 $-2+8=6$

18 (기울기)$=\dfrac{(y의\ 값의\ 증가량)}{(x의\ 값의\ 증가량)}=\dfrac{7-(-2)}{6-3}=\dfrac{9}{3}=3$

19 ② $2y=x+4,\ y=\dfrac{1}{2}x+2$이므로 그래프의 기울기가 같지 않다.

따라서 평행하지 않다.

20 $y=0$일 때, $0=\dfrac{1}{2}x-4,\ x=8$ $\therefore x$절편 : 8

$x=0$일 때, $y=\dfrac{1}{2}\times0-4=-4$ $\therefore y$절편 : -4

$\therefore$ (넓이)$=\dfrac{1}{2}\times8\times4=16$

21 (기울기)$=\dfrac{-1-5}{-2-(-3)}=\dfrac{-6}{1}=-6$

$y=-6x+b$에 $x=-2,\ y=-1$을 대입하면

$-1=12+b$ $\therefore b=-13$

$\therefore y=-6x-13$

22 x분 후의 물의 높이를 y cm라 하면 1분에 2 cm씩 올라가므로

$y=2x+b$

$x=10$일 때, $y=25$이므로 $25=20+b$ $\therefore b=5$

$\therefore y=2x+5$

$y=75$일 때, $75=2x+5$ $\therefore x=35$

따라서 물의 높이가 75 cm가 되는 것은 35분 후이다.

23 y축에 평행한 직선의 방정식은 $x=k$(단, k는 상수)의 꼴이다.

그런데 점 $(2,\ -6)$을 지나므로 $x=2$

24 $y=ax+b$의 그래프에서 y절편이 2이므로 $b=2$

교점의 y좌표가 3이므로 $y=-x+4$에 대입하면 $x=1$

$x=1,\ y=3$을 $y=ax+2$에 대입하면

$3=a+2$ $\therefore a=1$

$\therefore 3a-2b=3\times1-2\times2=-1$

25 $\begin{cases} ax+y=3 \\ 2y-x=7 \end{cases} \rightarrow \begin{cases} y=-ax+3 \\ y=\dfrac{1}{2}x+\dfrac{7}{2} \end{cases}$

따라서 기울기는 같고, y절편은 달라야 하므로

$-a=\dfrac{1}{2}$ $\therefore a=-\dfrac{1}{2}$

기말고사 대비 실전 모의고사

① 회

92쪽~95쪽

01 ⑤	02 ④	03 ①	04 ②	05 ④	06 -3
07 ①	08 ③	09 $x=3,\ y=1$	10 64	11 ④	
12 ⑤	13 ⑤	14 ②, ③	15 ⑤	16 ③	17 ③
18 ②	19 ②	20 ③	21 ④	22 ①	23 -2
24 4 km	25 3일				

01 ① $x,\ y$의 범위가 수 전체이면 해가 무수히 많다.

② $2x-y+6$은 문자가 $x,\ y$ 2개인 다항식이다.

③ $-2x+3y=-2x+5,\ 3y-5=0$이므로 미지수 1개인 일차방정식이다.

④ 미지수가 2개인 일차방정식은 $ax+by+c=0$($a,\ b,\ c$는 상수, $a\neq0,\ b\neq0$)의 꼴로 나타내어진다.

02 $x=k,\ y=3$을 $2x+3y=13$에 대입하면 $2k+3\times3=13$

$2k+9=13$ $\therefore k=2$

03 $x,\ y$가 자연수일 때,

$x+y=6$의 해는 $(1,\ 5),\ (2,\ 4),\ (3,\ 3),\ (4,\ 2),\ (5,\ 1)$이고

$x+2y=9$의 해는 $(1,\ 4),\ (3,\ 3),\ (5,\ 2),\ (7,\ 1)$이다.

따라서 구하는 해는 $(3,\ 3)$이다.

04 $x=2, y=3$을 각 방정식에 대입하면 $\begin{cases} 2a+3=7 \\ -2+3=b \end{cases}$

$\therefore a=2, b=1$

$\therefore ab=2$

05 ㉠+㉡을 하면 $3y=6$ $\therefore y=2$

$y=2$를 ㉠에 대입하면 $2-x=-2$ $\therefore x=4$

따라서 해는 $(4, 2)$이다.

06 $x=1, y=-1$을 대입하면 $\begin{cases} a+b=-3 & \cdots ㉠ \\ b-a=1 & \cdots ㉡ \end{cases}$

㉠+㉡을 하면 $2b=-2$ $\therefore b=-1$

$b=-1$을 ㉠에 대입하면 $a-1=-3$ $\therefore a=-2$

$\therefore 2a-b=-3$

07 $\begin{cases} 12x+y=-40 & \cdots ㉠ \\ 3x+2y=4 & \cdots ㉡ \end{cases}$ 에서 ㉠×2-㉡을 하면

$21x=-84$ $\therefore x=-4$

$x=-4$를 ㉡에 대입하면 $-12+2y=4$ $\therefore y=8$

따라서 $a=-4, b=8$이므로 $4a-b=-24$

08 $(x-1):(y-1)=2:3$이므로

$2(y-1)=3(x-1), -3x+2y=-1$ $\cdots ㉠$

$4y-4=3x-9, -3x+4y=-5$ $\cdots ㉡$

㉠-㉡을 하면 $-2y=4$ $\therefore y=-2$

$y=-2$를 ㉠에 대입하면 $-3x-4=-1$ $\therefore x=-1$

$\therefore x-y=1$

09 $\begin{cases} 4x-3y-3=3x+y-4 \\ x+2y+1=3x+y-4 \end{cases} \rightarrow \begin{cases} x-4y=-1 & \cdots ㉠ \\ -2x+y=-5 & \cdots ㉡ \end{cases}$

㉠×2+㉡을 하면 $-7y=-7$ $\therefore y=1$

$y=1$을 ㉠에 대입하면 $x-4=-1$ $\therefore x=3$

$\therefore x=3, y=1$

10 십의 자리의 숫자를 x, 일의 자리의 숫자를 y라고 하면

$\begin{cases} x+y=10 \\ 2x=3y \end{cases} \rightarrow \begin{cases} 3x+3y=30 & \cdots ㉠ \\ 2x-3y=0 & \cdots ㉡ \end{cases}$

㉠+㉡을 하면 $5x=30, x=6$

$x=6$을 $x+y=10$에 대입하면 $y=4$

따라서 구하려는 두 자리의 자연수는 64이다.

11 가로의 길이를 x m, 세로의 길이를 y m라고 하면

$\begin{cases} x=3y-2 & \cdots ㉠ \\ 2(x+y)=28 & \cdots ㉡ \end{cases}$

㉠을 ㉡에 대입하면 $2(3y-2+y)=28$ $\therefore y=4$

$y=4$를 ㉠에 대입하면 $x=10$

따라서 가로의 길이는 10 m이다.

12 ①, ②, ③, ④는 x의 값 하나에 대하여 y의 값이 오직 하나씩 정해지므로 y가 x의 함수이다.

⑤ $x=6$일 때, y는 1, 2, 3, 6이다.

따라서 x의 값 하나에 대하여 y의 값이 4개이므로 함수가 아니다.

13 $f(a)=-5$이므로 $-2a+5=-5$

$-2a=-10$ $\therefore a=5$

14 ② $y=4-2x$: 일차함수 ③ $y=2(x+2), y=2x+4$: 일차함수

④ $y=x^2$

⑤ (시간)$=\dfrac{(거리)}{(속력)}$이므로 $y=\dfrac{80}{x}$

15 일차함수 $y=-2x+a$의 그래프를 y축의 방향으로 -3만큼 평행이동한 그래프의 식은 $y=-2x+a-3$

$a-3=3$이므로 $a=6$

일차함수 $y=-2x+6$의 그래프를 y축의 방향으로 2만큼 평행이동한 그래프의 식은 $y=-2x+6+2$ $\therefore y=-2x+8$

16 $y=0$일 때, $0=-\dfrac{2}{3}x+2, x=3$ $\therefore m=3$

$x=0$일 때, $y=-\dfrac{2}{3}\times0+2, y=2$ $\therefore n=2$

$\therefore m+n=5$

17 일차함수 $y=-3x+3$의 그래프와 평행하므로 $y=-3x+a$로 놓자.

이 식에 $x=4, y=-6$을 대입하면 $-6=-3\times4+a$ $\therefore a=6$

$\therefore y=-3x+6$

18 그래프가 두 점 $(0, 4), (-6, 0)$을 지나므로

$a=\dfrac{0-4}{-6-0}=\dfrac{2}{3}, b=4$ $\therefore y=\dfrac{2}{3}x+4$

① 기울기는 $\dfrac{2}{3}$이다.

③ 일차방정식 $2x+3y=2$의 그래프의 기울기는 $-\dfrac{2}{3}$이므로 평행하지 않다.

④ x의 값이 3만큼 증가할 때, y의 값은 2만큼 증가한다.

⑤ $y=\dfrac{2}{3}x$의 그래프를 y축의 방향으로 4만큼 평행이동한 것이다.

19 $x=2, y=a$를 $3x+2y=4$에 대입하면 $6+2a=4$ $\therefore a=-1$

$x=b, y=5$를 $3x+2y=4$에 대입하면 $3b+10=4$ $\therefore b=-2$

$\therefore a+b=-3$

20 그래프의 교점이 연립방정식의 해이므로 $x=2, y=3$을 각 방정식에 대입하면 $2a+6=2$ $\therefore a=-2$

$-8+3b=-5$ $\therefore b=1$

$\therefore a+2b=-2+2=0$

21 네 방정식의 그래프로 둘러싸인

사각형의 넓이는 $3\times10=30$

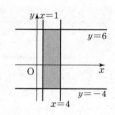

22 $3x-y+12=0$의 그래프의 x절편은 -4, y절편은 12이므로

$(\triangle\text{AOB의 넓이})=\dfrac{1}{2}\times4\times12=24$

$(\triangle\text{BCO의 넓이})=\dfrac{1}{2}\triangle\text{AOB}$,

$\dfrac{1}{2}\times12\times(\text{점 C의 }x\text{좌표의 절댓값})=12$

점 C의 x좌표의 절댓값은 2이므로 점 C의 x좌표는 -2이다.

따라서 교점의 좌표는 $(-2, 6)$이므로 $x=-2, y=6$을

$y=ax$에 대입하면 $6=-2a$ $\therefore a=-3$

23 y의 값이 x의 값의 4배이므로 $y=4x$ ...... ❶

$y=4x$를 $3x-y=-2$에 대입하면 $3x-4x=-2$ $\therefore x=2$

$x=2$를 $y=4x$에 대입하면 $y=8$ ...... ❷

$x=2, y=8$을 $ax+y=4$에 대입하면

$2a+8=4, 2a=-4, a=-2$ ...... ❸

채점 기준	배점
❶ x, y의 관계식 구하기	2점
❷ 연립방정식의 해 구하기	3점
❸ 상수 a의 값 구하기	2점

24 올라간 거리를 x km, 내려온 거리를 y km라 하면   ...... ❶

$\begin{cases} x+y=10 & \cdots\text{㉠} \\ \dfrac{x}{3}+\dfrac{y}{4}=3 & \cdots\text{㉡} \end{cases} \rightarrow \begin{cases} x+y=10 & \cdots\text{㉠} \\ 4x+3y=36 & \cdots\text{㉡} \end{cases}$ ...... ❷

㉠$\times 3-$㉡을 하면 $-x=-6$ $\therefore x=6$

$x=6$을 ㉠에 대입하면 $y=4$

따라서 내려올 때 걸은 거리는 4 km이다.   ...... ❸

채점 기준	배점
❶ 올라간 거리와 내려온 거리를 문자를 사용하여 나타내기	2점
❷ 연립방정식 세우기	3점
❸ 연립방정식을 풀어 내려올 때 걸은 거리 구하기	3점

25 2시간에 1.6 L의 석유를 사용하므로 1시간에 0.8 L를 사용한다.   ...... ❶

따라서 x와 y 사이의 관계식은 $y=12-0.8x$ ...... ❷

$y=0$일 때, $0=12-0.8x$ $\therefore x=15$

따라서 하루에 5시간씩 사용하므로 3일 동안 난로를 사용할 수 있다.   ...... ❸

채점 기준	배점
❶ 1시간에 사용하는 석유의 양 구하기	2점
❷ x와 y 사이의 관계식 구하기	3점
❸ 난로를 사용할 수 있는 일 수 구하기	3점

기말고사 대비 실전 모의고사

②회   96쪽~99쪽

01 ①	02 98	03 ④	04 ③	05 ③	06 ④
07 ①	08 ④	09 ②	10 ③	11 ①	12 ⑤
13 9	14 -1	15 ⑤	16 ②	17 ①	18 ①
19 $y=0.2x+12$	20 ④	21 $x=-4$	22 ①		
23 7	24 5	25 $\dfrac{45}{4}$			

01 ① $x-2y=2$에

$x=2, y=0$을 대입하면 $2-2\times 0=2$(참)

$x=0, y=-1$을 대입하면 $0-2\times(-1)=2$(참)

02 $4x+3y=86$ $\therefore a=4, b=86$

$y=x+3, x-y=-3$ $\therefore c=-3$

$\therefore b-ac=86+12=98$

03 $x=1, y=2$를 대입하면

$\begin{cases} a+2=4 & \therefore a=2 \\ 3+2a=b \end{cases}$

$a=2$를 $3+2a=b$에 대입하면 $3+4=b$ $\therefore b=7$

$\therefore a+b=2+7=9$

04 연립방정식 $\begin{cases} 2x-y=1 & \cdots\text{㉠} \\ 12x-5y=7 & \cdots\text{㉡} \end{cases}$에서

㉠$\times 5-$㉡을 하면 $-2x=-2$ $\therefore x=1$

$x=1$을 ㉠에 대입하면 $2-y=1$ $\therefore y=1$

따라서 $x=1, y=1$을 $ax+y=2$에 대입하면 $a+1=2$이므로 $a=1$

05 x의 값이 y의 값의 2배이므로 $x=2y$

$x=2y$를 $2x+y=10$에 대입하면 $4y+y=10$ $\therefore y=2$

$y=2$를 $x=2y$에 대입하면 $x=4$

$x=4, y=2$를 $x+3y=a+11$에 대입하면

$4+6=a+11$ $\therefore a=-1$

06 $\begin{cases} 3x-5y=19 & \cdots\text{㉠} \\ 3x+2y=5 & \cdots\text{㉡} \end{cases}$

㉠$-$㉡을 하면 $-7y=14$ $\therefore y=-2$

$y=-2$를 ㉠에 대입하면 $3x+10=19$ $\therefore x=3$

따라서 $a=3, b=-2$이므로 $a+b=3+(-2)=1$

07 $\begin{cases} 3x-y=5 & \cdots\text{㉠} \\ ax+4y=-2 & \cdots\text{㉡} \end{cases}$

㉠$\times(-4)$를 하면 $-12x+4y=-20$ $\cdots$㉢

연립방정식의 해가 없으므로 ㉡과 ㉢에서 x, y의 계수는 같고, 상수항은 달라야 한다.

$\therefore a=-12$

08 큰 수를 x, 작은 수를 y라 하면 $\begin{cases} x=7y+4 & \cdots\text{㉠} \\ 2x=15y+2 & \cdots\text{㉡} \end{cases}$

㉠을 ㉡에 대입하면 $2(7y+4)=15y+2, 14y+8=15y+2$

$\therefore y=6$

$y=6$을 ㉠에 대입하면 $x=7\times 6+4=46$

$\therefore x+y=46+6=52$

09 기차의 속력을 분속 x m, 기차의 길이를 y m라 하면

$\begin{cases} 900+y=x & \cdots\text{㉠} \\ 1900+y=2x & \cdots\text{㉡} \end{cases}$

㉠을 ㉡에 대입하면 $1900+y=2(900+y)$ $\therefore y=100$

$y=100$을 ㉠에 대입하면 $x=1000$

따라서 기차의 속력은 분속 1000 m이다.

10 ① $y=60\times x$이므로 $y=60x$ ② $y=\dfrac{x}{100}\times 200$이므로 $y=2x$

③ $xy=15$이므로 $y=\dfrac{15}{x}$ ④ $y=3\times x$이므로 $y=3x$

⑤ $y=x\times 30$이므로 $y=30x$

11 ① $f(-3)=-3+2=-1$

12 $f(a)=-2a+3=15$에서 $-2a=15-3$

$-2a=12$ ∴ $a=-6$

13 $f(-1)=-2\times(-1)+1=3$

$g(1)=\dfrac{5}{1}+1=6$

∴ $f(-1)+g(1)=3+6=9$

14 $y=-3x+2$의 그래프를 y축의 방향으로 k만큼 평행이동한 그래프의 식은 $y=-3x+2+k$

$x=2,\ y=-5$를 대입하면 $-5=-6+2+k$ ∴ $k=-1$

15 $y=-4x+7$의 그래프와 평행한 일차함수의 식은 $y=-4x+b$

점 $(2,\ -3)$을 지나므로 $-3=-4\times2+b,\ b=5$

따라서 구하는 일차함수의 식은 $y=-4x+5$

16 $y=ax+4$의 그래프의 x절편은 $-\dfrac{4}{a}$, y절편은 4이다.

$a>0$이므로 (삼각형의 넓이)$=\dfrac{1}{2}\times\dfrac{4}{a}\times4=8$ ∴ $a=1$

17 (기울기)$=\dfrac{(y의\ 값의\ 증가량)}{(x의\ 값의\ 증가량)}=\dfrac{-6}{3}=-2$

따라서 기울기가 -2인 그래프를 가지는 것은 ① $y=-2x+3$이다.

18 (기울기)$=\dfrac{9-(-1)}{-2-3}=\dfrac{10}{-5}=-2$

$y=-2x+b$로 놓고 $x=3,\ y=-1$을 대입하면

$-1=-6+b$ ∴ $b=5$

∴ $y=-2x+5$

따라서 $a=-2,\ b=5$이므로 $a+b=3$

19 $10\,g$짜리 추를 달 때마다 $2\,cm$씩 늘어나므로 $1\,g$짜리 추를 달 때는 $0.2\,cm$씩 늘어난다.

∴ $y=0.2x+12$

20 x절편이 5이므로 점 $(5,\ 0)$을 지나는 그래프를 찾으면 된다.

④ $-2\times5-0+10=0$

21 y축과 평행한 직선의 방정식은 $x=k$(단, k는 상수)의 꼴이므로

$2a=5a+6$ ∴ $a=-2$

따라서 직선의 방정식은 $x=-4$

22 연립방정식 $\begin{cases} 2x-3y=-6 \\ 3x+4y=8 \end{cases}$ 을 풀면 $x=0,\ y=2$

따라서 $x=0,\ y=2$를 $y=2x+a$에 대입하면 $a=2$

23 $x=a,\ y=2$를 $2x-3y=4$에 대입하면

$2a-6=4,\ 2a=10$ ∴ $a=5$ ······❶

$x=-1,\ y=b$를 $2x-3y=4$에 대입하면

$-2-3b=4,\ -3b=6$ ∴ $b=-2$ ······❷

∴ $a-b=5+2=7$ ······❸

채점 기준	배점
❶ a의 값 구하기	3점
❷ b의 값 구하기	3점
❸ $a-b$의 값 구하기	1점

24 $\begin{cases} 6x-5y=-4 & \cdots\cdots\text{㉠} \\ 3x+2y=7 & \cdots\cdots\text{㉡} \end{cases}$

㉠$-$㉡$\times2$를 하면 $-9y=-18$ ∴ $y=2$

$y=2$를 ㉡에 대입하면 $3x+4=7$ ∴ $x=1$ ······❶

$x=1,\ y=2$를 나머지 두 방정식에 대입하면 $\begin{cases} 2a-b=8 & \cdots\text{㉢} \\ 2a+2b=2 & \cdots\text{㉣} \end{cases}$

㉢$-$㉣을 하면 $-3b=6$ ∴ $b=-2$

$b=-2$를 ㉢에 대입하면 $2a+2=8$ ∴ $a=3$ ······❷

∴ $a-b=5$ ······❸

채점 기준	배점
❶ 연립방정식을 세워 해 구하기	3점
❷ $a,\ b$의 값 구하기	3점
❸ $a-b$의 값 구하기	2점

25 $\begin{cases} y=x+4 \\ 2x+3y-7=0 \end{cases}$ 을 풀면

$x=-1,\ y=3$ ······❶

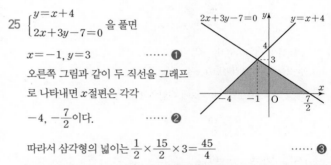

오른쪽 그림과 같이 두 직선을 그래프로 나타내면 x절편은 각각

$-4,\ -\dfrac{7}{2}$이다. ······❷

따라서 삼각형의 넓이는 $\dfrac{1}{2}\times\dfrac{15}{2}\times3=\dfrac{45}{4}$ ······❸

채점 기준	배점
❶ 두 식을 연립하여 풀기	3점
❷ 두 직선의 x절편 각각 구하기	3점
❸ 삼각형의 넓이 구하기	2점

기말고사 대비 실전 모의고사

3 회   100쪽~103쪽

01 ②, ⑤	02 ④	03 ④	04 7	05 ③	06 $\dfrac{13}{2}$
07 ①	08 ④	09 ①	10 ④	11 ⑤	12 ㄱ, ㄹ
13 ④	14 ①	15 ④	16 ④	17 ②	18 ③
19 (1) $y=36-0.4x$ (2) 90분		20 ②		21 ①	22 ④
23 0	24 30명	25 -2			

01 ① $3x+2y=-4+3x,\ 2y+4=0$: 미지수가 1개인 일차방정식

③ $-x+3xy=0$: xy항이 있으므로 일차방정식이 아니다.

④ $2x^2=-3+4y$: x^2항이 있으므로 일차방정식이 아니다.

02 $x=1,\ y=-3$을 $2x+ay=-1$에 대입하면

$2-3a=-1$ ∴ $a=1$

03 $x,\ y$가 자연수일 때,

$x+2y=7$의 해는 $(1,\ 3),\ (3,\ 2),\ (5,\ 1)$이고

$3x+y=11$의 해는 $(1,\ 8),\ (2,\ 5),\ (3,\ 2)$이다.

따라서 구하는 해는 $(3,\ 2)$이다.

04 $\begin{cases} 2x+y=-6 & \cdots \text{㉠} \\ x+2y=3 & \cdots \text{㉡} \end{cases}$ 에서

㉠×2-㉡을 하면 $3x=-15$ $\therefore x=-5$

$x=-5$를 ㉡에 대입하면 $-5+2y=3$ $\therefore y=4$

따라서 $a=-5,\ b=4$이므로 $a+3b=7$

05 $x=1,\ y=3$을 대입하면

$\begin{cases} a-3b=-1 \\ b+3=2a \end{cases} \rightarrow \begin{cases} a-3b=-1 & \cdots \text{㉠} \\ -2a+b=-3 & \cdots \text{㉡} \end{cases}$

㉠×2+㉡을 하면 $-5b=-5$ $\therefore b=1$

$b=1$을 ㉠에 대입하면 $a-3=-1$ $\therefore a=2$

$\therefore a+b=3$

06 $x:y=2:1$이므로 $x=2y$

$\begin{cases} \dfrac{x}{2}-\dfrac{y}{3}=\dfrac{4}{3} \\ x=2y \end{cases} \rightarrow \begin{cases} 3x-2y=8 & \cdots \text{㉠} \\ x=2y & \cdots \text{㉡} \end{cases}$

㉡을 ㉠에 대입하면 $6y-2y=8$ $\therefore y=2$

$y=2$를 ㉡에 대입하면 $x=4$

$x=4,\ y=2$를 $2x-ay=3$에 대입하면 $8-2a=3$ $\therefore a=\dfrac{5}{2}$

$\therefore x+a=4+\dfrac{5}{2}=\dfrac{13}{2}$

07 $\begin{cases} ax+2y=6 & \cdots \text{㉠} \\ -4x+y=-1 & \cdots \text{㉡} \end{cases}$ 에서 ㉡×2를 하면

$\begin{cases} ax+2y=6 \\ -8x+2y=-2 \end{cases}$

따라서 $x,\ y$의 계수는 같고, 상수항은 달라야 하므로 $a=-8$

08 ㉠×20을 하면 $16x-15y=20$ $\cdots$ ㉢

㉡×100을 하면 $12x+30y=180$ $\cdots$ ㉣

㉢과 ㉣을 연립하여 풀면 $x=5,\ y=4$

따라서 $a=5,\ b=4$이므로 $ab=20$

09 현재 아버지의 나이를 x살, 아들의 나이를 y살이라고 하면

$\begin{cases} x+y=46 \\ x+12=\dfrac{5}{2}(y+12) \end{cases}$ 에서 $\begin{cases} x+y=46 \\ 2x-5y=36 \end{cases}$

두 식을 연립하여 풀면 $x=38,\ y=8$

따라서 현재 아들의 나이는 8살이다.

10 상호의 속력을 시속 x km, 해안이의 속력을 시속 y km라 하면

$\begin{cases} \dfrac{2}{3}(x+y)=4\times 2 \\ \dfrac{2}{3}(x-y)=2 \end{cases} \rightarrow \begin{cases} 2x+2y=24 & \cdots \text{㉠} \\ 2x-2y=6 & \cdots \text{㉡} \end{cases}$

㉠+㉡을 하면 $4x=30$ $\therefore x=\dfrac{15}{2}$

따라서 상호의 속력은 시속 7.5 km이다.

11 $f(3)=\dfrac{4}{3}\times 3=4$

$f(-2)=\dfrac{4}{3}\times(-2)=-\dfrac{8}{3}$

$\therefore 2f(3)-6f(-2)=2\times 4-6\times\left(-\dfrac{8}{3}\right)=8+16=24$

12 ㄱ. 일차함수이다.

ㄴ. $y=(x$에 관한 일차식)의 꼴이 아니므로 일차함수가 아니다.

ㄷ. x가 분모에 있으므로 일차함수가 아니다.

ㄹ. $y=x+4$이므로 일차함수이다.

따라서 일차함수는 ㄱ, ㄹ이다.

13 ② x절편과 y절편은 모두 3이다.

④ 기울기가 다르므로 평행하지 않다.

14 $f\left(-\dfrac{1}{3}\right)=-\dfrac{1}{3}a-2=0$ $\therefore a=-6$

$f(x)=-6x-2$이므로 $f(b)=-6b-2=4$ $\therefore b=-1$

$\therefore a+b=-6+(-1)=-7$

15 $y=0$일 때, $0=\dfrac{1}{2}x-3,\ x=6$ $\therefore m=6$

$x=0$일 때, $y=\dfrac{1}{2}\times 0-3=-3$ $\therefore n=-3$

$\therefore m+n=3$

16 (기울기)<0, (y절편)<0이므로 $a<0$, $-\dfrac{b}{a}<0$

이때 $a<0$이고 $\dfrac{b}{a}>0$이므로 $b<0$

17 (기울기)$=\dfrac{5-(-3)}{-3-1}=\dfrac{8}{-4}=-2$

$y=-2x+b$로 놓고 $x=1,\ y=-3$을 대입하면

$-3=-2+b$ $\therefore b=-1$

$\therefore y=-2x-1$

18 그래프가 두 점 $(-2, 0)$, $(0, 4)$를 지나므로

(기울기)$=\dfrac{0-4}{-2-0}=2$, (y절편)$=4$

$\therefore y=2x+4$

19 (1) 30분에 12 cm씩 짧아지므로 1분에 0.4 cm씩 짧아진다.

$\therefore y=36-0.4x$

(2) $y=0$일 때, $0=36-0.4x,\ x=90$

따라서 양초가 모두 다 타는 데 걸리는 시간은 90분이다.

20 $2x-y-4=0,\ y=2x-4$

ㄱ. $y=2x-4$의 그래프와 일치한다.

ㄴ. (기울기)>0, (y절편)<0이므로 제1, 3, 4사분면을 지난다.

ㄷ. x절편은 2, y절편은 -4이므로 x절편과 y절편의 합은 -2이다.

ㄹ. 기울기가 2이므로 x의 값이 2만큼 증가할 때, y의 값은 4만큼 증가한다.

21 두 직선의 교점의 좌표는 연립방정식의 해와 같다.

$\begin{cases} x+y=5 & \cdots \text{㉠} \\ 3x-4y=8 & \cdots \text{㉡} \end{cases}$

㉠×3-㉡을 하면 $7y=7$ $\therefore y=1$

$y=1$을 ㉠에 대입하면 $x+1=5$ $\therefore x=4$

따라서 교점의 좌표는 $(4, 1)$이다.

22 $\begin{cases} x-y=-2 \\ -2x+ay=b \end{cases} \rightarrow \begin{cases} y=x+2 \\ y=\dfrac{2}{a}x+\dfrac{b}{a} \end{cases}$

해가 무수히 많으므로 $\dfrac{2}{a}=1$, $\dfrac{b}{a}=2$ ∴ $a=2$, $b=4$

$y=2x+4$의 그래프는 (기울기)>0, (y절편)>0이므로 그래프는 제1, 2, 3사분면을 지난다.

23 $x=2$, $y=-1$을 ㉠에 대입하면

$2m+3=7$, $2m=4$ ∴ $m=2$ ...... ❶

$x=2$, $y=-1$을 ㉡에 대입하면 $4+n=2$ ∴ $n=-2$ ...... ❷

∴ $m+n=2-2=0$ ...... ❸

채점 기준	배점
❶ m의 값 구하기	3점
❷ n의 값 구하기	3점
❸ $m+n$의 값 구하기	1점

24 남학생 수를 x명, 여학생 수를 y명이라고 하면

$\begin{cases} x+y=330 \\ \dfrac{1}{5}x+\dfrac{1}{6}y=\dfrac{2}{11}\times330 \end{cases}$ 에서 ...... ❶

두 식을 연립하여 풀면 $x=150$, $y=180$ ...... ❷

따라서 남학생 수가 150명, 여학생 수가 180명이므로 구하는 차는

$180-150=30$(명) ...... ❸

채점 기준	배점
❶ 연립방정식 세우기	3점
❷ 연립방정식의 해 구하기	3점
❸ 남학생 수와 여학생수의 차 구하기	2점

25 일차함수 $y=\dfrac{1}{2}x$의 그래프를 y축의 방향으로 a만큼 평행이동한 그래프의 식은 $y=\dfrac{1}{2}x+a$이므로 $x=2$, $y=4$를 대입하면

$4=\dfrac{1}{2}\times2+a$, $a=3$ ...... ❶

$x=-4$, $y=b$를 $y=\dfrac{1}{2}x+3$에 대입하면 $b=\dfrac{1}{2}\times(-4)+3$, $b=1$

$x=c$, $y=0$을 $y=\dfrac{1}{2}x+3$에 대입하면 $0=\dfrac{1}{2}c+3$, $c=-6$ ...... ❷

∴ $a+b+c=3+1-6=-2$ ...... ❸

채점 기준	배점
❶ a의 값 구하기	2점
❷ b, c의 값 각각 구하기	4점
❸ $a+b+c$의 값 구하기	2점

기말고사 대비 실전 모의고사

④ 회

104쪽~107쪽

01 ④	02 ①	03 ⑤	04 ④	05 $x=3$, $y=-1$
06 4	07 ②	08 5	09 ②	10 ①	11 ④
12 ④	13 ②	14 ⑤	15 ①	16 ④	17 ②
18 ②	19 ②	20 ③	21 ①	22 ④	23 36
24 500 g	25 $y=-5x+35$, 4 cm

01 $(1, 16)$, $(2, 12)$, $(3, 8)$, $(4, 4)$가 해가 되므로 해는 모두 4개이다.

02 ① $2x+y-9=0$에

$x=1$, $y=7$을 대입하면 $2\times1+7-9=0$(참)

$x=4$, $y=1$을 대입하면 $2\times4+1-9=0$(참)

03 $x=k$, $y=3$을 $3x+2y=18$에 대입하면

$3k+6=18$, $3k=12$ ∴ $k=4$

04 $x=a-1$, $y=3-a$를 $-3x+y=-2$에 대입하면

$-3a+3+3-a=-2$, $-4a=-8$ ∴ $a=2$

$x=1$, $y=1$을 $6x-by=5$에 대입하면 $6-b=5$ ∴ $b=1$

∴ $a-b=1$

05 a, b를 바꾼 연립방정식 $\begin{cases} bx-ay=5 \\ ax+by=5 \end{cases}$의 해는 $x=3$, $y=1$

$x=3$, $y=1$을 대입하면 $\begin{cases} 3b-a=5 \\ 3a+b=5 \end{cases} \rightarrow \begin{cases} -a+3b=5 \cdots ㉠ \\ 3a+b=5 \cdots ㉡ \end{cases}$

㉠$\times3+$㉡을 하면 $10b=20$ ∴ $b=2$

$b=2$를 ㉠에 대입하면 $-a+6=5$ ∴ $a=1$

따라서 처음의 연립방정식은 $\begin{cases} x-2y=5 \\ 2x+y=5 \end{cases}$ 이므로

이 연립방정식을 풀면 $x=3$, $y=-1$

06 $\begin{cases} x+y=4 \\ -x+2y=2 \end{cases}$를 풀면 $x=2$, $y=2$

$\begin{cases} x+2y=a \\ bx+2y=8 \end{cases}$에 $x=2$, $y=2$를 대입하면 $\begin{cases} 2+4=a \\ 2b+4=8 \end{cases}$

∴ $a=6$, $b=2$

∴ $a-b=6-2=4$

07 $\begin{cases} x+1=\dfrac{4x-y}{2} \\ x+1=\dfrac{4x+y}{3} \end{cases} \rightarrow \begin{cases} 2x+2=4x-y \\ 3x+3=4x+y \end{cases} \rightarrow \begin{cases} -2x+y=-2 \\ -x-y=-3 \end{cases}$

㉠$+$㉡을 하면 $-3x=-5$ ∴ $x=\dfrac{5}{3}$

$x=\dfrac{5}{3}$를 ㉡에 대입하면 $-\dfrac{5}{3}-y=-3$ ∴ $y=\dfrac{4}{3}$

08 $\begin{cases} 2(x+4)=13+x-y \\ x=3(y-1) \end{cases} \rightarrow \begin{cases} x+y=5 \\ x-3y=-3 \end{cases}$

두 식을 연립하여 풀면 $x=3$, $y=2$

$x=3$, $y=2$를 $ax-2y=11$에 대입하면 $3a-4=11$ ∴ $a=5$

09 $\begin{cases} x+2y=b \cdots ㉠ \\ ax-4y=8 \cdots ㉡ \end{cases}$에서 ㉠$\times(-2)$를 하면 $\begin{cases} -2x-4y=-2b \\ ax-4y=8 \end{cases}$

해가 무수히 많을 조건은 $-2=a$, $-2b=8$이므로

$a=-2$, $b=-4$

∴ $a-b=-2-(-4)=2$

10 미술관에 입장한 성인을 x명, 청소년을 y명이라 하면

$\begin{cases} x+y=14 \\ 13000x+7000y=122000 \end{cases}$

두 식을 연립하여 풀면 $x=4$, $y=10$

따라서 미술관에 입장한 성인은 4명이다.

11 ① $y=300x$이므로 함수이다.

　② $y=3x$이므로 함수이다.

　③ $y=\dfrac{15}{x}$이므로 함수이다.

　④ $x=4$이면 4보다 작은 소수가 2, 3이다.

　　즉, $x=4$일 때 y의 값이 2개이므로 y가 x의 함수가 아니다.

　⑤ $y=\dfrac{1}{2}\times x\times 4=2x$이므로 함수이다.

12 $f(-1)=(-2)\times(-1)-5=2-5=-3$

　$f(1)=(-2)\times 1-5=-2-5=-7$

　$\therefore f(-1)-f(1)=-3-(-7)=4$

13 $f(2)=4$이므로 $2a-6=4$, $2a=10$ 　$\therefore a=5$

　$\therefore f(x)=5x-6$

　$f(-1)=5\times(-1)-6=-11$

　$f(3)=5\times 3-6=9$

　$\therefore f(-1)+f(3)=-11+9=-2$

14 일차함수 $y=2x-3$의 그래프를 y축의 방향으로 6만큼 평행이동한 그래프의 식은 $y=2x-3+6$

　$\therefore y=2x+3$

　따라서 $x=2$, $y=k$를 대입하면 $k=2\times 2+3=7$

15 (기울기)$=\dfrac{(y\text{의 값의 증가량})}{(x\text{의 값의 증가량})}$

　$-2=\dfrac{(y\text{의 값의 증가량})}{6-2}$ 　$\therefore (y\text{의 값의 증가량})=-8$

16 그래프가 오른쪽 아래로 향한다. → $a<0$

　y절편이 양수이다. → $b>0$

　$y=-ax+b$에서 $-a>0$, $b>0$이므로

　(기울기)>0, (y절편)>0

　따라서 $y=-ax+b$의 그래프는 오른쪽 그림과 같으므로 제4사분면을 지나지 않는다.

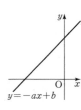

17 ① 기울기가 4이고, x절편이 2인 일차함수의 그래프의 식은 $y=4x-8$이다.

　③ 두 점 $(0, 4)$, $(2, 0)$을 지나는 직선을 그래프로 하는 일차함수의 식은 $y=-2x+4$이다.

　④ x의 값이 3만큼 증가할 때, y의 값이 6만큼 감소하는 그래프의 기울기는 -2이다.

　⑤ 일차함수 $y=-\dfrac{2}{3}x+5$의 그래프는 기울기가 음수이므로 오른쪽 아래로 향하는 직선이다.

18 $y=-x+b$로 놓고 $x=3$, $y=2$를 대입하면 $2=-3+b$ 　$\therefore b=5$

　$\therefore y=-x+5$

19 ② $y=\dfrac{2}{3}x+2$에서 (기울기)>0, (y절편)>0이므로 그래프는 제1, 2, 3사분면을 지난다.

20 $ax+y+b=0$, $y=-ax-b$

　(기울기)<0, (y절편)>0이므로 $-a<0$, $-b>0$

　$\therefore a>0$, $b<0$

21 교점의 x좌표가 2이므로 $x=2$를 $x+3y=5$에 대입하면

　$2+3y=5$ 　$\therefore y=1$

　$x=2$, $y=1$을 $ax-y=3$에 대입하면

　$2a-1=3$ 　$\therefore a=2$

22 $\dfrac{1-0}{4-0}\le a\le \dfrac{3-0}{2-0}$ 　$\therefore \dfrac{1}{4}\le a\le \dfrac{3}{2}$

23 십의 자리의 숫자를 x, 일의 자리의 숫자를 y라 하면

　$\begin{cases}x+y=9 \\ 10y+x=10x+y+27\end{cases} \rightarrow \begin{cases}x+y=9 \\ -9x+9y=27\end{cases}$

　$\rightarrow \begin{cases}x+y=9 & \cdots \text{㉠} \\ -x+y=3 & \cdots \text{㉡}\end{cases}$ ⋯⋯ ❶

　㉠$+$㉡을 하면 $2y=12$ 　$\therefore y=6$ ⋯⋯ ❷

　$y=6$을 ㉠에 대입하면 $x=3$ ⋯⋯ ❸

　따라서 두 자리의 자연수는 36이다.

채점 기준	배점
❶ 연립방정식 세우기	3점
❷ 연립방정식의 해 구하기	3점
❸ 조건을 만족하는 두 자리의 자연수 구하기	1점

24 7 %의 소금물을 x g, 13 %의 소금물을 y g 섞는다고 하면

　$\begin{cases}x+y=600 \\ \dfrac{7}{100}x+\dfrac{13}{100}y=\dfrac{8}{100}\times 600\end{cases} \rightarrow \begin{cases}x+y=600 & \cdots \text{㉠} \\ 7x+13y=4800 & \cdots \text{㉡}\end{cases}$

　⋯⋯ ❶

　㉠$\times 7-$㉡을 하면 $-6y=-600$ 　$\therefore y=100$

　$y=100$을 ㉠에 대입하면 $x+100=600$ 　$\therefore x=500$ ⋯⋯ ❷

　따라서 7 %의 소금물을 500 g 섞어야 한다. ⋯⋯ ❸

채점 기준	배점
❶ 연립방정식 세우기	4점
❷ 연립방정식의 해 구하기	3점
❸ 7 %의 소금물의 양 구하기	1점

25 $\overline{PD}$의 길이가 $(7-x)$cm이므로

　$y=\dfrac{1}{2}\times 10\times (7-x)$ 　$\therefore y=-5x+35$ ⋯⋯ ❶

　$y=20$을 대입하면 $20=-5x+35$, $-5x=-15$ 　$\therefore x=3$ ⋯⋯ ❷

　따라서 $\overline{PD}$의 길이는 $7-3=4$(cm) ⋯⋯ ❸

채점 기준	배점
❶ x, y 사이의 관계식 구하기	3점
❷ x의 값 구하기	3점
❸ $\overline{PD}$의 길이 구하기	2점

실전에 강한 절대 공부 감각

새로운 개정 교육과정 반영

BEST 유형 + BEST 기출 총망라

내신 UP

기말고사
정답 및 해설

(주)에듀왕
www.왕수학.com